VIERSPEL

jane fallon

vierspel

DE KERN

Oorspronkelijke titel: *Foursome*
Oorspronkelijke uitgever: Penguin Books, Londen
Copyright © 2010 by Jane Fallon
The moral right of the author has been asserted
Copyright © 2010 voor deze uitgave:
Uitgeverij De Kern, een imprint van De Fontein|Tirion bv,
Postbus 1, 3740 AA Baarn
'The Fear': tekst en muziek door Lily Allen & Greg Kurstin © 2008 Universal
Music Publishing Limited (50%) / EMI Music Publishing Limited (50%).
Overgenomen met toestemming van Music Sales Limited.
Alle rechten voorbehouden.
Vertaling: Anna Livestro
Fotografie omslag: One Photographic
Typografie omslag: Hans Gordijn
Auteursfoto omslag: Julian Hayr
Opmaak binnenwerk: Het vlakke land, Rotterdam
ISBN 978 90 325 1227 9
NUR 302

www.defonteintirion.nl

I

DIT KAN NIET WAAR ZIJN.
'Ik meen het serieus,' zegt Alex, alleen heeft hij een flinke slok op, dus het klinkt eerder als: 'Nee, sjerieusj,' waardoor ik bijna in de lach schiet. Maar dan herinner ik me het verschrikkelijke melodrama waarin ik op de een of andere manier een rol schijn te spelen.

'Je bent dronken,' zeg ik, en ik sta op van de bank voor wat meer fysieke afstand tussen ons. 'Ik zou maar eens naar bed gaan.'

Alex komt overeind en doet een stap mijn kant op. 'Dat ik nou toevallig een paar borrels opheb wil nog niet zeggen dat ik niet meen wat ik zeg. Het wil alleen zeggen dat ik eindelijk de moed heb om het te zeggen. Ik hou van je, Rebecca, altijd al.'

O god. Daar gaan we weer. Nu hij dat zegt, voel ik iets in mijn maag, en niet in de zin van wat-heb-ik-hier-naar-verlangd. Eerder in de zin van: ik ga over mijn nek door de combinatie van de wijn en het idee dat Alex dit soort teksten uitslaat. Daniel, mijn echtgenoot, ligt overigens boven in onze slaapkamer te slapen. En waarom ook niet? Het is een uur 's nachts en hij heeft nooit enige reden tot bezorgdheid gehad als hij Alex en mij samen achterliet. Tot nu dus. Ineens word ik laaiend op Alex. Het is al erg genoeg dat hij dit überhaupt durft te beweren, maar dan ook nog met Daniel – bij uitstek het bewijs dat ik niet op de markt ben – die boven onze hoofden ligt te slapen! Die lieve, grappige Dan die altijd zo verschrikkelijk loyaal is aan ons allebei. Ik besluit dat ik ter plekke een eind aan dit gesprek wil maken.

'Alex, doe niet zo idioot. Het is laat en we zijn dronken en je weet niet wat je zegt. Ga nou maar naar bed, ja?'

Alex leunt voorover en legt zijn hand op mijn arm. Ik schud hem van me af. 'Ga nou niet beweren dat jij dat niet ook zo voelt,' zegt hij, en heel even denk ik: Is dit soms mijn schuld? Heb ik hem dan aanleiding gegeven om dit te geloven? Heb ik op een avond misschien zijn blik gevangen en te lang vastgehouden omdat ik een paar glazen te veel gedronken had? En dan weet ik: nee, absoluut niet, want in de vierentwintig jaar van onze vriendschap heb ik Alex nog nooit anders gezien dan als vriend. Flirten met hem zou net zoiets zijn als flirten met mijn broer. Het is letterlijk nog nooit bij me opgekomen.

Ik zou hem eigenlijk heel voorzichtig moeten afwimpelen. Hij heeft de laatste tijd al zoveel voor zijn kiezen gehad – weliswaar allemaal door zijn eigen schuld, maar toch – en het is duidelijk dat hij aan het doordraaien is, maar ik ben kwaad op hem. Hoe durft hij iets in onze relatie te zien wat er echt helemaal niet is? Hoe durft hij zo ontrouw aan Dan te zijn?

'Absoluut niet,' zeg ik, net iets te hard. 'Jij bent mijn vriend, Alex. Ik ben niet verliefd op jou. Ik zou nooit… het idee alleen al…'

Oké, hou ik mezelf voor, hij snapt het wel. Maar ik kan niet meer stoppen. Ik wil hem straffen. 'Ik word hier misselijk van. Ik bedoel, dat is toch ook echt… pervers. Godsamme, ik zou nooit…'

Alex kijkt alsof hij in één klap broodnuchter is. 'Prima,' zegt hij. 'Ik hoor het al.'

Hij draait zich abrupt om en beent weg, en een paar tellen later hoor ik de voordeur dichtklappen. Heel even vraag ik me bezorgd af waar hij naartoe moet om een uur 's nachts, zonder jas. Die hangt nog steeds over de rugleuning van een van onze stoelen. Maar dan bedenk ik dat dat zijn probleem is. Hij is een volwassen vent. Hij kan prima voor zichzelf zorgen.

2

REBECCA EN DANIEL, ALEX EN Isabel. Wij zijn altijd al met zijn vieren geweest, zo lang ik me kan herinneren. Tenminste, in elk geval sinds Daniel en Alex, die sinds hun twaalfde elkaars beste vriend zijn, in een advertentie vroegen om twee huisgenoten voor hun vervallen studentenhuis in Windsor, en ze eerst Isabel kozen, en toen mij, omdat ze dachten dat ze ons wel konden scoren, zoals Dan het kies uitdrukte. En ze scoorden ons ook, uiteindelijk, hoewel ik me nog tot de kerst staande heb weten te houden. Toen we eenmaal setjes hadden gevormd in twee van de vier kamers hebben we nog overwogen om er nog meer huisgenoten bij te halen – we waren student, we hadden het geld nodig – maar we vonden het te fijn met zijn viertjes. Het voelde als een gezin. En dat is twintig jaar zo gebleven.

Na onze studie huurden we appartementen in Londen, een paar straten bij elkaar vandaan. Toen volgden onze bruiloften en daarna, vlot achter elkaar, kwamen onze baby's.

Alle kerstdagen, verjaardagen en oudejaarsavonden waren we samen. We waren een eenheid. We hadden verder niemand nodig. Tot een paar maanden geleden, toen Alex ineens aankondigde dat hij ervan af wilde. Niet dat er een geweldig drama was – er was geen derde in het spel. Hij had alleen besloten dat hij niet meer bij haar wilde blijven. Hij voelde zich verstikt, zéi hij. Alsof hij veel te lang op één plek had gezeten en hij de wijde wereld in moest om te zien wat die nog meer te bieden had. Hij had de meisjes – een tweeling van acht, Nicola en Natalie – bij Isabel gelaten en was ergens anders gaan wonen. Een huis dat toevallig voor hem klaarstond, een paar straten verder, zodat hij nog steeds gewoon bij hen langs kon. Hij wilde het graag beschaafd afhandelen, zei hij. Hij en Isabel zouden afspraken maken over wanneer het hen beiden zou schikken wanneer Alex de meisjes had (hoewel hij Isabel had gesmeekt of hij langs mocht komen zo vaak als hij wilde, had Isabel, volkomen terecht, hem niet overal zijn zin in gegeven). Ze zouden vrienden blijven.

Maar zo liep het natuurlijk niet helemaal. Isabel was ingestort. Ze wilde niets liever dan getrouwd zijn. Nee, dat klinkt een beetje raar. Ik bedoel niet om het getrouwd-zijn, maar ze was wel zo'n vrouw die niet alleen een toestand maakte van haar bruiloft – zij verheugde zich oprecht op de komende veertig of vijftig jaar samen. Ze fantaseerde vroeger altijd over hun oude dag, met de kinderen en kleinkinderen. Dat ze dan samen jam gingen maken in een huis ergens in Zuid-Frankrijk, en dat de kinderen en vrienden en honden er een dolle boel van maakten met z'n allen.

En het is natuurlijk niet belangrijk – en Isabel was zich er waarschijnlijk niet eens van bewust – maar het straalde ook zo ontzettend af van haar en Alex. Allebei blond en gebruind en glimmend, als zo'n setje boven op een bruidstaart. Als je hen samen zag, dacht je: ja, logisch. En toen ze eenmaal verliefd werd op Alex, sloot ze onmiddellijk zijn familie in haar hart, die haar op hun beurt op handen droeg. Ze was de schoondochter waar elke moeder van droomt.

Ze had zich nooit afgevraagd of dit wel iets was voor de rest van haar leven. En Alex – tenminste, dat dacht ik altijd – kon zijn geluk niet op dat die beeldschone, warme, loyale vrouw hem had uitverkoren. Misschien bemoederde ze hem ietsje te veel, maar daar had hij evenveel schuld aan als zij. Ze vond het heerlijk om voor hem te zorgen en hij vond het heerlijk dat er voor hem werd gezorgd. Er was nooit enig teken aan de wand verschenen, nooit een aanwijzing dat er iets mis was. Ze had geen tijd gekregen om te wennen aan het idee dat haar huwelijk misschien niet zo perfect was als ze zelf altijd had gedacht. Het was ineens over. Pats-boem. De ene dag was het er nog, en de volgende dag was het weg.

Met Alex ging het al niet veel beter. Hij had geen idee wat hij precies aan moest met zijn nieuw verworven vrijheid en meestal hing hij maar wat rond in zijn appartementje, zwelgend in zelfmedelijden. Het schijnt dat je in elke strijd partij moet kiezen, en aangezien hij zo vaak bij ons thuis is, lijkt het net of wij ons achter hem scharen, ook al geeft me dat nog steeds een heel ongemakkelijk gevoel. Ik weet best dat hij Dans beste vriend voor altijd is, maar zelf ben ik behoorlijk pissig over wat hij heeft gedaan. Niet alleen naar Isabel en de kinderen, maar ook naar ons allemaal, onze gezellige clubje. Het is net of hij ons ineens de rug heeft toegekeerd met de mededeling: 'Sorry, jongens, maar ik verveel me dood met jullie.' Ik voel me in de steek gelaten.

Als ik me wel eens hardop afvraag of Isabel het allemaal wel redt, of hem vraag hoe hij er toch bij kwam om zo'n dramatische stap te zetten, maakt hij een eind aan het gesprek. Alleen als ik over de tweeling begin is hij nog uit zijn tent te lokken – hij weet niet of hij zijn leven wel zonder hen wil leven – maar is dat dan een reden om in een slecht huwelijk te blijven? Ik heb hem nooit enig medeleven betoond. Wie zijn gat brandt, et cetera.

Dan is gek op de tweeling, net als ik. Ze zijn surrogaatzusjes van onze kinderen (Zoe, van dertien, en de elfjarige William), en ze zijn al hun hele leven onderdeel van het onze. Hoe kon Alex hun dit nu toch aandoen? vroeg ik hem. Hoe kon hij dit Isabel nou toch aandoen? Uitgerekend Isabel? Ik vraag me wel eens af wat Dan zou doen als ik op mijn strepen ging staan en Isabel uitnodigde. Als ik zou zeggen dat ik geen zin meer had in Alex, en dat ik hem niet kon vergeven. Zou hij daar dan in meegaan, of zou de geschiedenis van hun vriendschap het dan nog steeds winnen? Ik vind het allemaal zo oneerlijk, maar ja, kennelijk gaat het hier niet om eerlijkheid. Het punt is dat Dan en Alex als broers zijn.

En dan is dit Alex' dank.

Voor hij met zijn grootse liefdesverklaring aan mijn adres kwam, voor hij die vier woordjes uitsprak die alles voor altijd zouden veranderen, was het eigenlijk best een leuke avond.

Ik had hem als introducé meegenomen naar de première van het toneelstuk van een van mijn cliënten. Ik zeg 'mijn cliënten', alsof ik die heb. Alsof acteurs en toneelschrijvers aan mijn lippen hangen als ik hen van carrièreadvies bedien. Ik heb geen cliënten. Mijn werkgevers hebben cliënten. Ik ben hun assistente, sinds kort, sinds William naar de middelbare school gaat, werk ik fulltime. Joshua en Melanie zijn de Mortimer en Sheedy van het bord bij de voordeur. Samen vertegenwoordigen ze rond de tweeënveertig acteurs en personality's, van wie de lachende gezichten naar me gluren vanaf hun persfoto's bij de receptie, tevens mijn thuishonk, en een handvol schrijvers met uiteenlopende hoeveelheden talent en succes.

Ik ben dol op mijn werk. Ik heb drama gestudeerd en ik heb mezelf ook nog een paar jaar actrice genoemd, ondanks het feit dat al mijn betaalde werk plaatsvond in restaurants of callcenters. Ik heb ooit de rol van Cordelia gespeeld in een productie van *King Lear*, waarmee we zes weken op tournee gingen door het Verre Oosten. Dat was mijn moment. Verder zat ik vooral bij de telefoon te wachten, maar die ging nooit over. Eerlijk gezegd, toen ik eenmaal zwanger was van Zoe was ik er helemaal klaar mee. Ik werd fulltimemoeder en daar heb ik elke seconde van genoten.

En toen ik eenmaal de moed had om weer aan de slag te gaan, vond ik het veel leuker om aan de andere kant van de camera te gaan staan, bij wijze van spreken. Er is namelijk nog nooit echt een camera in het spel geweest, maar je begrijpt wat ik wil zeggen. Ik heb geen echte verantwoordelijkheden, en dat bevalt me prima. Ik wil geen verantwoordelijkheden. Wat ik in feite doe is het doorgeven van boodschappen en het bijhouden van agenda's. Ik regel audities en ver- gaderingen, ik kopieer scripts en castingopdrachten. Maar ik ben nog wel gek op die wereld, en helemaal opgewonden bij alle mogelijkheden achter elk telefoontje. Aanbiedingen voor televisieklussen, audities voor toneelproducties, de eerste voorzichtig uitgestoken voelsprieten van theatergezelschappen naar de rechten van een toneelstuk van een van onze schrijvers.

Eerlijk gezegd verdient geen van onze cliënten veel geld. Er zijn er een paar die leuk kunnen zingen en dansen en die een behoorlijke boterham verdienen in het musicalcircuit. Enkelen van hen zijn gaan presenteren. Een paar acteurs hebben bijna elke week een auditie, en scoren soms zelfs een sprekende rol als 'tweede bankbediende' of als 'beroofde vrouw' in een politieserie. Onze schrijvers zitten over het algemeen te wachten op de heilige graal: een dikbetaalde televisieserie. En in de tussentijd beitelen ze aan meesterwerken die hooguit een handjevol mensen ooit onder ogen krijgt.

En dan hebben we nog onze 'sterren'. De bescheiden elite die het is gelukt om succesvolle en lucratieve carrières op te bouwen en die nog niet zijn weggelokt door de grotere bureaus. Het gebeurt vaak dat je iemand koestert, in hen gelooft terwijl verder niemand in hen gelooft, en dat zo iemand hem dan bij het eerste sprankje roem smeert naar ICM. Nog geen bedankbriefje of niks.

De première van vanavond betrof een van onze trouwe succesverhalen – Gary McPherson – een voormalig soapacteur die via een uiterst publiek schandaal waar drugs uit de categorie 'hard' en meisjes uit de categorie 'minderjarig' bij betrokken waren, is uitgegroeid tot een beroemdheid. Nog helemaal rood aangelopen van al die verse media-aandacht had Gary een hoofdrol in een klucht uit de jaren dertig weten te bemachtigen, die na een wervelende tournee door het land nogal onverwacht in het West End was beland, aan Shaftesbury Avenue, en die daar vijf weken zou draaien. In werkelijkheid doen ze zoiets alleen om te voorkomen dat het theater vijf weken dicht moet, omdat de decors van een of andere Andrew Lloyd Webber-show nog op zich lieten wachten. Dat hangen wij de casting directors en de recensenten natuurlijk niet aan de neus als we hen bellen met onze uitnodiging. We zeggen gewoon dat Gary die langverwachte rol op West End eindelijk heeft weten te bemachtigen en dat we het geweldig zouden vinden als ze naar de première kwamen.

Door de jaren heen is Daniel al zo vaak gedwongen meegegaan, en op het laatste moment veinsde hij vandaag dat hij hoofdpijn had. En omdat het te kort dag was om te verwachten dat Isabel een oppas kon regelen, stelde Dan voor dat ik Alex meenam in zijn plaats. Ik dacht nog, dat zal hem misschien een beetje opvrolijken, goed plan. Het is vreselijk om iemand waar je om geeft zo down te zien, ook al blijft het kritische stemmetje in mijn hoofd hameren op het feit dat die iemand dat geheel aan zichzelf te wijten heeft.

Mijn rol deze avond is niet een en al feest. Het is de bedoeling dat ik op de premièreparty op het dak van de Century Club flink hielen ga likken. Ik moet zorgen dat Gary wordt meegetroond en dat hij kennismaakt met iedereen die in de niet al te verre toekomst werk voor hem zou kunnen hebben. Het is de bedoeling dat ik die taak uitvoer in samenwerking met Lorna, de andere assistente. Heb ik het al over Lorna gehad? Toen ik zei dat ik dol ben op mijn werk voelde je toch zeker de 'maar' wel hangen?

'Ik ben dol op mijn werk, maar...'

Die maar, dat is Lorna. Ik ben dol op mijn werk, maar ik wou dat ik niet samen met Lorna in één kamer zat. Niet dat ze een bitch is, of zo. Ze is alleen zo… irritant. Tergend irritant. Ze praat de he-le tijd. En dan bedoel ik ook echt de he-le tijd. Over niks. Er zijn weinig dingen waar ik me zo aan kan ergeren als aan mensen die nooit eens een keer hun mond houden. Die elk gaatje vullen met verhalen over hun reis naar het werk of het 'hilarische' misverstand in de supermarkt laatst, of hun mening over de kredietcrisis. En eerlijk gezegd, wat ik net zei over dat ze geen bitch is, dat klopt ook niet helemaal. Dat is ze soms wel. Vaak. Vooral tegen mij, de laatste tijd, maar daarover later meer.

Hoe dan ook, Lorna moet mij dus helpen om Gary rond te duwen en voor de verandering lukt het ons dit keer aardig de lasten te verdelen. En daar ben ik haar dankbaar voor, want ik wil Alex niet te lang aan zijn lot overlaten. Hij is nogal een ongeleid projectiel en hij is niet zo goed in gesprekken met andere mensen, behalve Dan en mij. De kans is groot dat hij meteen zijn hele doopceel op tafel gooit: 'Ik heb jaren in een ongelukkige relatie gezeten. Ik heb het echt geprobeerd. Ik weet niet wat ik verkeerd heb gedaan. Ik bedoel, je maakt mij niet wijs dat zij nooit met de gedachte heeft gespeeld om weg te gaan.' Hij kan het niet helpen, maar je ziet die mensen denken. Eerst leven ze mee, dan begint het hen te vervelen en vervolgens zie je de angst dat hij nooit meer ophoudt. Een masterclass 'acteren' in drie stappen. Dus daarom kom ik om de vijf minuten maar eens even kijken hoe het hem vergaat, en meestal hangt hij in zijn eentje ergens bij de bar. Hij drinkt veel te veel de laatste tijd.

'Alles oké?' vraag ik voor de tiende keer.

'Ja, prima. Ik heb het naar mijn zin.' Hij slaat de rest van zijn rode wijn achterover en reikt naar een nieuw glas. Ik volg onwillekeurig zijn beweging met mijn ogen. Ik ben bang dat hij dronken wordt en dat hij mij dan voor schut zet.

'Ik heb er nog maar een paar op,' zegt hij defensief.

'Ik zei toch helemaal…' begin ik, maar dan zwijg ik, want het was duidelijk wat ik bedoelde.

'Wil je anders naar huis?' vraag ik. 'Dat vind ik ook best, hoor.'

'Nee. Echt niet. Maar blijf nou wel eventjes met me praten.'

Ik kijk om me heen en Gary lijkt diep in gesprek met een bekende theaterdirecteur die een voorliefde heeft voor knappe ruwe bolsters, dus ik ga zitten.

'Hoe was je dag,' vraagt Alex. Hij mag graag luisteren naar de laatste roddels over onze cliënten. Hoe ranziger hoe beter. Dus vertel ik hem dat Gary een scène heeft geschopt omdat de producenten waren vergeten hem toi-toi-toi te wensen met een bos bloemen, terwijl de actrice die zijn zuster speelt, en die maar drie regels tekst heeft, er wel eentje had gekregen.

'Gary heeft zelf achtenveertig regels,' vertel ik.

'Hoe weet jij dat nou?' lacht hij.

'Ik moest ze tellen van hem. Maar wat hij niet weet is dat zijn rol in de oorspronkelijke versie bestond uit drieëntachtig regels. Toen ze besloten om hem te casten hebben ze kennelijk ook besloten in de tekst te snoeien.'

Alex gnuift en ik voel een lichte blijdschap omdat het me is gelukt hem een beetje op te vrolijken. 'Heeft hij dat dan helemaal niet door?'

'Nee, want hij heeft het origineel nooit gelezen. Hij leest überhaupt nooit de stukken waar hij zelf in speelt. Hij telt alleen zijn eigen regels en hij checkt of zijn rol niet al op pagina vijf de pijp uit gaat.'

Alex zit nu heel hard te lachen en dus vertel ik hem dat Lorna zich bij Joshua en Melanie heeft beklaagd omdat haar bureautje kleiner is dan dat van mij, en dat dat zo gemeen is, omdat zij er langer werkt dan ik. Dus dat zij dan meer recht heeft op een groot bureau dan ik.

'Dus toen heb ik ze gemeten,' zeg ik tegen hem. 'En het scheelt precies twee centimeter. Twee centimeter!'

'Als ik jou was, zou ik alles meten. Ik zou een lijstje bijhouden van alles wat zij heeft dat groter is dan wat jij hebt…' begint hij, maar dan komt Lorna zelf tussenbeide omdat Melanie vindt dat Gary meer moet rondlopen, en dat iemand hem moet redden van de roofzuchtige theaterdirecteur.

'Kan jij het niet even doen?' vraag ik. Het lijkt me duidelijk dat ik midden in een gesprek zit.

'Ik ben kapot,' zegt ze, en ze ploft op het bankje. Ik sta op, geïrriteerd.

'O, dit is dus Lorna,' zeg ik tegen Alex terwijl ik wegloop, en ik weet dat hij het fantastisch vindt om haar te ontmoeten, want hij heeft me al zo vaak over haar horen klagen dat hij onderhand wel doorheeft dat ik haar niet goed kan zetten.

'Jemig, pijn in mijn voeten, niet normaal,' hoor ik haar zeggen als ik wegloop. 'Ik heb deze schoenen gisteren pas gekocht en ik heb maat 39 maar ze hadden alleen nog een paar in 38 en ik dacht: jammer dan ze rekken wel op en als ik een maatje 39 moet bestellen dan duurt dat weer een eeuw en tegen die tijd vind ik ze natuurlijk niet eens meer zo super en dan heb ik ook geen gelegenheid meer waar ik ze kan dragen of zo en mijn voeten zijn trouwens toch heel smal dus ik heb toch al het gevoel dat 39 soms te groot voor me is...'

Het klopt wat jij nu denkt: ze praat zonder interpunctie. Nog geen momentje om even op adem te komen. Ik kijk om en ik zie Alex naar haar kijken met een opgetrokken wenkbrauw, want zo kijkt hij. Hij zuigt het allemaal op, zodat we er later samen om kunnen lachen. Met een glimlach laat ik hen hun gang gaan.

Om een uur 's nachts gaan we eindelijk weg en storten we ons in een taxi naar mijn huis. Het spreekt voor zich dat Alex blijft logeren. Hij haat zijn nieuwe appartement en dus woont hij momenteel zo ongeveer in onze logeerkamer. Bovendien hoopt hij, denk ik, dat Dan nog wakker is en dat hij nog een borrel kan drinken en fijn wat aan zelfkastijding kan doen. ('Misschien had ik toch mijn eigen ongeluk maar moeten slikken omwille van de meisjes. Ben ik dan te egoïstisch?') Maar eenmaal in de taxi begint hij zich vreemd te gedragen. Misschien verbeeld ik het me, maar volgens mij kijkt hij net iets te lang, net iets te intens naar me terwijl ik wezenloos uit het raam staar. Als ik omkijk schenkt hij me een enigszins weeïge, maar oprechte glimlach, die me even een heel ongemakkelijk gevoel geeft.

Ik moet hier vermelden dat er nog nooit – zelfs geen seconde – ook maar iets van spanning is geweest tussen Alex en mij. Nooit. Zelfs niet toen Dan en ik een paar maanden uit elkaar waren, aan het eind van ons eerste jaar samen, en Alex en ik de zomer alleen in het huis woonden omdat Dan bij zijn vader ging werken op het advocatenkantoor, en weer thuis logeerde terwijl Isabel een inderhaast gemaakte belofte inloste om met een vriendin door Europa te interrailen. Tweeënhalve maand alleen, een oversekste jongen van twintig en een meisje van negentien, net weer alleen met haar gebroken hart. Helemaal niks gebeurd. Bij geen van beiden, voor zover ik weet. Nog geen seconde. Niks.

Alex lag altijd al goed bij de vrouwen. Hij wist dat hij er goed uitzag, maar zijn uiterlijk – hij was mager, blond en eerder mooi dan knap – had dat aseksuele dat je ziet bij jongens in een boyband. Het ruige testosteron spatte er niet bepaald van af. Hij was de niet-bedreigende jongenspin-up waar tienermeisjes op vallen. Hij was bovendien onuitstaanbaar ijdel maar ook wel weer zo overduidelijk dat het eerder een deugd was dan iets echt ergerlijks.

'Mijn god, wat ben ik toch een lekker ding,' zei hij altijd als hij langs een spiegel liep, en dan maakte hij er een camp showtje van om zijn gezelschap te vermaken. Iedereen was het erover eens dat hij het ergens, diep vanbinnen, nog geloofde ook, maar om de een of andere reden werd het hem nooit aangerekend. Mensen rolden met hun ogen en waren het roerend eens dat Alex weer eens Alexachtig deed. Hij was geestig – dat was zijn redding. En als Alex in de buurt was, gebeurde er tenminste wat. Hij stond altijd boven aan de gastenlijst als mensen een feestje gaven.

Zijn uiterlijk heeft de tand des tijds vrij aardig doorstaan, eerlijk gezegd. Hij heeft nog steeds iets jongensachtigs. Een open blik, een gladde huid (hoewel ik er niet aan twijfel dat hij crèmes gebruikt. We leven tenslotte in de eenentwintigste eeuw), en een dikke donkerblonde haardos. Ik heb alleen altijd de voorkeur gegeven aan Dans donkere aardsheid.

We waren gek op elkaar, begrijp me niet verkeerd. Altijd al. Terwijl Dan en ik alles met elkaar gemeen hadden – en dan niet alleen de oppervlakkige dingen als onze muzieksmaak en favoriete vakantiebestemming, maar de echte dingen, waarden en politiek en hoe we de kinderen wilden opvoeden – kon ik met Alex altijd ontzettend lachen. Hij is zonder meer een van de grappigste mensen die ik ken. Hij ziet overal de lol van in – behalve nu, dan. Het feit dat hij zijn gezin heeft gedumpt, schijnt zijn gevoel voor humor te hebben aangetast. Die zomer, weet ik nog, deed hij niets liever dan me meeslepen naar de Pound Shop, waar alles maar een pond kostte. Dan zocht hij steeds iets uit, liep ermee naar de caissière en vroeg:

'Hoeveel kost dit?'

'Een pond.'

'O, en dit dan?'

'Ook een pond.

'Echt? Dat is me te duur. En dit dan?'

Rollende ogen: 'Alles kost hier een pond.'

'Dit ook?'

'Zoals ik al zei, alles in deze winkel kost een pond.'

Dan riep hij af en toe opgewonden naar mij: 'Hé, Bex, dit ding kost maar een pond! Zal ik het nemen?' waarop hij zich weer tot de caissière wendde met de vraag: 'En wat nou als ik er twee neem?'

'Nou, dan is het dus twee pond.'

'En als ik twee van die daar neem?'

En zo voort. Uiteindelijk mocht hij de zaak niet meer in. Je had er bij moeten zijn, denk ik.

Zowel Dan als ik had de neiging om alles veel te serieus te nemen, en om ons vooraf al over alles zorgen te maken, dus voor ons was de aanwezigheid van Alex een heel probaat tegengif. Hij is een wandelend stressballetje, althans, dat was hij. Hij was een welkome afwisseling. En hij is nog steeds een van mijn beste vrienden. Hij staat zelfs in de top drie, na Dan, maar ex aequo op nummer twee, samen met Isabel. Meer dan dat is hij alleen echt nooit geweest. Een vriend.

Dus we kunnen gerust stellen dat ik het niet heb zien aankomen. Zijn liefdesverklaring. We komen terug in ons appartement en ik denk hooguit dat hij een beetje gek doet. Dat hij gewoon aandacht nodig heeft. Maar dan, als we hebben vastgesteld dat Dan en de kinderen allemaal op een oor liggen, en we in de zitkamer zitten omdat Alex erop stond dat we nog een fles wijn opentrokken, legt hij ineens zijn hand op mijn been. Ik schud hem van me af, uiteraard, maar wel zo achteloos mogelijk, hoop ik. Ik wil er niet de aandacht op vestigen, want dan is het ineens echt gebeurd. Maar hij legt hem meteen weer terug, en ik zeg: 'Alex, niet doen', en dat is voor hem aanleiding om alles eruit te gooien. Geweldig. Zelden zo'n leuke avond gehad.

De volgende ochtend kom ik nauwelijks mijn bed uit, maar ik moet wel naar mijn werk. Alles voelt zo wazig. Ik heb het gevoel alsof iemand me langs de randjes heeft uitgegumd. Ik kan tegenwoordig niet meer goed tegen dronkenschap. Mijn lichaam zegt me dat ik er te oud voor ben. Mijn hoofd doet pijn. Dan is lief en staat samen met mij op en maakt koffie en toast, maar daar ben ik te misselijk voor. Hij is verbaasd dat Alex niet op de logeerkamer ligt en ik overweeg heel even om het hem te vertellen, maar dat doe ik toch maar niet. Het ging ook nergens over. Een kleine inzinking op Alex' pad naar verlichting in het post-Isabeltijdperk. Maar Dan voelt zich er misschien niet prettig bij, en dat zou ik nooit willen. En trouwens, ik twijfel er geen seconde aan dat Alex – als hij eraan terugdenkt – niet alleen een fysieke maar ook een geestelijke kater heeft. Je verklaart de vrouw van je beste vriend immers niet elke dag de liefde. Ik weet best dat hij zich klote voelt, en dat hij als de dood is dat ik het aan Dan vertel. Ik besluit dat ik er maar beter niet over kan praten. Met niemand. Ooit.

Als ik dat bedenk, realiseer ik me ook dat Isabel de enige is die precies zou aanvoelen wat voor verschrikking het was, maar met haar kan ik het al helemaal niet delen. Dus ga ik naar kantoor zonder een woord hiervoor tegen wie dan ook, en ik hoop maar dat het allemaal vanzelf overwaait.

3

L ORNA IS HELEMAAL VOL VAN de première, en ze ratelt
maar door over wie er allemaal was en hoe geweldig dit voor
Gary moet zijn. Totdat we de kranten doornemen en tot de
ontdekking komen dat hij maar in een van de vijf recensies wordt
genoemd, en dan alleen maar omdat de recensent hem zo beroerd
vond. Dat was hij trouwens ook, maar wat hadden ze dan gedacht?
We hebben het hier over een man die het grootste deel van zijn carrière op een witgekalkt kruis op de vloer heeft gestaan en daar braaf
zijn tekstjes heeft opgezegd. Zijn grootste uitdaging was om te zorgen
dat hij de andere acteurs niet buiten het beeld schoof van een van de
drie camera's die voortdurend draaiden. Echt acteren was er nooit bij.
Daar was gewoon niet genoeg tijd voor.

Ik voel een vlaag van medelijden met Gary, maar dan denk ik:
nou en? Hij heeft een fortuin verdiend met *Reddington Road*. Als hij
zichzelf wijsmaakt dat hij echt een acteur is en hij zijn reputatie op
het spel wil zetten, is dat zijn probleem.

Ik heb al genoeg aan mijn hoofd. Hoe zorg ik bijvoorbeeld dat
Lorna haar klep houdt? Ik wil rust aan mijn kop, zodat ik eens goed
kan nadenken over wat er nu precies is gebeurd gisteravond.

Ze eet zaadjes terwijl ze praat. Ze heeft altijd wel een of andere
gezondheidstic en sleept het mee in tupperware en loopt de hele dag
te kauwen. Het is net alsof ik samenwerk met een gigantische par-
kiet: bla, bla, bla, pik, pik, pik. Misschien moet ik maar een spiegel
boven haar bureau hangen, zodat ze gezelschap heeft van haar eigen
spiegelbeeld en ik haar gewoon kan negeren.

'Wat zag Melanie er super uit, hè?' zegt ze met een volume dat
precies hard genoeg is zodat Melanie, die een script doorneemt in de
kamer naast de onze, het ook kan horen.

'Yep,' zeg ik, want dat is een van mijn routineantwoorden voor haar. De andere zijn: 'nee', 'zou kunnen', 'hm', en heel soms kom ik door met 'echt?', hoewel dat een linke is, want die wekt de suggestie dat ik er meer over wil horen. Maar in feite maakt het geen bal uit wat ik zeg – als de trein eenmaal op stoom komt, is er geen houden meer aan. Lorna heeft besloten dat ze je iets gaat vertellen en ze bazelt door tot het bittere eind, wat er ook gebeurt. Ik zou recht onder haar neus mijn hoofd in een oven kunnen stoppen en dreigen dat ik het gas aanzet als ze niet ophoudt met praten en dan nóg zou ze niet inbinden. Geloof me, ik heb dat overwogen, en als ik echt dacht dat het zou werken, zou ik het zeker hebben geprobeerd.

'Die jurk, o, ik vond hem fantastisch! Ik zal je zeggen, ik heb laatst precies zo'n modelletje aangehad maar mij stond het lang niet zo mooi als haar. Zij heeft er de juiste rondingen voor,' zegt ze. 'Net als jij, jij hebt ook rondingen,' zegt ze bij wijze van nabeschouwing, maar in mijn geval laat ze het eerder klinken als een nare aandoening. 'Je hebt een ernstig geval van rondingen. Ik zou een aspirientje nemen en mijn bed in gaan.'

'En heb je gezien hoe Gary aan het eind naar me toe kwam om me te bedanken voor al het organiseerwerk? Hij wilde ons allebei waarschijnlijk bedanken natuurlijk, maar jij zat daar maar te praten met die vriend van je, die Alex…'

Ik word gered door de bel, want de telefoon gaat. Lorna heeft zo'n trucje waarbij ze net doet alsof ze niet hoort dat de telefoon rinkelt, zodat ik hem altijd opneem. Altijd weer. Maar deze keer duik ik er al bovenop bij het eerste belletje. Ik wil wel alles doen, als ik haar gezever maar niet hoef aan te horen. Het is een boeker voor een club in Zuid-Londen die op heel korte termijn op zoek is naar een *personal appearance*. Ik vraag hem naar zijn budget en verbind hem door met Melanie, die hem op weet te zadelen met een presentator van een kinderprogramma dat onlangs van de buis is gehaald en die, zoals ze weet, het geld zo hard nodig heeft dat hij alles wel goedvindt. Dus ook verrot gescholden worden en met bier overgoten worden door een zootje dronken clubgangers die eigenlijk hoopten op iemand die ze ergens van kenden.

Dan zegt altijd dat hij niet begrijpt hoe het bureau het hoofd boven water weet te houden. De klus van vanavond levert ons maar vijfenveer-

19

tig pond op. Maar, zeg ik altijd tegen hem, alle kleine beetjes helpen. En vijfenveertig pond voor een telefoontje van een paar minuten is ook niet slecht. Ik denk wel eens dat hij zich geneert dat onze cliënten zo derderangs zijn. Hij zou het vast geweldig vinden om aan zijn vrienden te kunnen vertellen dat ik voor het bureau werk dat het management doet voor Ralph Fiennes of Dame Judy Dench. Echte acteurs.

Hij heeft zelf een heel nuchtere, volwassen baan als advocaat, gespecialiseerd in familierecht. Ik neem aan dat hij wel eens fantaseert over weglopen en met het circus meegaan, maar als dat zo is, dan heeft hij me er nooit iets over gezegd. Zo klinkt hij wel een beetje saai, maar zo bedoel ik het helemaal niet, want hij is niet saai. Bovendien heeft hij een romantische inslag die af en toe de kop opsteekt en waar ik, ook al ben ik een cynisch type en zou ik het nooit in het openbaar toegeven, nog steeds knikkende knietjes van krijg.

Hij kan me echt verrassen. Goed doordachte verrassingen zijn het, niet zo af en toe een sneu bosje gerbera's dat hij heeft meegegrist bij het tanken. Hij heeft een keer kaartjes geregeld voor de Eurostar naar Parijs. Eerste klas. Maar wat me zo raakte was niet het feit dat hij stiekem een weekendje weg had geboekt, maar dat hij echt *overal* aan had gedacht.

Hij had geregeld dat de kinderen bij Alex en Isabel logeerden, en hij had Melanie gevraagd of ik de maandag vrij mocht, hij had een taxi geboekt naar het station en eentje die ons ophaalde van het Gare du Nord, en hij had gevraagd om een kamer met balkon, omdat hij weet dat ik het zo heerlijk vind om buiten te zitten kijken naar een vreemde stad. Hij had zelfs champagne en bonbons op de kamer laten zetten. Alles. Het moet hem uren hebben gekost om dat allemaal te plannen en hoewel ik eerlijk gezegd doodop was, en mijn eerste gedachte was dat ik liever door mijn eigen huis zou sloffen, bracht zijn attentheid me helemaal van de kaart. Het werd het mooiste weekend ooit. Lekker met zijn tweetjes, om ons eraan te herinneren waarom we ook weer zoveel van elkaar houden. En het was ook niet een opzichzelfstaand incident. Met de jaren heeft hij me honderden keren op zo'n manier weten te verrassen.

's Ochtends hou ik me bezig met onze nieuwe nieuwsbrief. Er gaat er drie keer per jaar eentje uit naar alle casting directors en producenten om ze een update te geven van waar onze cliënten zoal mee bezig zijn. In deze brief is uiteraard veel aandacht voor Gary. De kunst is om het zo te brengen dat het net lijkt alsof iedereen waanzinnig veel succes heeft en omkomt in het werk, maar dat ze misschien toch nog beschikbaar zijn mocht iemand een klus hebben. Ik loop de brief nog eens door voor ik hem ter goedkeuring voorleg aan Joshua en Melanie. Maar dan gaat de telefoon en begint er weer een nieuw spelletje Oost-Indisch doof met Lorna. Ik weet niet of ze soms een telefoonfobie heeft of dat ze gewoon lui is. Maar voor mij is het inmiddels een principezaak geworden. Ik wil dat zij een keer die verdomde telefoon opneemt. Al is het maar één keer. Hij gaat vijf keer over voor hij op het antwoordapparaat springt. Joshua en Melanie zijn natuurlijk bloedlink als de telefoon niet netjes wordt beantwoord maar op het laatste nippertje neem ik toch altijd op. Dit keer doet ze net of ze helemaal opgaat in het uittypen van een contract, dus bij de derde keer overgaan gris ik de hoorn van de haak.

'Mortimer and Sheedy,' zeg ik, en ik probeer onaangedaan te klinken, en niet te laten merken dat ik inwendig kook omdat van de tien telefoontjes van vanochtend ik er minstens acht heb moeten afhandelen.

'Zo, dus jij hebt alweer verloren,' zegt een vertrouwde stem aan de andere kant van de lijn. Alex. Hij weet alles van de Telefoonoorlog, en hij vindt het altijd heel amusant om te horen wie hij aan de lijn krijgt als hij me op mijn werk belt. Godzijdank, denk ik. Hij is dus niet beledigd door mijn afwijzing.

'Hoi!' zeg ik oprecht enthousiast. 'Hoe gaat-ie?'

'Oké,' zegt hij. 'Niet echt goed.'

'O. Heb je een rotdag?' Alex-van-na-de-scheiding heeft rotdagen en niet zulke hele rotdagen, maar ja, Alex is van ons vieren altijd al de grootste *drama queen* geweest. Hij had acteur kunnen zijn. Dat is ook deels zijn charme. Met Alex verveel je je nooit. Zelfs van de meest alledaagse situaties weet hij een meeslepende komedie of tragedie te maken. Bovendien is hij de enige met wie iedereen meeleeft, ook al is hij zelf duidelijk de schurk in het verhaal.

'Kunnen we samen lunchen?' vraagt hij. En dan knalt hij hem erin: 'Ik wil het met je hebben over wat ik gisteravond zei.'

Ik probeer het nog weg te lachen. 'Dat geeft toch niks, ik ben het alweer vergeten. Maak je nou maar geen zorgen.'

' Nee,' dringt hij aan. 'Het geeft wel. Ik moet je zien.'

Hij heeft me in een hoek. Hij weet dat ik er nu niet over kan praten, met Lorna die aan de andere kant van de kamer zit mee te luisteren. Dus moet ik wel met hem afspreken voor de lunch, ook al is dat eerlijk gezegd het laatste waar ik zin in heb nu ik weet waar hij het over wil hebben.

'We moeten het wel kort houden,' zeg ik. 'Ik heb het druk.'

Ik stel voor om af te spreken bij YO! Sushi, omdat je het daar snel kunt eten en omdat ik daar snel weg kan als het vervelend wordt zonder dat ik een vol bord onaangeroerd eten achterlaat. Ik ben namelijk niet in staat weg te gaan zonder netjes mijn bord leeg te eten; dat is iets genetisch. We staren allebei hardnekkig naar de lopende band met sushibordjes, en ik vraag me af of ik zal wachten tot hij begint of dat ik hem de pas alvast moet afsnijden.

'Alex…' begin ik, net op het moment dat hij ook begint te praten.

'Ik meende het,' zegt hij. 'Ik weet wel dat jij denkt dat ik het zei omdat ik dronken was, maar dat is niet zo. Ik wil het je al jaren vertellen, maar dat heb ik nooit gedaan, vanwege Dan…' Hij verzinkt in gedachten. Ik weet dat hij Dan nooit zomaar zou verraden.

'Alex, doe dit nou toch niet.'

'Ja maar, nu ik het eenmaal heb gezegd, en nu jij het *toch* weet, wil ik weten wat jij voor mij voelt. Ik kan nu niet meer net doen alsof er niks aan de hand is.'

Hij reikt over tafel en probeert mijn hand vast te pakken. Ik trek die terug, waarbij ik de sojasaus omgooi. Ik doe verwoede pogingen de rommel op te vegen.

'Waarom denk je dat het niet goed zat tussen mij en Isabel? Ze wist dit niet, maar ze moet gevoeld hebben dat mijn hart van iemand anders was. Bex, je hebt geen idee hoe het voor mij is om met jou en haar in dezelfde ruimte te zijn en dan maar te doen of er niks aan de hand is, en dat al jarenlang…'

Weer ben ik kwaad op hem. Ik wil dat hij zijn mond houdt. Hoe haalt hij het in zijn hoofd om dit allemaal aan mij te vertellen? Dit kan onze vriendschap helemaal niet hebben. Dus wil ik hem voorgoed de mond snoeren.

'Alex, ik meende ook wat ik zei. Ik heb jou nooit zo gezien en dat zou ik ook nooit kunnen. Je bent nu gewoon niet jezelf, omdat je je leven op zijn kop hebt gezet, dat begrijp ik best. Je zit in een… een soort van… weet ik veel…' Ik wil eigenlijk zeggen dat hij een midlifecrisis heeft, want dat moet het haast wel zijn, maar ik weet dat ik hem daarmee zou beledigen, 'een soort burn-out. Maar dit is geen oplossing. Ik ben geen oplossing. Het gaat nooit gebeuren, snap je? Bovendien kun je dit niet maken naar Dan toe. En laten we vooral Isabel ook niet vergeten. Zal ik je eens wat zeggen? Ik ben behoorlijk nijdig op jou. Ik baal ervan dat je mij in zo'n positie brengt terwijl jij zogenaamd een van mijn beste vrienden bent.'

De lopende band tuft nog altijd rond, maar we hebben er allebei nog niks vanaf gepakt. Hij zegt iets, bijna fluisterend.

'Ik voel dit al jaren. Ik heb alleen nooit eerder de moed gehad om…'

'Goed,' zeg ik. 'Je moet hier nu mee ophouden. Het gaat nooit gebeuren en ik wil het er ook nooit meer over hebben. Laten we maar gewoon vergeten dat je dit ooit hebt gezegd en laten we proberen om weer net zo te doen als vroeger.'

'Dat kan ik niet,' zegt hij terwijl ik wegloop, maar ik draai me niet om.

4

ISABEL BELT. IK OVERWEEG OM haar telefoontje te negeren, en om de telefoon op de voicemail te laten overgaan. Hoe moet ik haar ooit vertellen wat er allemaal speelt? Ik kan nooit iets voor haar verzwijgen, maar dat zal nu toch echt moeten. Toch vind ik het afschuwelijk om niet op te nemen. Ik vind toch al dat ik haar de afgelopen tijd een beetje heb laten zitten, door zo uitgebreid te heulen met de vijand. Ik ben haar niet zo veel tot steun geweest als ik had moeten zijn. Zij zou eigenlijk degene moeten zijn die avond aan avond bij ons komt uithuilen, niet hij, en ik vind het een vreselijke gedachte dat ze daar in dat grote huis zit, helemaal alleen, zonder iemand om tegen aan te praten. Dus neem ik op.

'Hé,' zeg ik. 'Hoe gaat het?'

'O, gewoon,' antwoordt ze.

'Wil je dat ik langskom?' vraag ik, en ook al hoop ik dat ze nee zegt omdat ik nog aan het koken ben en ik heb beloofd dat ik William zou helpen met de monoloog die hij moet houden in zijn toneelstuk op school, zou ik alles aan Dan overlaten als ze ja zei.

'Nee, joh, doe niet zo raar. Het gaat prima,' zegt ze. 'Ik zie je misschien van het weekend nog wel? Alex heeft de kinderen, aanstaande zaterdag.'

'Absoluut,' zeg ik, en ik besluit ter plekke dat ik tegen Dan zal zeggen dat Alex het zelf maar moet uitzoeken omdat ik een afspraak met Izz heb. 'Ik heb de hele dag tijd, als je zin hebt.'

'Leuk,' zegt ze, en ze klinkt zo dankbaar dat ik me nog beroerder voel. Dan vraagt ze hoe het met mij gaat, en ik zeg: 'Nee, wacht, ik wil je eerst zeggen dat het me spijt dat ik zo'n waardeloze vriendin voor je ben geweest, en dat ik je niet genoeg steun heb geboden, en dat ik er niet bij Dan op heb aangedrongen dat hij Alex de deur uit schopte.' Het is een beetje een ongemakkelijk moment, omdat Isabel en ik nooit zo over onze vriendschap praten. Dat was nooit nodig.

'Geeft niet,' zegt ze, en het klinkt alsof ze het meent. 'Dan is Alex' beste vriend, dus ik had al wel gedacht dat het allemaal wat lastig zou komen te liggen, voorlopig.'

'Maar jij bent *mijn* beste vriendin, dus ik had voet bij stuk moeten houden, klaar, uit.'

'Bex, het is niet erg. Maar toch bedankt.'

We zwijgen even en dan vraagt ze: 'Hoe *gaat* het eigenlijk met Alex?'

'Geen idee, om je de waarheid te zeggen,' antwoord ik. 'Hij komt niet meer zo vaak langs. Ik denk dat jij hem vaker ziet dan ik.'

'Nou, ja,' zegt ze, 'maar dan zijn de kinderen er ook altijd.' Alex en zij hebben een ingewikkeld systeem bedacht voor hun co-ouderschap, dat Isabel heel volwassen en verantwoordelijk vindt, zoals ik weet. Maar ik weet ook dat Alex het juist onvolwassen vindt en dat hij vindt dat hij er bekaaid van afkomt. Hij wil bij zijn kinderen langs kunnen als hij daar zin in heeft.

'Dat hij is weggegaan wil nog niet zeggen dat ik niet meer om hem geef,' zegt ze. 'Ik wil gewoon weten of het wel goed met hem gaat. Hij blijft toch de vader van mijn kinderen.'

Ik ben niet van plan om te zeggen: 'Nou, hij staat op het punt van instorten – en weet je hoe ik dat weet? Omdat hij beweert dat hij verliefd op me is.'

'Volgens mij gaat het prima. Je kent Alex. Maar zoals ik al zei, ik heb hem al een hele poos niet meer gesproken.'

En dat klopt ook. Alex is al bijna twee weken niet meer langs geweest. Hij en Dan zijn een paar keer samen op stap gegaan, maar dan deed ik of ik niet lekker was of dat ik moe was en vroeg naar bed wilde. Dan vindt het een goed teken dat Alex ons logeerbed niet meer als hotel gebruikt. Hij denkt dat het betekent dat Alex weer wat opkrabbelt, maar ik weet wel beter. Gelukkig is Dan zo belachelijk druk op zijn werk dat hij zelf ook niet veel zin heeft om op stap te gaan, anders had hij vast gemerkt hoeveel tegenzin ik heb en hoe Alex steeds alle uitnodigingen om langs te komen afslaat. Het waait allemaal vanzelf over, dat weet ik zeker. Niet voor het eerst vervloek ik Alex dat hij ons allemaal überhaupt in deze situatie heeft gebracht. Was het leven met

Isabel dan echt zo erg? Had hij nou echt niet gewoon kunnen blijven? Dat had ik wel zo prettig gevonden, denk ik ineens, en dan herinner ik me weer dat het hier niet alleen om mij draait.

Gek, maar toen zij nog bij elkaar waren, heb ik me vaak afgevraagd wat Alex en Isabel in elkaar zagen, ook al was ik nog zo dol op hen allebei. Los van de oppervlakkige dingen, bedoel ik. Ze waren zo anders – Alex met zijn bijtende humor en zijn egocentrische universum, en Isabel die zoveel zachtaardiger was, maar al even ingegraven in haar eigen stellingen. Ze waren het nooit ergens over eens. Maar we waren zo gewend aan het feit dat ze er altijd tegenovergestelde meningen op na hielden dat ik hen allang niet meer serieus nam. Zo waren zij nu eenmaal.

Alex is schrijver, een heel arme, en ik weet dat Isabel er knettergek van werd dat hij niet een gewone baan nam en dat schrijven gewoon als hobby ging doen. Wat ik allemaal wel begreep totdat zij de tweeling kregen en hij huisman werd terwijl Isabel weer aan het werk ging. Toen was ik zelfs jaloers op het feit dat zij 's ochtends haar kinderen achter kon laten in de wetenschap dat iemand die evenveel van hen hield als zij voor ze zou zorgen, en dat ze hen pas weer onder ogen hoefde te komen als het alweer bijna hun bedtijd was. Niet dat ik het niet heerlijk vond om thuis te blijven bij die twee van mij – want dat vond ik wel. Het was alleen zo'n... uitputtingsslag. Daarbij houdt Isabel heel erg van haar werk (ze is grafisch ontwerper) en dus viel het haar helemaal niet zwaar om weer aan de slag te gaan. Toch geloof ik dat ze het hem altijd kwalijk heeft genomen. Ze beroofde hem van zijn mannelijke waardigheid of zo. Ze peperde het hem altijd in dat hij een sukkel was omdat hij zoveel minder verdiende dan zij (hij verdiende in feite geen cent). Dat deed ze niet expliciet, want zo was ze niet. Maar toch hing het altijd tussen hen in. Eigenlijk vond ik het niet zo eerlijk dat zij precies kon doen waar ze zin in had, en dat ze hem verweet dat hij datzelfde probeerde.

En eerlijk is eerlijk, Alex had vroeger wel degelijk een baan. Ergens in een heel grijs verleden had hij een 'veelbelovende toekomst in de City'. Maar hij haatte dat bestaan, de stress en de achterklap. Hij vond het vreselijk om zulke lange dagen te moeten maken op zo'n intens saai kantoor. Hij had in heel korte tijd heel veel geld verdiend, en was in de tussentijd zichzelf bijna kwijtgeraakt. Uiteindelijk vertelde hij Isabel dat hij er even tussenuit moest om zich aan zijn ware passie te kunnen wijden en zij vond het prima. Ik neem aan dat ze toen niet had gedacht dat hij twaalf jaar later nog geen meter zou zijn opgeschoten.

Ik ben zelf ook wel eens bang dat Alex een flutschrijver is. Hij heeft me wel eens een script gegeven van een toneelstuk dat hij had geschreven – waarschijnlijk in de hoop dat ik mijn connecties aan zou wenden en hem zou helpen om het geproduceerd te krijgen. Dat ik het aan Joshua zou geven en dat die dan zou inzien hoe goed Alex was en dat hij hem zou willen vertegenwoordigen. Mijn god, het was verschrikkelijk. Een en al existentiële angst over iemand die niet gedwongen wilde worden om zich te settelen en kinderen te krijgen. Wat uiteraard allemaal in een ander licht kwam te staan toen een van die kinderen door een bus werd overreden en bijna het loodje legde. De gebruikelijke opgewarmde prak die al door miljoenen andere leden van het leger mannen met een midlifecrisis werd opgedist. Hij waarschuwde me nog dat ik er misschien om zou moeten huilen, en dat moest ik ook bijna, uit frustratie dat ik het stuk tot het einde moest lezen en dat ik er dan ook nog iets over zou moeten zeggen (waardeloos, één groot cliché en melodramatisch waren immers niet de woorden waar hij op zat te wachten).

Uiteindelijk heb ik beweerd dat het 'erg diepzinnig' was, en heb ik uitgelegd dat ik alleen maar mensen ken die musicals en kluchten maakten, maar geen echt toneel. Probeer het eens bij Royal Court, zei ik. Dit is echt iets voor hen, alleen ik heb daar zelf helaas geen contacten. Hij had het naar hen opgestuurd en ik neem aan dat ze er even met een half oog naar hebben gekeken en het toen direct weer terug hebben gestuurd, want op bladzijde tien wist je echt al dat het een drama was. Hij heeft het er nooit meer over gehad, en ik was zelf ook zeker niet van plan om het ter sprake te brengen. Misschien had Isabel ook wel gelijk, maar toch vond ik het gemeen om hem zijn droom te misgunnen en bovendien verdiende zij meer dan genoeg.

Dus, in alle eerlijkheid, ondanks het feit dat Isabel mijn beste vriendin is, heb ik altijd ergens gedacht dat Alex misschien gelukkiger zou zijn met iemand anders. En zij ook. Niet dat ik zelf wilde dat dat ooit echt zou gebeuren. Ik was dol op ons kleine clubje. Het had niet mooier kunnen zijn dan dat Dans beste vriend getrouwd was met mijn beste vriendin. En nu ze gescheiden zijn, wil ik niets liever dan dat ze weer bij elkaar komen. Ik wil dat alles weer bij het oude is.

Vandaag maakt ze het helemaal bont met die snoezige act van haar. Ze eet granaatappel. Het rode sap druipt over alle papieren op haar bureau en haar mond zit onder. Ze lijkt wel een kind van twee dat uit de jampot heeft gesnoept. Ik hou mijn adem in, in afwachting van alweer zo'n zuigend geluid dat wordt gevolgd door het geknars op de zaden. Voor een deel heb ik zo'n bloedhekel aan Lorna's eeuwige dieet omdat ze broodmager is. Er zit geen grammetje vet aan dat scharminkel.

Als je denkt dat ik dus vooral jaloers op haar ben, dan is dat begrijpelijk, want ik ben aan de dikke kant. Niet zo dik dat ze me met een hijskraan uit mijn huis moeten takelen, maar stevig ben ik zeker. Mollig. Ik ben zo'n boomstam, weet je wel: enorme borsten, dunne benen, maar daartussen een enorm, massief brok vlees zonder taille, een dikke pens en van een kont is nauwelijks sprake. Ik ben net een ouderwetse ronde brievenbus met een hoofd en twee touwtjes bij wijze van beentjes, heeft iemand ooit wel eens tegen me gezegd.

Zoals alle vrouwen die gezegend zijn met zo'n lichaam ben ik gezwicht voor een kledingstijl die ik eigenlijk veracht – laag uitgesneden shirts om de blik af te leiden naar mijn decolleté, korte rokjes alsof ik wil zeggen: 'Kijk dan, ik ben niet dik – ik heb toch dunne beentjes?' Dat werkt nog wel zo'n beetje als je twintig bent, maar op je eenenveertigste ze je er al snel uit als Ma Flodder. Als ik iets wijds aantrek lijk ik op een wandelende tent. Dus ga ik maar voor flink laag uitgesneden maar dan met een hoop vintage en retroprints, waarvan ik hoop dat ze me iets interessants geven.

Lorna, daarentegen, is net een strijkplank, wat mij ook geen feest lijkt. En voor een strijkplank is ze zelfs nog aan de magere kant. Ik kan me voorstellen dat je xylofoon kunt spelen op haar ribben (als zou ik niet weten waarom je dat zou willen). Alles aan haar is hard en hoekig en onvrouwelijk. Ik wil best toegeven dat ik af en toe een steek van jaloezie voel als ik een vrouw zie die rondingen heeft en toch slank is, wat je niet vaak ziet, maar jaloers op Lorna? Ik dacht het niet. Ik ben liever een dikkerdje dan een skelet. Mijn punt is alleen dat zij helemaal niet hoeft te lijnen. En ze hoeft al helemaal niet voortdurend te zaniken dat ze zo is aangekomen en 'moet je die buik nou eens zien' of te vragen of ze een onderkin krijgt.

Naast de Telefoonoorlog heeft ze nog verschillende pijlen op haar boog. Zo is ze een meester in allerlei technieken om werk te vermijden. Toen ik voor het eerst parttime kwam werken, was ik altijd op dinsdag op kantoor en dan gaf ze me meestal wat dingen te doen waar zij de dag ervoor zelf niet aan toe was gekomen. Dan werkte ik plichtsgetrouw alle taken af die Melanie en Joshua me opdroegen, en als ik maar even kans had, hielp ik Lorna ook nog. Een aantal keer werd het me echt te veel en dan moest ik aan het eind van de dag, me uitputtend in excuses, nog wat klusjes aan haar teruggeven. Al snel merkte ik dat de donderdag erop, als ik weer op kantoor was, diezelfde klusjes op een stapel op mijn bureau lagen.

Dat lijkt misschien niet zo'n punt, totdat Melanie een keer aan Lorna vroeg waarom zus-en-zo nog niet was afgerond, en Lorna doodleuk zei: 'O, dat zou Rebecca doen. Heeft die het dan nog niet gedaan? Ik heb haar anders wel gezegd dat het belangrijk was.'

Ze heeft nooit erkend hoe het eigenlijk zat, zelfs niet alleen tegen mij. En ik was te nieuw en te onzeker om het haar voor de voeten te gooien. Dus werkte ik me uit de naad om mijn eigen werk *en* dat van haar te doen tot ik op een donderdag, drie maanden later, echt niet alles af had kunnen krijgen wat zij me de dinsdag ervoor had gegeven. Toen Joshua of Melanie ernaar vroeg zei ik gewoon: 'O, Lorna, weet je nog dat ik zei dat ik geen tijd had om dat dinsdag voor je te doen? Als je er zelf geen tijd voor had dan had je daar toen iets van moeten zeggen,' waarbij ik haar een vriendelijk lachje schonk. Sindsdien ging het iets beter.

Nu ik fulltime werk ben ik beducht op haar streken, maar dat wil niet zeggen dat ze het nooit meer probeert. Altijd als ik naar buiten ga om te lunchen ligt er als ik terugkom een briefje op mijn bureau met de een of andere opdracht. 'Melissa wil graag de papieren voor haar auditie van vrijdag,' staat er dan bijvoorbeeld. De meeste acteurs vinden het prima om hun scènes pas te krijgen op de auditie zelf, maar Melissa is dyslectisch en dus proberen we haar tekst altijd een dag van tevoren te krijgen. Het punt was alleen dat Melissa *mij* niet had gebeld om ze voor haar te regelen, ze had gebeld of *iemand* ze kon regelen, en aangezien ze Lorna aan de lijn kreeg, zou je denken dat die dat ook zou oppakken. Maar nee.

Ze heeft ook een keer een briefje voor me achtergelaten met daarop: 'Simon Harte belde om te vragen of je die doorpas in het Shaftesbury kon verzetten naar drie uur in plaats van twee uur,' en toen wist ik honderd procent zeker dat ze loog, want Simon Harte was een nieuwe cliënt en hij wist toen niet eens van mijn bestaan. Bovendien kostte het schrijven van dat briefje waarschijnlijk evenveel tijd als het zou hebben gekost om de telefoon te pakken en zelf die afspraak even te verzetten. Maar dat was natuurlijk het punt niet. Het was een machts- spelletje.

Lorna is tweeënveertig en single. Zo nu en dan kwettert ze nog meer dan anders, en besteedt ze heel veel aandacht aan haar uiterlijk, en dan weet ik dat ze weer eens iemand aan de haak heeft geslagen. Een paar dagen later, vaste prik, is ze snotterig en huilerig, omdat het alweer mis is gegaan. Ze zit aan haar computerscherm vastgelijmd en ik ben ervan overtuigd dat ze vooral druk is met datingsites. Ik vraag haar nooit naar haar liefdesleven, en vreemd genoeg is dat het enige waarover ze niet alles tot in detail over me heen stort, maar ik heb de indruk dat ze wanhopig graag zou willen trouwen en kinderen krijgen. Ik stel me zo voor dat ze al die kerels afschrikt door hen al bij het voorgerecht te vragen wat hun bedoelingen zijn, om vervolgens te informeren naar de kwaliteit van hun zaad om bij het toetje te vragen of er soms erfelijke ziektes spelen in de familie.

Als ik wel eens in een gulle bui ben, maar dat komt niet vaak voor, heb ik met haar te doen. Het is geen slecht mens. En ik weet ook dat ik mazzel heb gehad met Dan, bij de gratie gods en zo. Maar meestal wil ik haar het liefst een lel verkopen en zeggen dat het haar eigen schuld is dat ze nog alleen is, omdat ze die grote waffel van haar niet dicht kan houden, gvd. (Ik probeer minder te vloeken, trouwens, omdat ik William, mijn jongste, laatst tegen zijn grootmoeder hoorde zeggen dat hij zijn verjaardagscadeautje 'fucking fantastisch' vond. Ik heb de schuld nog op Grand Theft Auto proberen te schuiven, maar William speelt nooit computergames, want die haat hij.) Iedere man zou binnen vijf minuten stapelgek van haar worden, maar dat heb ik gelukkig nog nooit tegen haar gezegd. Ook al denk ik de vreselijkste dingen, ik zou haar nooit opzettelijk willen kwetsen. Ik zou überhaupt nooit iemand opzettelijk willen kwetsen. Dus bijt ik op mijn tong. Mijn scherpe maar onweerstaanbaar geestige opmerkingen blijven in mijn hoofd.

Dat ik zo intolerant ben is een van de trekjes die ik het meest haat aan mijzelf. Dat is een zwaarbevochten plek in de rangorde, want ik ben een meester in Zelfhaat. Van alle lichamelijke aspecten (mijn gewicht; mijn crêpepapieren decolleté; mijn voeten, of, om precies te zijn, mijn tenen, van die korte stompjes; de bobbel op mijn neus) tot mijn karakter (mijn angst voor verandering, mijn onvermogen om iets aan mijn gewicht te doen ondanks het feit dat ik er zo ongelukkig onder ben, hoe ik altijd mijn oordeel klaar heb over mensen nog voor ik hen heb ontmoet, mijn ongeduld met domme mensen). Ik heb duizenden dingen op mezelf aan te merken. Op goede dagen, als ik echt eerlijk ben over mezelf, zie ik wel in (ook al hou ik dat natuurlijk voor mezelf) dat ik in essentie deug. Ik ben een goede echtgenote, een liefhebbende moeder en meestal, los van de laatste tijd met Isabel, een vriendin op wie je kunt rekenen. Ik geef wel eens geld aan daklozen en trap altijd in de verhalen van die goededoeleneikels die je op straat aanspreken. Alleen mensen die ik niet ken, die mag ik niet. En domme mensen. En mijn voeten. En Lorna, uiteraard.

Die ziet er vandaag opvallend netjes uit, los van de granaatappelprut, dus ik neem aan dat ze vanavond een afspraakje heeft. Jim, 40, hobby's: luisteren, knikken, en zich dood vervelen. Zou dolgraag xylofoon willen leren spelen. Enfin, ik wens haar het beste. Misschien lukt het haar dit keer wel om zo'n arme kerel omver te kletsen, en misschien dat ze dan wel wat bedaart en hier haar mond houdt en eens fatsoenlijk aan het werk gaat.

Trouwens, ze doet nu al een paar weken meer haar best op haar uiterlijk. En ze neemt vaker de telefoon op, wat meestal betekent dat ze een vriendje heeft. Eigenlijk neemt ze al op sinds ik een keer haar nieuwste vriendje aan de lijn kreeg en hem vertelde dat ze net naar de dokter was voor de uitslag van haar chlamydiatest. Ik weet ook niet waarom ik dat zei. Ik denk dat ze me weer eens geïrriteerd had. Tegen de tijd dat zij doorhad wie ik aan de lijn had, had hij alweer opgehangen. Het was geen ramp. Ze belde hem terug en legde uit dat het een grapje was, niks aan de hand. Toch dumpte hij haar een paar weken daarna, meen ik me te herinneren. Dat kon ik wel zien toen ze met rode ogen en zonder make-up binnenkwam, en de Telefoonoorlog weer begon.

Ze bazelt maar door, en ik realiseer me dat ik al een uur geen woord heb gehoord van wat ze allemaal heeft gezegd. Dus doe ik wat ik altijd doe, en dat is knikken en glimlachen en doen alsof ik het eens ben met wat ik ook maar heb gemist. Dan zie ik dat ze opstaat en haar jas aantrekt. Kennelijk heb ik ermee ingestemd dat zij eerst gaat lunchen, ook al is het eigenlijk mijn beurt. Nou, best. Heb ik in elk geval een uurtje rust aan mijn kop. Ik gebruik de tijd om Zoe te bellen op haar mobieltje. Ik kan horen dat ze met vriendinnen is, want ze zegt niks waaruit blijkt dat ze haar moeder aan de lijn heeft.

'Hé,' zegt ze als ze opneemt.

'Hoi, liefje. Alles goed?'

'Hm-hm.'

Ze is niet bepaald spraakzaam, dus kom ik meteen ter zake. 'Heb jij William vandaag nog gezien?'

Zoe's ergste nachtmerrie is uitgekomen. Haar niet-coole broertje zit sinds kort bij haar op school en ik verwacht van haar dat ze een beetje op hem let tijdens de pauzes.

'Nee,' antwoordt ze, en ineens is ze wel gewoon dertien en geeft het woord een extra lettergreep.

'Zou je misschien even op hem willen letten in de kantine?'

In tegenstelling tot zijn zusje, staat William in sociaal opzicht zijn mannetje absoluut niet. Hij is – hoe zal ik het zeggen? Hij is... een beetje raar, in de ogen van mensen die niet zoveel van hem houden als ik. Hij is gek op natuurkunde en geschiedenis en hij draagt graag dandyachtige kleren. Hij stelt het niet op prijs als men zijn naam afkort, en verbetert iedereen die hem Will noemt. Hij is volkomen uniek en dat vind ik geweldig aan hem. Hij is alleen niet klaar voor het sociale geweld op de Barnsbury Road scholengemeenschap. Ik maak me zorgen om hem.

'Kijk nou maar gewoon even stiekem,' zeg ik. 'Of het wel allemaal goed gaat met hem.'

Zoe zegt niets.

'O, en eet iets,' zeg ik nog vlak voordat zij vlug 'Laterrrr' zegt en ophangt.

Zoe is, net als Lorna, permanent aan het lijnen. En net als Lorna is ze zo mager als een lat en ik kan 's nachts niet slapen bij het idee dat ze wegteert en jaren van gedwongen voeren worden opgevolgd door een vroege dood ten gevolge van een verzwakte hartspier. Ik heb de neiging om me over te geven aan worstcasescenario-fantasieën over mijn geliefden. Dat is een verdedigingsmechanisme, denk ik. Als ik mezelf kwel met voorstellingen van hoe ik om zou gaan met het allerergste, dan kan ik in elk geval de ellende die wel echt gebeurt een stuk beter aan. Ik dwing mezelf om niet te denken aan William die zijn lunchpauze in zijn eentje moet doorbrengen of erger nog, die door een groepje oudere jongens wordt gepest. Ik kan hem niet bellen. We hebben een telefoon voor hem gekocht toen hij twee weken geleden begon op zijn nieuwe school, maar die is hij meteen de eerste dag al kwijtgeraakt. Hij raakt altijd alles kwijt.

Tegen de tijd dat ik thuiskom zijn allebei mijn kinderen met al hun ledematen nog intact thuis, en niemand maakt ruzie. Zoe helpt me voor de verandering zelfs met koken, waardoor ik denk dat ze iets van me wil, maar ik houd me in en vraag niks – 'Ben je soms zwanger?' is misschien een wat overdreven reactie op een dochter die wil helpen bij het aardappelschillen. William is nog heel en heeft het over zijn nieuwe vriendje Sam, die bij hem in de klas zit en die klaarblijkelijk een microscoop op zijn kamer heeft, om de bacteriën in zijn bed te kunnen onderzoeken. Geweldig. Dat zal Williams sociale leven een flink eind vooruithelpen. Maar goed, hou ik me voor, hij heeft in elk geval een vriendje. Dan is al op weg naar huis, want zijn laatste afspraak van vandaag heeft afgebeld. Alles is dus prima in orde. En dan gaat mijn mobieltje. William neemt op.

'Oom Alex,' zegt hij, en voor ik iets kan doen, heeft hij al opgenomen.

Ik raak even in paniek. Ik heb Alex sinds onze lunch niet meer gesproken. Zo lang hebben we denk ik nog nooit geen contact gehad. Zelfs niet als een van ons op vakantie was, want Dan en hij hadden altijd wat te bepraten en meestal kwam ik dan ook even aan de lijn om dag te zeggen.

'Wist jij dat stofmijten van de dode huid leven in je lakens?' zegt William. 'En dat er wel een miljoen van die beestjes in je bed wonen?'

Ik overweeg de keuken uit te lopen en te doen alsof ik naar de wc moet, maar ik weet dat William dan toch nog achter me aan komt, en ik kan hem natuurlijk niet uitleggen dat ik zijn lievelingsoom niet wil spreken. Het is trouwens toch al te laat. William houdt de telefoon al voor me op.

'Mam,' zegt hij ongeduldig. 'Wakker worden.' Dat 'wakker worden' is een van Williams favoriete uitdrukkingen. Hij vindt het zelf supergrappig.

'Hoi, Alex,' zeg ik, en ik probeer vriendelijk maar zakelijk te klinken. 'Hoe gaat het?'

'Geweldig,' zegt hij. 'Fantastisch zelfs.'

Echt? Hij klinkt inderdaad vrij vrolijk, en zo heb ik hem al een paar maanden niet meer gehoord.

'Mooi zo,' zeg ik voorzichtig. Ik hoop dat het echt zo is. Ik hoop dat hij er bovenop is, waar hij dan ook maar onder vandaan moest krabbelen, en dat hij weer een beetje de oude is. Misschien is hij wel bij zijn positieven gekomen en gaat hij weer gewoon thuis wonen en dan kunnen we zijn vreemde gedrag van de afgelopen tijd gewoon toeschrijven aan tijdelijke ontoerekeningsvatbaarheid.

'Echt,' zegt hij. 'Dat is ook waarom ik jou bel, Rebecca.' Hij zwijgt even voor het dramatische effect. 'Ik heb iemand ontmoet. Een vrouw.'

'Jemig,' zeg ik, en ik klink als een bakvis uit de jaren dertig, maar ik weet niet wat ik anders zou moeten zeggen. Ik weet ook niet wat ik hiervan moet vinden. Misschien moet ik wel blij voor hem zijn, maar ergens wil ik zeggen: 'Wacht even, wat was dat dan voor onzin dat je zo van mij hield? Waarom moest je mij daar dan zo nodig mee lastigvallen?' Ik vraag me af of ik soms jaloers ben, en of een deel van mij het zelfs wel lekker vond dat hij mij wilde, maar het antwoord is zonder meer: nee.

'Nou?' vraagt hij.

'Alex, dat is geweldig. Ik ben heel blij voor je. Echt.'

'O ja?' vraagt hij, en het lijkt net of ik iets van teleurstelling hoor. 'Absoluut.'

'Mooi,' zegt hij. 'Want ik maakte me een beetje zorgen om… nou ja, je weet wel. Ik wilde mijn excuus nog aanbieden, trouwens, dat ik je zo voor het blok heb gezet. Ik zie nu zelf ook wel in dat het een domme streek van me was, en dat ik gewoon bang was om alleen te blijven. Zoiets.'

'Precies,' antwoord ik. 'Nou, wie is het?'

'Ze is geweldig,' zegt hij en hij klinkt zo enthousiast dat ik alles wat er tussen ons in hing vergeet en dat ik oprecht blij voor hem ben. Het is fijn om de oude Alex weer terug te hebben.

'Ze is heel lief en heel slim. En ze snapt me. Ze steunt me in mijn schrijverschap.'

Die laatste mededeling impliceert dat ik dat niet doe. Ik gooi het over een andere boeg. 'Waar ken je haar van? En wanneer krijgen *wij* haar trouwens eens te zien?'

'O, jij hebt haar al gezien,' zegt hij licht triomfantelijk.

'Echt waar? Wie is het dan? Vertel op!' Ik hoop dat het die leuke Nadia is, die op de school van de meisjes werkt als klassenassistent. Die is single, tenminste, dat was ze nog toen William deze zomer van school ging. Hij heeft haar de laatste schooldag nog ten huwelijk gevraagd.

'Het is Lorna.'

Mijn hart begint wat sneller te slaan. 'Lorna?'

'Jouw Lorna, van het werk.' Hij laat me even de tijd zodat ik het nieuws in al zijn gruwelijke hevigheid tot me door kan laten dringen. Ik ben sprakeloos. Mijn mond gaat open en dicht, maar er komt geen woord uit.

'Ik wist wel dat je verrast zou zijn,' zegt de meester van het understatement. 'Maar we hebben elkaar toen op die première ontmoet, weet je nog wel?'

Ja, natuurlijk weet ik dat nog. Hoe zou ik vergeten dat hij het zo grappig vond.

'Hoe dan ook,' gaat hij verder, 'ik vond haar leuk en dus heb ik haar gebeld om te vragen of ze zin had in een borrel.'

Ik weet heus wel waar hij mee bezig is. Hij denkt zeker dat hij me hiermee over de streep krijgt en ik nu dan toch ga toegeven dat ik inderdaad ook verliefd ben op hem. Nou, maar ik kan dit spelletje ook spelen.

'Ik ben echt heel blij voor je,' zeg ik. 'Ik weet wel dat je denkt dat ik niet met haar door een deur kan, maar als jij gelukkig met haar bent…'

'O, maar ze zei dat ze echt haar best doet met jou.'

Ik bijt op mijn tong. Hoe durft ze? Ze doet voor geen meter haar best, nooit, ja, alleen om vals en lastig te zijn. Maar ik gun hem het genoegen niet te laten horen dat hij me weet te raken.

'Veel plezier samen. Jij hebt wel wat geluk verdiend. Tot gauw.'

Zo, dat zal hem leren. Ik vraag me af hoelang hij dit vol gaat houden en hoe snel die stralende Lorna plaats zal maken voor haar snotterende alter ego. Maar dan speelt hij zijn troefkaart.

'Ja, tot heel gauw. Tot over een uur zelfs. Dan heeft ons net uitgenodigd om te komen eten.'

Nog voor ik kan reageren heeft hij al opgehangen, en dat is maar goed ook, want ik weet niet wat ik had gezegd als hij me de tijd had gegund. Ik bel meteen naar Dan.

'Wat flik je me verdomme nou?' Daar gaat mijn vloekembargo. Dit is dan ook een ernstige zaak.

'Ik weet het,' antwoordt hij, 'maar wat moest ik? Hij vroeg me of hij zijn nieuwe vriendin mee kon brengen en ik had al ja gezegd voor hij vertelde wie het was. Dat verklaart in elk geval waar hij de afgelopen weken heeft uitgehangen. Ik begon al te denken dat ik iets had misdaan.' Dat is dus typisch Dan. Die denkt altijd dat hij het wel zal hebben gedaan, terwijl hij nooit iets fout doet.

'O god,' zeg ik. 'Waarom nou uitgerekend Lorna?'

Dan heeft Lorna in de loop der jaren een paar keer ontmoet, dus hij weet wat ik bedoel. Hij moet lachen. 'Ik weet het. Maar zie het zo: Alex is pas net weer op de markt en hij is nu alleen op zoek naar een beetje lol om hem op weg te helpen.'

'Lol? Lorna?' zeg ik onwillekeurig.

'Dat is misschien niet helemaal het juiste woord. Zie haar maar als een opstapje. Hij moet over haar heen om bij een of andere geweldige vrouw te komen die hij in de toekomst zal ontmoeten.'

Ik kreun. 'Hij had al een geweldige vrouw. Hij verdient er niet nog eentje.'

'We houden het gewoon kort,' zegt Dan, mijn laatste opmerking negerend. 'Dan maak je maar één gang en dan zorg je dat het iets is wat we zo naar binnen schuiven, en dan zijn we om negen uur weer van ze af.'

Ik schiet onwillekeurig in de lach. 'Soep,' zeg ik, 'dan hoeven ze niet eens te kauwen.'

'Helemaal goed,' zegt Dan.

Rebecca en Daniel, Alex en Lorna. Het klinkt niet.

36

5

DAAR STAAN ZE DUS VOOR mijn deur. Alex en Lorna. Ze houden elkaars hand vast als een stel verliefde pubers. Hij heeft een zelfingenomen uitdrukking op zijn gezicht, alsof hij wil zeggen: 'Kijk nou wat je hebt aangericht?' terwijl zij me een triomfantelijke grijns toont.

'Hallo,' zeg ik met al het enthousiasme dat ik bijeen te sprokkelen weet, en dat is niet heel veel. 'Kom erin.'

Dan is een en al glimlach. 'Hé, man,' zegt hij en hij slaat zijn armen om Alex heen nog voor die zelfs maar zijn jas uit heeft getrokken. 'Hallo Lorna.'

Zo te zien kan hij zijn geluk niet op voor hen. Ik weet best dat hij ook zo zijn bedenkingen heeft, maar hij is vastbesloten dat niet te laten blijken. Hij wil zo verschrikkelijk graag dat zijn vriend weer zijn oude, ongecompliceerde zelf is, dat Alex wat hem betreft zelfs nog met een seriemoordenares mag komen aanzetten, zolang die hem maar aan het lachen krijgt. Ik sta enigszins verlamd bij mijn voordeur. Moet ik Lorna echt vragen mijn huis in te komen? Mijn leven?

Te laat.

'Kom binnen,' zegt Dan, en hij laveert hen naar de zitkamer. Tenminste, dat is de bedoeling. Lorna heeft namelijk heel andere plannen en ze loopt achter me aan de keuken in.

'Je zult wel versteld staan, hè?' steekt ze meteen van wal. 'Ik wil het je zo graag vertellen!' alsof we vriendinnen zijn, alsof we anders nooit geheimen voor elkaar hebben. 'We vonden het alleen beter om een paar weekjes te wachten. Alex dacht dat je het misschien een beetje… nou ja, je weet wel.'

'Nee,' zeg ik defensief. 'Een beetje wat?'

'Dat je het een beetje pijnlijk zou vinden, aangezien we collega's zijn.'

O, dus niet een beetje pijnlijk omdat hij me net had verteld dat ik de liefde van zijn leven ben? Ik ben woedend. Ik weet precies waarom hij dit doet. Het is toch wel zo sneu.

'Hij wilde het je liever zelf vertellen maar hij wilde er even mee wachten omdat het niet helemaal lekker liep tussen jullie, dus hij vond het lastig om je te bellen.'

Geweldig. Dus Alex vertelt haar van alles over mij, behalve de waarheid natuurlijk. Dat zou ook wel wat veel gevraagd zijn. Ik besluit niet te happen, en inwendig kook ik.

'Vertel eens, sinds wanneer hebben jullie wat?' vraag ik in een poging vriendelijk te zijn.

'Nou, we hebben elkaar dus leren kennen op Gary's première – dat weet je nog wel. Jij hebt ons per slot van rekening aan elkaar voorgesteld!'

Aan het eind van haar zin klinkt een uitroepteken, zoals eigenlijk bij al haar zinnen.

'En toen heeft Alex me de volgende dag op het werk gebeld om te vragen of ik zin had om met hem uit te gaan!'

De dag nadat ik hem heb verteld dat ik geen interesse had. De dag waarop we hebben geluncht en hij me nog eens duidelijk heeft gemaakt hoe verliefd hij op me was. Wat een toeval. Ik zou bijna medelijden met haar krijgen.

Ze praat maar door. 'Ik kan gewoon niet geloven dat je niks doorhad. Vond je het dan helemaal niet gek dat ik elke dag buiten de deur ging lunchen?'

'Nee,' zeg ik. 'Helemaal niet.'

Nu ik er zo eens over denk, is ze inderdaad vaker weg dan normaal. Meestal neemt ze haar lunch mee – knapperige slablaadjes, lawaaierige crackertjes, wortels, als het maar herrie maakt – en dan zit ze aan haar bureau te knabbelen. Ze staat erop dat ik blijf om de telefoon aan te nemen als zij eet, ze heeft tenslotte pauze, en dus tel ik de seconden af tussen de happen en krimp ik ineen telkens als ze weer een hap naar haar mond brengt.

'Maar goed, we zitten dus de hele tijd bij elkaar en het is natuurlijk nog maar kort, maar ik geloof echt dat het wat gaat worden. Het zou me niet verbazen als we binnenkort gingen samenwonen of zo!'

Ik snij spullen voor een salade. Ik heb dus een mes in mijn hand.

Een verleidelijke gedachte. Maar in plaats van op haar in te hakken zeg ik: 'Zin in een glaasje wijn? We eten over een paar minuten.'

Alleen moet ik dat eten erin zien te krijgen, daarna kan ik ze wegwerken. En Alex mag blij zijn, want dan heeft hij zijn punt gemaakt en hopelijk is alles binnenkort weer bij het oude.

Maar het eten duurt natuurlijk uren. Alex wil me zo graag inwrijven dat hij helemaal over mij heen is en dat hij zo dolgelukkig is met zijn nieuwe liefde dat hij weer het stralende middelpunt is, en Dan is zo opgelucht dat hij hem het ene na het andere glas volschenkt. Ze zitten te bulderen om elkaars verhalen tot de kinderen, die eerder hebben gegeten en toen op Zoe's kamer televisie zijn gaan kijken, op een gegeven ogenblik binnenkomen en William zegt: 'Zijn jullie er nou nog steeds?'

'Ben jij nog steeds op, zul je bedoelen,' zegt Dan met een blik op zijn horloge.

'Nou, naar bed gaan had geen zin, als jullie zo'n keet zitten te schoppen,' zegt Zoe, en daar heeft ze een punt. Joost mag weten wat de benedenburen van ons denken.

Lorna is ook een beetje dronken en hinnikt om alles wat Alex zegt, of het nu grappig is of niet. Hij zit op zijn praatstoel en trakteert haar op het ene na het andere verhaal over onze avonturen. Dingen die ze wat mij betreft helemaal niet hoeft te weten. Hij vertelt haar over die keer, nog maar een paar maanden geleden, dat we met zijn allen uit eten waren en veel te veel gedronken hadden, en dat ik op de stoep rolde toen ik in de taxi probeerde te stappen, en dat ik toen niet meer op kon staan omdat ik in een lachstuip schoot.

'Ik geloof dat ze zich de volgende dag ziek heeft gemeld,' zegt hij. 'Voedselvergiftiging.'

'O,' zegt Lorna stomverbaasd. 'Ik weet nog dat jij toen zei dat je iets verkeerds had gegeten! Dan weet ik dus voor de volgende keer dat het betekent dat je te diep in het glaasje hebt gekeken!'

Ik probeer met hen mee te lachen, maar eerlijk gezegd geneer ik me dood. Zoals iedereen die zich onterecht ziek meldt, had ik een heel verhaal opgehangen over wat ik precies had gegeten en ik had er alles aan gedaan om het authentiek te laten klinken. Dan zegt altijd dat je niet zoveel details moet geven in zulke gevallen. Hij zegt: 'Je moet gewoon bellen en zeggen dat je niet komt, dat je je niet goed voelt, en dan moet je niet uitweiden, want dat is juist verdacht.' En hij heeft duidelijk gelijk.

'Ik vond jou altijd zo'n braverik,' zegt Lorna. 'Joshua en Melanie hebben het altijd maar over hoe hard je werkt en hoe geweldig je bent.'

'Nou, vraag haar dan maar niet wat ze de vorige avond heeft uit-gespookt als ze beweert dat ze een migraineaanval heeft,' zegt Alex, en ik zeg: 'Oké, Alex, ik geloof dat Lorna nu wel genoeg verhalen over mijn ziekmeldingen heeft gehoord. Kunnen we het niet ergens anders over hebben?' Ik weet niet eens op welk incident hij zinspeelde, maar wat het ook is, ik heb er geen zin in dat iedereen alles van me weet. Ik begin de tafel af te ruimen en pak zelfs de glazen mee, wat volgens mij toch een vrij duidelijk signaal is dat het etentje voorbij is. Maar niemand verroert een vin, dus werp ik Dan een blik toe die hij onmogelijk kan negeren.

'Goed,' zegt hij terwijl hij opstaat. 'Ik moet morgen vroeg beginnen, dus ik gooi jullie er nu uit.'

Voor ze de kans krijgen om te protesteren, gaat hij snel hun jassen halen en doet hij de voordeur vast open. Hij jaagt ze er bijkans uit. Lorna slaat haar armen om me heen, wat me gruwelijk op de zenuwen werkt, en bedankt me voor het eten. 'Tot morgen!'

Alex grijnst en zegt: 'Misschien kunnen we dit weekend wel wat leuks doen met z'n allen,' en ik heb zin om hem te slaan.

'Hij doet het alleen maar om mij te zieken,' zeg ik tegen Dan als die de deur achter hen dicht heeft getrokken.

'Hoezo?' vraagt Dan verwonderd, maar dat kan ik hem uiteraard niet vertellen, en dus haal ik alleen mijn schouders op. 'Hij is duidelijk gek op haar,' voegt hij er nog aan toe.

'Dit kan nooit lang duren,' is het enige slotakkoord dat ik weet te verzinnen voor ik naar bed slof.

6

H ET IS *Spotlight*-TIJD VOOR DE acteurs onder onze cli-
enten, en dus moet ik hen allemaal bellen om een foto voor
in de casting director's-bijbel. Als iemand dan op zoek is naar
een jonge hoofdrolspeler of een oudere man voor een karakterrol zien
ze onze mannen zij aan zij met de grote jongens en wie weet overwegen
ze hen wel voor een auditie. Sommigen van hen zitten te krap bij kas
om elk jaar een nieuwe foto te laten maken, dus die zien er al jaren
uit als zevenentwintig terwijl ze de veertig al naderen. Anderen geven
liever een collage van fotootjes waarop ze allerlei verschillende hoofd-
deksels dragen, alsof dat iets zegt over hun veelzijdigheid. En dan zijn
er ook altijd nog een paar die weigeren te betalen voor deze service.
Het is aan mij om hen ervan te overtuigen dat het wel degelijk van
belang is. Meestal moet ik ze aanbieden om de kosten voor te schieten
en vertellen dat ze Mortimer and Sheedy kunnen terugbetalen als er
weer wat geld binnenkomt. Wat voor sommigen nooit zal gebeuren.

Het is een tijdrovend klusje, dus kom ik wat vroeger naar de zaak
om lijstjes op te stellen en vast wat ander voorwerk te doen. Je raakt
anders snel kwijt wie je nu al wel hebt gebeld en bij wie je een boodschap hebt ingesproken, laat staan dat je nog weet wat ze van plan
zijn te doen. Dus loop ik het kantoor in, met een grote beker latte in
de ene hand en een koffiebroodje in de andere. En dan hoor ik dit
vanuit Melanies kamer:

'...en toen kon ze niet meer overeind komen omdat ze een lachstuip
had, en natuurlijk omdat ze zo dronken was. Dat is toch om te gillen?
Ik bedoel, ik dacht altijd dat Rebecca zo keurig en beschaafd was.'

Gelach, gelach van Melanie. Melanie snuift als ze lacht, ik zou haar
zo uit een line-up kunnen pikken als het moest, hoewel ik me niet
kan indenken dat zo'n scenario zich ooit aandient.

'Ik ook.'

'En Alex vertelde dat hij haar uiteindelijk samen met Daniel *en* de taxichauffeur in de taxi heeft moeten tillen…'

Genoeg. Vernederd loop ik de voordeur weer uit en gooi hem dan met veel misbaar open, rammelend met mijn sleutels en hoestend alsof ik mijn leven lang in de mijnen heb gewerkt. Lorna duikt op uit Melanies kamer, met een grote onschuldige glimlach op haar gezicht.

'O, hoi. We hadden het net over je.'

'Aha.' Ik geef toe, dat was geen geniaal antwoord, maar ik weet ook niet wat ik anders moet zeggen.

'Het was echt gezellig, gisteravond. Ik heb het vreselijk naar mijn zin gehad.'

'Fijn.'

'Grappig toch, toen…'

Ik val haar in de rede. 'Ik moet hier even mijn hoofd goed bijhouden, sorry,' zeg ik, en ik ga achter mijn bureau zitten en staar ingespannen naar wat daar toevallig ligt. Het is een lijstje met wat ik de vorige avond had willen kopen bij Marks & Spencer, op weg naar huis, tenminste, dat denk ik. Ik staar er veel te lang naar, om mijn punt duidelijk te maken. Uiteindelijk gaat ze zitten en zet haar computer aan en ik neem aan dat ik weer met een gerust hart op kan kijken.

Ik kom maar niet van mijn irritatie af, en stom genoeg gooi ik het communicatiekanaal weer open.

'Lorna,' zeg ik, en ik probeer niet zo geërgerd te klinken als ik me voel. 'Ik zou het op prijs stellen als je mijn persoonlijke leven niet bespreekt met Melanie en Joshua. Zij hoeven niet te weten dat ik wel eens dronken over straat rol.'

Nu ik eenmaal begonnen ben, is er geen houden meer aan.

'En voor de duidelijkheid: dat is maanden geleden gebeurd en dat was iets eenmaligs. Nu denken zij dat ik voortdurend bezopen ben. Alsof ik dagelijks naar de kroeg ga en me vol laat lopen.'

Lorna kijkt me aan als een puppy dat zojuist op zijn kop heeft gekregen omdat hij aan het tapijt had liggen knagen. Wat? Wat heb ik dan gedaan? Ik ben onschuldig!

'Ik heb je net gehoord,' zeg ik, alsof dat niet al overduidelijk was. Ze denkt zeker dat ik helderziend ben.

Ik ben als de dood dat ze gaat janken. Ze heeft er een handje van om in tranen uit te barsten als dat haar zo uitkomt. Ze doet het aan de lopende band, en dan vooral bij Joshua. En het werkt altijd. Op de een of andere manier vergeet hij dan dat ze een vrouw van tweeenveertig is met een hypotheek en een eetstoornis, en dan gaat hij vaderlijk lopen doen en vergeet compleet dat hij eigenlijk bezig was haar ergens de mantel voor uit te vegen. Ik schrijf dat maar toe aan het feit dat zijn enige dochter verleden jaar uit huis is gegaan om te studeren, en dat hij zich niet meer zo nodig voelt.

Hoe dan ook, ik moet de tranentrein tegen zien te houden voordat hij op het station arriveert, want ik ben absoluut niet van plan om op te stappen.

'Goed,' zeg ik. 'Ik zeg alleen dat ik het zou waarderen als je in de toekomst, enfin, je snapt het wel…'

'Oké,' zegt ze gekweld. 'Het spijt me.'

'Ik zei dat het goed was. We hebben het er niet meer over, oké?'

Dus nu zit ze achter haar scherm te snuffen, tot ze na een paar minuten naar het damestoilet stuift, en bijna tegen Joshua opbotst als hij de keuken uit komt omdat hij niet meer wilde wachten tot een van ons hem een kopje thee komt brengen.

'Gaat het?' vraagt hij bezorgd.

'Ja, het gaat wel,' zegt Lorna op een toon waaruit blijkt: Nee. Het gaat helemaal niet, want dat akelige kreng daar heeft lelijk tegen me gedaan. Joshua werpt me een beschuldigende blik toe. Eén-nul voor Lorna.

Lorna zit al tien jaar bij Mortimer and Sheedy, sinds haar tweeëndertigste. Daarvoor had ze het ene na het andere secretaressebaantje gehad, maar ze had nooit iets gevonden waar ze het echt naar haar zin had. Totdat ze de kleine zolderruimte van Mortimer and Sheedy binnen liep voor een sollicitatiegesprek. Toen werd ze verliefd. En nu ze haar niche had gevonden was ze bruut ambitieus. Ze had besloten dat ze een jaar of drie zou blijven, alles zou leren wat er te leren viel over contracten en casting en hoe je cliënten tevreden kunt houden en kunt zorgen dat ze meer verdienen, en dat ze daarna zelf zou solliciteren naar een functie als agent bij een van de grotere, bekendere bureaus. Maar voor ze er erg in had voelde Mortimer and Sheedy als haar thuis, en Joshua en Melanie voelen als familie. Ze kon zich inmiddels niet meer voorstellen dat ze ooit nog eens ergens anders zou werken, ook al betekende het dat het met haar carrière niet opschoot. Hoe ik dat allemaal weet? Omdat ze me ademloos haar hele levensverhaal uit de doeken heeft gedaan, in de eerste halve minuut na onze kennismaking, terwijl ik nerveus slokjes nam uit mijn flesje water en zat te wachten op mijn sollicitatiegesprek. Ik zou voor het eerst weer aan de slag gaan na de geboorte van Zoe, zeven jaar daarvoor. Ik wilde graag twee dagen per week werken, van halftien tot zes uur, en ik wilde graag dat mijn kantoor aan de Piccadillylijn lag, zodat ik er met de metro naartoe kon. Dat waren mijn enige voorwaarden. Als de uren en de locatie goed waren, was ik desnoods in een bordeel gaan werken. William was net naar school, en ik wilde een baantje zonder druk, waar het geen ramp was als ik eens een dagje moest overslaan omdat een van mijn kinderen koorts had.

Net als Lorna had ik me ook nooit gerealiseerd dat ik zoveel van mijn werk zou gaan houden. Ik zit hier nu zes jaar. Zes jaar luister ik al naar haar gewauwel. Het voelt soms als levenslang.

We brengen bijna de hele middag door in een beladen stilte. Lorna als gewond dier, en ik hoogst verontwaardigd. Zoals je weet schep ik er helemaal geen genoegen in om haar dwars te zitten, maar het zorgt er in elk geval wel voor dat ze haar kwek houdt. En dat betekent dat ik al mijn telefoontjes kan plegen en ook nog eens iedereen heb teruggebeld. Dus om halfzes heb ik al onze jongens geld afgetroggeld en loop ik de deur uit. Lorna heeft de hele dag nauwelijks opgekeken van haar werk en omdat ik me een beetje schuldig voel, schenk ik haar bij vertrek een glimlach en zeg: 'Het spijt me als je denkt dat ik kwaad op je ben. Dat viel echt wel mee. Tot morgen.'

Ze kijkt op met vochtige bambi-ogen, boordevol zelfmedelijden, en zegt: 'Joh, het geeft niet. Zand erover. Dag, Rebecca.' Zelden klonk iets zo onoprecht.

Dan en ik brengen een goddelijke avond door voor de buis, terwijl William door het huis kruipt op zoek naar babyspinnen. Hij gebruikt daarvoor een oud vergrootglas dat hij ergens heeft gevonden. Zoe zit op haar bed, met haar iPod op, en trekt zich van de wereld niets aan. Ik probeer mijn frustraties van die dag aan Dan uit te leggen, maar het valt niet mee om daarbij niet te klinken als een dreinend kind van tien.

Want wat zeg ik nu eigenlijk precies? Ik ben uitgevallen tegen Lorna omdat zij het met Melanie over mij had en toen raakte zij over haar toeren. Het lukt me niet om die passieve agressie van haar te omschrijven, en hoe ze de hele situatie naar haar hand zet en zij het slachtoffer is en ik de kwaaie pier. Dat is precies het punt met Lorna. Ze is er zo goed in. Je moet erbij zijn om het te snappen, om de nuances te zien. Om in te zien dat ook al lijkt het alsof ze niks gemeens doet, ze juist zo gemeen is door de manier waarop ze het doet. Ik probeer haar kinderstem te imiteren, haar huilerige dappere glimlachje, haar o-zo-subtiele beschuldigingen, maar in mijn omschrijving is ze nog veel te aandoenlijk en kom ik uit de verf als een gebochelde pestkop die haar maar niet met rust kan laten.

'Je weet dat we ze dit weekend weer zien, hè?' zegt Dan uiteindelijk.

'Ja, dat weet ik, en ik zal me heus gedragen.'

En dat meen ik. Echt. Ik zal het in elk geval proberen.

Ik ben de volgende ochtend eerder dan zij op kantoor en ik ben bezig met koffiezetten als Joshua zijn hoofd de keuken in steekt en vraagt of ik even heb. Ik heb zin om te zeggen van niet. Want het is nooit een goed teken als iemand je vraagt of je even hebt. Maar aangezien ik duidelijk niets belangrijks aan het doen ben, bied ik hem een kop koffie aan. Hij wil wel, en dan loop ik achter hem aan zijn kantoortje in.

Joshua heeft altijd iets van een oude oom. Hij is pas drieënvijftig, en ik vergeet altijd dat hij maar twaalf jaar ouder is dan ik en zelf voel me ik me net zes. Dan wil ik graag dat hij zegt dat ik een braaf meisje ben. Dat zal wel komen door zijn witte haar en zijn vriendelijke, verweerde gezicht dat vroegtijdig oud lijkt door de ruim twintig sigaretten die hij er per dag doorheen jaagt. Dat, en het feit dat ik altijd al ontzag heb gehad voor het gezag. Als een politieagent me zelfs maar groet begin ik al slijmerig gedienstig te doen, ook al heb ik punt 1 nog nooit iets misdaan en punt 2 is hij doorgaans jong genoeg om mijn zoon te kunnen zijn. Met mijn huisarts is het nog veel erger. Ze is waarschijnlijk net zo oud als ik, maar ik put me altijd uit in excuses omdat ik beslag op haar tijd leg, en ik zou bijna mijn hoed afnemen, zozeer is zij boven mij verheven. Voor ik de spreekkamer in ga spreek ik mezelf altijd streng toe: heb toch zelfvertrouwen, durf toch te vragen. Als ze het belang van je symptomen lijkt weg te wuiven, sta er dan toch op dat ze het laat onderzoeken. Dan heeft ze vier jaar langer op de universiteit gezeten dan jij, nou en? Maar het werkt nooit. Ik weet zeker dat ik ooit nog eens kom te overlijden wegens een of andere onbenullige aandoening die ik niet heb laten behandelen omdat ik te bang was om haar oordeel in twijfel te trekken.

'Hoe gaat het?' vraagt Joshua, en ik voel me meteen aangevallen. Hoe bedoelt hij: 'het'?

'O, prima,' zeg ik. 'Goed, hoor.'

We zitten er even in stilte bij, terwijl hij moed tracht te verzamelen om te zeggen wat hij me eigenlijk te zeggen heeft. Joshua houdt niet van kantoorpolitiek en dat soort triviale zaken. Ik kijk naar mijn handen en uit het raam naar de zolderruimte boven de winkels aan de andere kant van de straat.

'Je weet hoezeer we jou waarderen, Melanie en ik,' zegt hij en mijn maag krimpt ineen. Dit klinkt niet alsof hij me opslag wil geven, en dat is jammer, want ik was van plan om daar binnenkort eens om te vragen. Als ik eerst een assertiviteitscursus van een week heb gevolgd, uiteraard.

'Dank je,' zeg ik, al weet ik niet waarom.

'Je vormt een integraal onderdeel van dit bedrijf. De cliënten lopen allemaal met je weg.' Oké, dat lijkt er meer op. Het klinkt in elk geval niet direct alsof hij me dadelijk gaat ontslaan.

Joshua praat door. 'Het enige is, je kunt wel eens – hoe moet ik het zeggen – wat abrupt zijn.'

'Abrupt?' Ik heb geen idee waar hij het over heeft. Hij zegt net nog dat de cliënten met me weglopen en ik weet dat ik ook een prima relatie heb met de producenten, regisseurs en castinglui met wie ik te maken heb. Sommigen zijn zelfs vrienden geworden – werkvrienden natuurlijk, geen echte vrienden – en we drinken wel eens koffie, of een snelle borrel na het werk. Dan krijg ik vaak goede tips over aanstaande producties.

'Niet…' zegt hij, en dan weet hij het even niet meer. 'Enfin, laat ik het zo zeggen. Ik heb het gevoel dat Lorna jou soms wat dominant vindt…'

De rest van zijn verhaal gaat aan me voorbij, vanwege al het bloed dat door mijn oren suist op weg naar mijn hersenen, en ik probeer tot bedaren te komen voor ik explodeer. Dus dat is het. Lorna heeft gisteravond weer eens zitten janken bij Joshua, toen ik naar huis was. Boehoe. Rebecca pest me.

Ik onderbreek Joshua. 'Dus Lorna heeft over mij zitten klagen?'

'Nee, nee, natuurlijk niet,' liegt Joshua, die rood aanloopt omdat hij wel inziet dat hij de situatie alleen nog maar erger heeft gemaakt. 'Ik zeg alleen dat ze gisteren wat overstuur leek.'

Ik weersta de verleiding om te vragen hoe hij erbij komt dat Lorna's humeur überhaupt iets met mij te maken heeft als zij er verder niks over heeft gezegd. Het heeft toch geen zin. Hij neemt haar duidelijk in bescherming. Ik kan dit toch niet winnen, dus ik onderga mijn standje en wil weer aan het werk gaan.

'Ik zou niet weten waarom ze overstuur was door mij,' zeg ik. En dan voeg ik er nog aan toe: 'Het was in elk geval zeker niet mijn bedoeling.'

'Nee, dat neem ik zonder meer aan. Het is alleen… je weet hoe ze is…'

Dat weet ik inderdaad. Stiekem, manipulatief, lui, moet ik nog even doorgaan?

'…ze is ontzettend gevoelig. Ik zeg dit alleen tegen jou en niet tegen haar, want ik weet dat jij het wel kunt hebben. Ik vind alleen dat jij wat meer je best moet doen om het leuk te hebben met haar.'

Hij ziet waarschijnlijk dat ik paars aanloop, want hij zegt: 'Dat jullie het samen leuk hebben, bedoel ik. Daar hoef jij niet alleen je best voor te doen. Ik vind het zo vreselijk als er een rotsfeer hangt, hier op kantoor. Dat is slecht voor de zaken.'

Ik haal diep adem. Dit is zo onrechtvaardig. Maar ik weet ook dat ik er niks mee opschiet als ik uitval tegen Joshua.

'Natuurlijk,' zeg ik. 'Het spijt me als jij de indruk had dat er een probleem was. Want dat is echt niet zo.'

Hij toont me zijn brede oom Josh-glimlach. 'Ze zal ook wel een beetje overgevoelig zijn geweest,' zegt hij, waarmee hij meteen prijsgeeft dat ze inderdaad heeft lopen klagen.

'Vlot het een beetje met *Spotlight*?' vraagt hij om op een ander onderwerp over te stappen.

'Ja, is al klaar,' zeg ik, en ik forceer een lachje. 'Geen probleem.'

'Mooi werk,' zegt hij, en hij kijkt naar wat papieren op zijn bureau. Dat interpreteer ik als teken dat ik weg moet.

Terug op de receptie staat Lorna haar jas uit te trekken. Ze is vijf minuten te laat, zoals gewoonlijk. Ze schenkt me een brede, onschuldige glimlach.

'Mogguh,' zegt ze opgewekt.

'O, hoi,' zeg ik met, naar ik hoop, een licht dreigende ondertoon, maar ook weer niet zo sterk dat je er je vinger op kunt leggen.

7

H ET IS VRIJDAGAVOND. HEERLIJK, TWEE dagen niet
werken, en dat gevoel dat je overal de tijd voor hebt. Ook al
doe ik tegenwoordig op vrijdagavond bijna nooit iets anders
dan koken en met Dan en de kinderen naar de televisie kijken, toch
voel ik nog altijd die opwinding als ik van mijn werk kom. Alsof alles
mogelijk is. Ik heb alle tijd van de wereld en er is niemand die me
opdraagt wat ik moet doen. Je weet natuurlijk wat ik bedoel: behalve
dit weekend. Deze vrijdagavond is gekaapt door de vijand. We moeten
uit eten met Alex en Lorna. Mijn idee van de hel.

We hebben gereserveerd voor halfacht, en Lorna is de hele dag al
druk in de weer geweest met vragen over wat ik aandoe en hoe laat we
er zullen zijn en of we eerst nog ergens anders een borrel gaan drinken
(nee). Je zou denken dat ze nog nooit uit eten is geweest.

De kinderen zijn vanavond bij Isabel. Zoe is woedend. Ze vindt
dat ze met dertien oud genoeg is om alleen thuis te blijven en ik moet
haar voor de honderdste keer uitleggen dat zij dat ook is (en dan lieg
ik), maar dat ze nog niet oud genoeg is om ook op haar broertje te
passen. William heeft de neiging om helemaal op te gaan in allerlei
dingen, zoals het een gekke uitvinder betaamt. De kleinste details
waar gewone stervelingen nog geen seconde bij stil zouden staan –
proberen te bepalen waarom een mier een bepaalde route neemt langs
de vensterbank in de keuken, of waarom de lichtinval door het raam
breekt, zulk soort boeiende zaken – en hij vergeet dat hij het bad heeft
aangezet, of dat er iets aanbrandt dat hij op het fornuis heeft gezet.
Hij is gewoon gevaarlijk.

In tegenstelling tot zijn zusje is William blij dat hij naar de tweeling mag. Hij is afwisselend straalverliefd op een van beiden, hei-
melijk en hopeloos. Ik weet altijd wanneer zijn voorkeur weer is

omgeslagen, want dan zegt hij dingen als: 'Natalie/Nicola is veel slimmer dan Nicola/Natalie,' of 'Nicola/Natalie heeft veel mooier haar dan Natalie/Nicola.' Hij drentelt met een verliefde blik achter zijn uitverkorene van het moment aan, en probeert met haar in gesprek te raken door haar zijn kikkerdril te laten zien, of, is ook wel eens gebeurd, wat egelkeutels. ('Zie je die glimmende stukjes? Dat komt doordat de egel kevers eet.') Maar de meisjes zetten het dan doorgaans op een gillen, zeggen: 'Je bent walgelijk', en rennen weg.

Van ruzie komt het nooit, want William is nooit beledigd. Hij blijft even toegewijd achter hen aan hobbelen, met de halsstarrige, trage volharding waarmee een zombie zijn beoogde prooi achtervolgt. En de meisjes vinden het geweldig dat ze hem voor hun karretje kunnen spannen – hij haalt drinken voor hen, doet klusjes, en hij heeft zich meer dan eens door hen laten 'verkleden', waarna hij onder de make-up en in hun kleren thuiskwam. Isabel en ik hebben ons wel eens afgevraagd of we moeten ingrijpen, en of de meisjes hem niet te erg op zijn kop zitten, maar we zijn tot de conclusie gekomen dat het wel meevalt. Ze zijn eigenlijk best lief voor hem; ze formuleren hun opdrachten altijd als een keurige vraag. Als hij al ooit eens zou weigeren, dan gebeurt er verder niks, alleen weigert hij nooit. Het lijkt hem niet te deren. De gemiddelde dominante tante heeft aan hem een geweldige echtgenoot, later.

Om zeven uur zijn we klaar voor vertrek. Alex heeft de kinderen voor ons naar Isabel gebracht, zodat hij de tweeling nog even snel kan zien voor hij Lorna oppikt. Ik zit aan mijn keukentafel en probeer moed te verzamelen om op te staan.

'Je ziet er leuk uit,' zegt Dan als hij binnenkomt, hoewel hij de fout maakt het al te zeggen nog voor hij een voet door de deur heeft gezet en hij dus onmogelijk kan hebben gezien hoe ik eruitzie. Maar ik besluit het hem te vergeven.

'Dank je.'

'Klaar?'

'Yep,' zeg ik, en ik verroer me niet.

'De taxi is er,' zegt hij, en met tegenzin hijs ik me uit mijn stoel. Dan zoent me boven op mijn hoofd.

'Kop op,' zegt hij. 'Er zijn wel ergere dingen.'
'Nee,' zeg ik, 'die zijn er niet.'

Ik hoor haar al praten als we binnenkomen.

'...en het punt is denk je nu dat het beter smaakt omdat je weet hoe duur het is of smaakt het echt beter dat weet ik nog niet zo net ik bedoel wat nu als iemand je de vieze goedkope geeft als er een goedkope vieze versie is tenminste dat weet ik natuurlijk niet maar dan zou je waarschijnlijk nog steeds beweren dat het geweldig is...'

Ik neem aan dat ze het heeft over het glas champagne waar ze mee zwaait in haar rechterhand. We lopen op hen af.

'...ik bedoel hoe weet je ook wat het verschil is... o, hallo.'

Zij en Alex staan op en er volgen wat weinig geanimeerde zoenen. Ik ben als de dood dat Lorna straks verwacht dat ik haar 's ochtends vroeg op het werk ook ga zoenen.

'Wat een interessante jurk heb je aan,' zegt ze. 'Ik wist niet wat ik aan moest dus toen heb ik dit maar uit de kast getrokken maar ik heb hem al een jaar niet meer aangehad en nu ben ik er toch niet zo zeker van...'

Interessant? Dat lijkt me niet echt een compliment voor een kledingstuk. Ik luister al niet meer. Het gesprek dat Dan en Alex zijn begonnen over Arsenal boeit me ook niet, en dus amuseer ik me door Lorna eens nadrukkelijk te monsteren. Die jurk staat haar eigenlijk prima. Hij is heel strak, ik zou er niet mee wegkomen. Ik vergeet altijd voor het gemak dat Lorna best knap is. Als ze haar gezicht stilhoudt, wat nooit gebeurt, dan zie je die grote ogen van haar, die donkerbruin zijn en ree-achtig, en het feit dat haar mond breed is en heel vol (ik wil niet lollig doen, maar ze heeft echt een grote mond). Kijk, als ik alleen nog maar zangzaad at, dan werd mijn gezicht kleiner, en dus zouden mijn trekken vast ook veel groter lijken. Ze heeft een beetje een scheve neus, maar dat is niet erg. Het zorgt er juist voor dat haar gezicht niet te gewoontjes is, te normaal. Haar kapsel is een drama, dun en piekerig en onverzorgd, maar alles bij elkaar zit ze toch zeker in de, wat zal ik zeggen, bovenste dertig procent van de vrouwen, qua looks.

Vind ik altijd leuk, mensen inschalen. Geen idee waarom. De meeste mensen die ik ken scoren ergens tussen de zeventig en de tachtig procent, dus dat wil zeggen dat er nog heel wat echt knappe mensen moeten rondlopen, alleen zie ik ze nooit. Mezelf heb ik ergens rond de zestig procent geplaatst, maar verbetering is zeker mogelijk. Alex zit ergens in de zeventig en Dan is een hoge tachtiger, grenzend aan de negentig procent. Dat is subjectief natuurlijk. Ik heb ooit eens besloten dat Angelina Jolie in de bovenste vijftig procent zit, maar dat was omdat ze toen net begon met baby's verzamelen en dat irriteerde me verschrikkelijk.

De ober komt om ons naar ons tafeltje te brengen. Ik heb bedacht dat de beste manier om deze avond door te komen is Lorna te laten kwekken en alleen te antwoorden als het echt niet anders kan. Ik heb Dan ingepeperd hoe link het is om haar geestige anekdotes over mij en mijn wangedrag te vertellen, omdat ze dat op kantoor gaat rond-bazuinen, dus nu durft hij überhaupt niks meer te zeggen. Maar dat geeft niet, want Lorna is op dreef en ze vertelt over die keer dat ze op kookcursus was die door een tv-kok werd gegeven en dat hij de hele tijd haar eruit pikte, nou, dat is toch ook gek? Lorna is zo'n mens dat altijd denkt dat zij de belangrijkste is, waar ze ook komt. Natuurlijk had de kok haar aubergines laten snijden omdat ze zo geweldig en zo geestig is. De meer prozaïsche uitleg is dat zij toevallig het dichtst bij stond, maar die gedachte zou bij haar nooit opkomen. Dan maakt het in zijn poging om beleefd te zijn met zijn 'wow' en 'echt?' alleen nog maar erger, want het lijkt net of hij onder de indruk is, maar ik laat het betijen en eet mijn eten, dat trouwens fantastisch smaakt. Halverwege de maaltijd vraagt hij of ik me wel goed voel.

'Je bent zo stil,' zegt hij bezorgd.

'Niks aan de hand. Ik geniet van mijn tong,' zeg ik, en gelukkig laat Dan het daarbij. Maar dan neemt de avond een heel wat minder relaxte wending. Ik ben ervan overtuigd dat Alex de hele tijd al broedde op een mogelijkheid om onrust te trappen, en nu het allemaal wat al te soepel verloopt, kan hij de verleiding niet weerstaan om de knuppel in het hoenderhok te gooien.

'Hé, Rebecca,' zegt hij zomaar zonder aanleiding. 'Vertel Lorna eens van dat gedoe met die e-mail.'

'O, nee, joh,' zeg ik nog in een poging luchtig te klinken. 'Dat is helemaal niet interessant voor haar.'

Ik kijk Alex dwingend aan. 'Hou op', zegt mijn blik, maar hij grijnst alleen maar. Dan, die wel weet wat er nu komt, probeert me te hulp te schieten, maar hij kan niks beters verzinnen dan: 'Goh, die zeebaars is werkelijk verrukkelijk,' wat de opstomende mammoettanker niet echt meer kan stoppen.

'Nou, dan vertel *ik* het wel…' zegt Alex, en hij wendt zich tot Lorna en gaat er eens goed voor zitten. 'Dit geloof je namelijk niet…'

Het e-mailincident is niet iets waar ik trots op ben. Het was best grappig toen het gebeurde, begrijp me niet verkeerd. En we hebben er ook nog veel lol om gehad, op menig dronken avondje, Dan, Alex, Isabel en ik. De tranen rolden ons dan steevast over de wangen – ook bij Alex. Maar nu lijkt het ineens helemaal niet meer zo lollig. Nu is het eerder vals en kinderachtig, om nog maar te zwijgen over het feit dat het een flagrante schending van andermans privacy was, en waarschijnlijk ook nog tegen de wet. Ik durf het hier eigenlijk niet eens te herhalen. Je moet vast lachen, want zo reageert iedereen aanvankelijk altijd. Maar dan zul je net als iedereen zeggen: 'Dat had je niet moeten doen.'

Nou, goed dan. Het ging zo…

Een paar jaar geleden was ik op Lorna's computer op zoek naar een bestandje. Dat was legitiem. Ze was ziek, zoiets, en ik had een contract nodig dat zij had verstuurd en dat ineens urgent was geworden omdat de cliënt over twee dagen met de klus zou beginnen en Joshua er nog geen blik op had geworpen, laat staan dat hij het al had goedgekeurd. Dus met Joshua's toestemming was ik haar Outlook ingegaan en scande ik haar inbox op zoek naar een mail die dat contract mogelijk kon bevatten.

Ik had het zo gevonden en wilde de betreffende mail net openklikken toen ik het bericht daarboven zag staan. Het was van ene Les, en het had de intrigerende titel 'superstijve'. Nee, wees ik mezelf terecht. Niet openmaken. Maar het was in zo'n periode dat ik Lorna verdacht van weer zo'n internetromance, en de nieuwsgierigheid won het. Dat, en het feit dat ik dacht dat het me misschien een grappig verhaal op zou leveren, iets waarmee ik de lachers op mijn hand zou krijgen in de kroeg. Ik moet zeggen dat ik nooit had kunnen bevroeden *hoe* geestig het precies zou zijn. Om een lang verhaal kort te maken: ik opende de mail van Les en las, zoals de titel al deed vermoeden, over zijn nogal verhitte staat van die ochtend, na de avond die ze kennelijk samen hadden doorgebracht.

'Kan niet meer lopen,' schreef hij poëtisch. 'Durf niet op te staan van mijn bureau, anders zien mijn collega's het nog.'

Nou, dat was toch geestig, of niet? Ik bedoel, kom op, wie moet hier nu niet om lachen? Dit is natuurlijk het punt waarop ik zou moeten vertellen dat ik keurig mijn documentje heb uitgeprint, Lorna's computer heb uitgezet en mijn neus verder nooit meer in haar zaken heb gestoken. Zo is het helaas niet gegaan. Wat ik wel deed was zoeken naar het voorafgaande bericht van Les, om te zien of daar iets sappigs in stond. De titel van dat mailtje was: Re:re:re:re re: et cetera. En in die ene e-mail stond de hele geschiedenis van hun relatie, die zich uitstrekte over twee weken. Voor ik er erg in had drukte ik op 'print' en kwam de hele correspondentie uit de grote printer naast mijn bureau rollen. Ik gaf ook nog maar een printopdracht voor het contractje, en zette Lorna's computer toen uit. Toen de printer klaar was propte ik het belastende materiaal in mijn tas en dacht er verder niet meer over na, totdat Joshua en Melanie vertrokken voor een lunch buiten de deur.

Ik begon bij het begin. Ze kenden elkaar op dat punt duidelijk nog niet zo lang, en de mailtjes waren nog flirterig met een joviale ondertoon, zoals je doet aan het begin van een relatie. Ik nam de tekst vluchtig door en concentreerde me maar half op wat ik las. Het verveelde me, en ik was al half van plan om de zaak door de papierversnipperaar te gooien toen ik het zag staan. Binnen een dag stond hun hele conversatie ineens stijf van de seksuele toespelingen en zwaarbeladen erotische opmerkingen, dus toen wist ik dat ze het de avond ervoor eindelijk hadden gedaan. Blozend worstelde ik me door alle 'ik vind het zo lekker als je…' en 'de volgende keer zal ik je eens flink…' heen. Het was fascinerend maar toch ook totaal belachelijk, want laten we eerlijk zijn, digitale sekspraatjes zijn altijd krankzinnig als je ze met nuchtere ogen bekijkt. Gierend pakte ik de telefoon. Dit was te goed om niet met iemand te delen. Ik probeerde eerst Isabel, maar die was in gesprek, Dan was in vergadering, en dus belde ik Alex.

'Raad eens hoe Lorna haar clitoris noemt,' vroeg ik zodra hij opnam.

'Kan ik er een prijs mee winnen?'

'Haar boontje.' Ik kreeg het woord nauwelijks over mijn lippen. Alex barstte in lachen uit.

'Heeft ze je dat verteld?'

'Nee, ik… eh, nou ja, dat las ik in een e-mail.'

'Dat meen je niet!' zei hij, zogenaamd geschokt.

'Ik weet het,' zei ik. 'Ik zal het nooit meer doen.'

Maar ik las hem nog een sappige passage voor en hij deed het zowat in zijn broek. En later, toen we met een menukaart voor onze neus zaten, liet Alex me het hele verhaal nog een keer vertellen aan Dan en Isabel. Ik aarzelde wel een beetje, dit tot mijn verdediging, want nu het moment voorbij was, begon ik me wel een beetje schuldig te voelen. Bovendien wist ik dat Alex wreed genoeg was om er de lol van in te zien, maar van Dan en Isabel was ik bij nader inzien niet zo zeker.

Alex drong aan. 'Toe nou,' zei hij steeds maar. 'Echt, jongens, dit moeten jullie horen.'

Dus vertelde ik het hele verhaal nog maar eens, en toen ik vertelde dat ik op zoek was gegaan naar Lorna's eerdere mails, zei Dan eerst nog: 'O nee, niet doen…' Maar eerlijk is eerlijk, ze moesten allebei heel erg lachen, want het was ook te grappig. Alex bleef de hele avond allerlei citaten herhalen met een suf stemmetje dat hij speciaal bewaarde voor als hij het over Lorna had. En toen de ober ons kwam vertellen wat de dagspecialiteiten waren en meldde dat de soep van de dag een Toscaanse wittebonensoep was, zaten we te grinniken als een stelletje pubers.

Het was boosaardig, natuurlijk, maar er vielen geen slachtoffers. Dat wil ik nog wel ter verdediging aanvoeren. Ik zou Lorna nooit van zijn leven laten merken wat ik had gezien, en ik zou er ook zeker geen gewoonte van maken om haar mail te lezen. Het zou een grapje tussen ons vieren blijven, dat we verder nooit met iemand zouden delen. Tot nu, dus. Als Alex echt zo gek op Lorna was als hij ons wilde wijsmaken, dan zou hij haar toch nooit willen kwetsen door haar te vertellen dat wij – hij ook – haar al jaren achter haar rug uitlachten?

'Nou?' vraagt Lorna, en ze wacht ademloos tot Alex haar het hilarische verhaal uit de doeken doet dat zij zo leuk zal vinden, volgens hem.

Alex kijkt me aan. 'Weet je wat,' zegt hij. 'We bewaren het voor een ander keertje. Zo'n leuk verhaal is het nu ook weer niet.'

Ik slaak een bijna hoorbare zucht van verlichting. Maar Lorna geeft niet zomaar op.

'Ah, nee,' gilt ze. 'Ik wil het nu weten! Je kunt toch niet een anekdote beginnen te vertellen en dan zomaar ophouden!'

'O, Alex,' zegt Dan vlug, want hij ziet een opening. Hij weet duidelijk niet wat hij moet zeggen, en valt bijna meteen weer stil.

'Eh… wat ik nog tegen je wilde zeggen. Heb je… eh… dat artikel gelezen in de *Guardian* over die nieuwe auto? Een sportmodel, maar dan helemaal elektrisch?'

Ik heb geen idee waar dit ineens vandaan komt. Auto's boeien Dan voor geen meter. En Alex geeft ook niet om auto's. Maar het leidt hoe dan ook de aandacht even af van het e-mailfiasco. En omdat Alex klaarblijkelijk heeft besloten om toch maar niet door te zetten, trapt hij net lang genoeg in het autogesprek en verliest Lorna haar belangstelling voor het voorgaande onderwerp.

Ik kan weer ademhalen. Het schuldgevoel dat me overspoelde toen ik nog dacht dat Alex het hele beschamende verhaal uit de doeken zou doen houdt wel in dat ik bereid ben om meer mijn best te doen naar Lorna toe, de rest van de maaltijd. Ik probeer te glimlachen, en knik terwijl ze aan het woord is. Ik overweeg zelfs om deel te gaan nemen aan het gesprek, maar dat is wat te ambitieus; ze zit helemaal niet te wachten op feedback. De rest van de avond verloopt kalm en goddank zijn we om tien uur klaar en is niemand van ons in de stemming om nog ergens anders naartoe te gaan.

Thuis doorlopen Dan en ik onze vaste routine. Een snelle debriefing bij een glaasje cognac, dan naar bed, nog vijf minuten lezen en de lichten uit. Hij slaapt bijna meteen, zoals altijd. Tegenwoordig wordt ons bed, zoals bij de meeste stellen die al zoveel jaar bij elkaar zijn en kinderen hebben, hoofdzakelijk gebruikt om in te slapen. Ik bekijk hem vol genegenheid in het halfduister, maar het lukt me niet om los te komen van het beeld van Lorna en Alex en hun zelfingenomen jonge liefde. Je kunt er niet omheen: hun lichamelijke aantrekkingskracht is echt, wat Alex ook voor diepere motieven mag hebben. Zijn hand op haar knie, hoe zij over zijn dij wrijft als ze weer een of ander verhaal vertelt. Ik vind het een beetje bevreemdend, dat schaamteloze tentoonspreiden van hun seksuele chemie, en ik vraag me af of Dan dat ook zo voelt. Het geeft mij zelf zo'n onvolkomen gevoel. Alsof ik niet opwindend ben, en ook niet op te winden. Ik overweeg heel even om Dan wakker te maken, en hem te zeggen dat ik ineens zo'n zin heb, neem me, nu, maar ik weet dat hij dat gek zou vinden. Dat hij zich af zou vragen wat er met me aan de hand is, en of ik me wel goed voel, en dan is het moment alweer voorbij. Dus kruip ik tegen zijn brede rug en probeer te slapen.

8

ISABEL ZIT AAN EEN TAFELTJE bij het raam, met haar neus in een boek. Ze ziet er precies uit als, enfin, als Isabel, en ik kan wel huilen als ik het restaurant doorloop om haar te begroeten. We hebben elkaar al bijna een maand niet gezien, en terwijl ik haar een dikke knuffel geef realiseer ik me hoe ik mijn vriendin heb gemist. We hebben elkaar uiteraard wel aan de telefoon gesproken, maar omdat Alex al die tijd bij ons logeerde, nodigde ik haar niet meer uit. De intensiteit waarmee ze mijn knuffel beantwoordt en het feit dat ze niet meer loslaat, ook al ontspannen mijn armen zich weer, zegt dat ze mij ook heeft gemist. Uiteindelijk komen we toch los, en negeren de starende blik van een schriel uitziende jongeman in een goedkoop pak, die lijkt te hopen dat hij dadelijk de live-uitvoering van *Emmanuelle* te zien krijgt.

'Zo,' zegt ze als ik ga zitten. 'Hoe is het met je?'

'Met mij is het best,' zeg ik. 'Tenminste, op mijn werk is het wat…' en dan dringt het tot me door dat ik daar helemaal niks over kan zeggen, dus klets ik een beetje doelloos door. Uiteindelijk stelt Isabel de vraag die ze altijd stelt.

'En hoe is het met Alex? Gaat het wel goed met hem?'

Ik was hier al zo bang voor. Aan de ene kant is het voor Isabel verschrikkelijk en pijnlijk om erachter te komen dat Alex al iemand anders heeft, maar aan de andere kant kon ze het wel eens geestig vinden dat het Lorna is. Ik weet dat ze het anders wel via de tamtam te horen krijgt, dus ik besluit dat ik het haar dan maar beter zelf kan vertellen. Het feit dat Alex eerst nog heeft geprobeerd om mij te versieren laat ik uiteraard weg. Ik wil dat ze hem weer terugneemt als hij ooit nog eens bij zinnen komt, en dat gaat ze natuurlijk nooit doen als ze denkt dat hij zo ontrouw is geweest.

'Hij doet het natuurlijk alleen om iets te bewijzen,' zeg ik, hoewel ik natuurlijk niet kan zeggen wat hij dan precies wil bewijzen. 'Aan zichzelf, bedoel ik. Dat het terecht was dat hij weg is gegaan. God mag het weten.'

Gelukkig laat mijn instinct me niet in de steek en wordt de pijn ruimschoots gecompenseerd door het komische gehalte van dit alles. Isabel kan er zelfs om glimlachen.

'Ik weet niet,' zegt ze. 'Misschien vindt hij haar wel echt leuk.'

'Hallo, we hebben het hier over *Lorna*, ja,' zeg ik met overslaande stem. 'Die kan hij onmogelijk echt leuk vinden.'

'O jeetje, denk je dat hij het ook al haar boontje noemt?"

'Dat is nog zoiets. Hij had haar bijna dat verhaal verteld. Ik bedoel, ik moet wel met haar werken. Wat nu als hij het haar vertelt, en dat zij het vervolgens doorbrieft aan Joshua en Melanie…?'

Isabel lacht. 'Ik betwijfel of ze dat wel aan iemand anders zou willen toegeven.'

Het gesprek valt even stil. Isabel kijkt me aan.

'Rebecca,' zegt ze aarzelend. 'Waarom denk je eigenlijk dat hij is weggegaan?'

'Ik heb geen idee,' zeg ik. Ik ben absoluut niet van plan haar te vertellen dat hij beweert überhaupt nooit van haar te hebben gehouden. 'Jullie leken me altijd zo gelukkig.'

Ze zucht. 'Ik geloof niet dat het ooit zo goed is geweest als jij wel denkt. Al jaren niet meer, in elk geval. We hadden altijd ruzie als we alleen waren. Maar hebben alle stellen dat niet? Het ging meestal over geld. En dat hij een baan zou zoeken…'

'Maar… ik dacht altijd… ik bedoel, jij verdient toch prima, of niet?' vraag ik. 'Je hebt een baan waar je van houdt en ik dacht altijd dat hij ook iets wilde doen waar hij zich goed bij voelde. En toen je de meisjes kreeg was ik altijd zo jaloers op jou omdat je gewoon weer lekker aan het werk kon en hij het prima vond om thuis te blijven.'

'Maar ik wilde helemaal niet weer aan het werk,' zegt ze, en er trekt een geërgerde blik over haar gezicht. 'Ik wilde graag thuisblijven om de jonge moeder uit te hangen. Maar zelfs toen weigerde hij om ook maar te overwegen een baan te gaan zoeken.'

Ik ben geschokt. Ik had echt geen idee. Het leek mij juist zo'n geweldige en moderne oplossing.

'Ik heb dag in dag uit zitten huilen op kantoor,' zegt ze. 'Maar Alex hield vol dat hij zomaar in de fuik zou zwemmen als hij weer aan het werk ging, en dat hij dan helemaal nooit meer aan schrijven toe zou komen.'

'Jemig,' zeg ik. 'Dat wist ik helemaal niet.'

Isabel is nu los: 'En om je de waarheid te zeggen, ik heb geen idee wanneer hij voor het laatst echt iets op papier heeft gezet.'

'Ik dacht altijd dat jij zo gek was op je werk,' zeg ik nogal lamlendig.

'Dat is ook zo, maar ik was er liever een poosje tussenuit gegaan. En ik had graag de mogelijkheid gehad om parttime te werken, zodat ik tenminste nog een beetje tijd bij mijn dochters had kunnen doorbrengen toen ze nog klein waren. Zeg,' vraagt ze, 'vind jij nou dat Alex kan schrijven? Ik bedoel, jij hebt wel eens iets van hem gelezen, toch? Denk je dat hij ooit een groot toneelschrijver wordt?'

Ik bloos. Ik wil Alex niet al te hard afvallen, maar ze heeft wel een punt.

'Ik geloof het niet, nee,' zeg ik. 'Nee.'

'Hij probeert het nu al twaalf jaar. En in al die tijd heeft hij niet één keertje gedacht: goh, misschien moest ik toch maar eens parttime gaan werken en mijn steentje bijdragen aan het gezinsinkomen, en dan schrijf ik wel op de dagen dat ik niet werk. Het kon hem namelijk allemaal niets schelen. Het draaide altijd om hem en zijn prettige leventje. Hij wilde de hele dag maar wat aanrommelen en flirten met de moeders op school.'

Ik wil net zeggen dat dat toch niks voor Alex is, maar dan realiseer ik me dat het juist wel iets voor Alex is, en dus hou ik mijn mond.

'Dat gedoe met het schrijven, dat was gewoon een afleidingsmanoeuvre. Want als hij beweert dat hij schrijver is, dan vraagt niemand waarom hij niet werkt. Niemand heeft enig idee of hij daadwerkelijk dingen schrijft, en meneer kan mooi de gekwelde kunstenaar uithangen. Maar zelfs ondanks al die dingen heb ik nooit overwogen om bij hem weg te gaan. We zouden er samen iets van maken, dat hadden we elkaar beloofd. En ik hield van hem.'

'Waarom heb je me dat allemaal nooit verteld?' vraag ik, want ik ben gek genoeg gekwetst dat ze me niet eerder in vertrouwen heeft genomen.

'Omdat,' zegt ze, 'nou ja, omdat jij het altijd zo geweldig vond, met ons vieren. Jij zei altijd dat je het zo fantastisch vond hoe het allemaal had uitgepakt. Ik weet niet. Ik wilde je niet teleurstellen, denk ik.'

Ze heeft gelijk. Ik was altijd verwonderd over de mazzel dat we elkaar hadden gevonden. We vormden een perfecte eenheid, als twee Siamese tweelingen die toevallig op elkaar verliefd waren geworden.

Ik probeer het allemaal tot me door te laten dringen. Isabel drinkt haar koffie en kijkt me aan. Ik zie hoe graag ze begrip van mij wil.

'Het spijt me zo, Izz,' zeg ik. 'Als ik had geweten dat... Nou ja, ik weet niet wat ik had gedaan als ik het had geweten. Misschien had ik je er wel van willen overtuigen dat het allemaal maar in je hoofd zat, en dat er eigenlijk niks mis was. Dus daar had je ook niks aan gehad.'

Ze lacht. 'Het was je waarschijnlijk nog gelukt ook. Jij bent ontzettend overtuigend als je het op een pruilen zet. Maar dan was hij nog steeds bij me weggegaan.'

Ik heb het gevoel dat we hier voorlopig even over uitgepraat zijn. Er is nog heel veel wat ik haar wil vragen, maar ik wil me niet opdringen, en dus begin ik over iets anders.

'Hoe is het met de meiden?'

'O, nog altijd hetzelfde,' zegt ze. 'Die zijn doodongelukkig. Ze begrijpen maar niet waarom hij het heeft gedaan.'

We maken een speelafspraak voor de kinderen, zodat de meisjes William weer eens goed voor zich kunnen laten rennen. Dat zal ze wel opvrolijken. Er is overduidelijk een onderwerp dat we niet aansnijden, en dat is Alex' liefdesverklaring aan mij. Ik vraag me heel even af of die wetenschap haar misschien op de een of andere manier kan opbeuren. Dan ziet ze tenminste dat hij haar verdriet niet waard is. Maar het is me het risico niet waard. En trouwens, als ik het aan haar vertel, dan zal ik het ook aan Dan moeten opbiechten, en ik zie niet in wat we daarmee opschieten. Dus al vind ik het nog zo erg om iets geheim te houden voor hem – los van het verstoppen van zijn kerst- en verjaardagscadeautjes heb ik dat dan ook nog nooit gedaan --, in dit geval weet ik zeker dat dat toch het beste is. In Dans geval is het echt 'wat niet weet, dat niet deert'.

Als ik terugkom op kantoor kijkt Lorna op haar horloge.

'Ik dacht dat jij om halftwee weer terug zou zijn,' zegt ze zodat Melanie, die ook op de receptie is, het ook hoort. Het is overigens vier minuten over half, dat je dat weet. Ik ben dus vier minuten te laat. Sla me maar in de boeien.

'Ik heb een afspraak met Alex,' zegt ze. 'Maar ik weet niet of dat nu nog wel de moeite is.'

'Weet je wat,' antwoord ik, 'als jij nou gewoon tot tien over halfdrie gaat lunchen, dat lijkt me geen probleem. Toch, Melanie?'

'Wat? O, nee, hoor,' zegt Melanie. 'Dat regelen jullie samen maar, zolang het maar eerlijk gebeurt.'

'Zo,' zeg ik tegen een pruilende Lorna. 'Alweer opgelost.'

Bij het eten vertel ik Dan over mijn lunch met Isabel, maar ik vertel niet wat ze me heeft verteld over hoe het er in hun huwelijk aan toe ging. Dat bewaar ik voor later, als de kinderen uit de buurt zijn.

'Zei ze nog iets over Nicola en Natalie?' vraagt William terwijl hij een visstick voor zijn mond houdt met zijn pink omhoog, als een barones die een kopje thee drinkt. Ik glimlach naar hem.

'Het ging goed, zei ze. Maar ze zijn wel verdrietig dat ze jou al zo lang niet hebben gezien, dus we gaan er dit weekend maar weer eens langs.'

Te oordelen aan hoe hij begint te stralen zou je denken dat hij net de Nobelprijs heeft gewonnen.

'Cool,' zegt hij.

Zoe kijkt naar hem. 'Jezus, wat ben jij een sukkel,' zegt ze, maar hij is te blij om terug te slaan.

9

ERGENS IN DE CHAOS VAN alles wat er misgaat ben ik het helemaal vergeten. De vakantie. Al zolang ik me herinner gaan we elk jaar samen op vakantie. Rebecca en Daniel, Alex en Isabel en de vier kinderen, toen die er eenmaal waren. In de zomer gaan we deels onze eigen gang, en de rest van de tijd hangen we bij elkaar op het dakterras of in de tuin of het park in de buurt. Maar de herfstvakantie was altijd van ons als groep. We boeken lang van tevoren, en komen vroeg in de zomer al bij elkaar om te bespreken waar we dit keer eens naartoe zullen gaan. We zijn al naar Madeira geweest, en naar Lanzarote, Kreta en Rhodos, naar Center Parcs en naar Euro Disney.

Dit jaar, op een late avond in mei, hadden we besloten dat het de Amalfikust zou worden, want daar was het warm maar niet te heet, en we zouden er onze kinderen wat cultuur door de strotjes kunnen duwen om ons dan 's avonds te bezatten aan goedkope rode wijn. Dus we waren slim en boekten het meteen maar. Zes nachten in Sorrento. In de ruzie die vervolgens ontstond over wie op het huis en de hond moest passen, was niemand op de gedachte gekomen om ook ruzie te maken over wie de vakantie kreeg. We waren het allemaal vergeten. Tenminste, tot ik op een nacht badend in het klamme zweet wakker werd en me realiseerde dat we het moesten afzeggen. En wel meteen. Nu we nog iets van ons geld terug kunnen krijgen. Voordat ze aannemen dat we ook inderdaad komen. Of in elk geval, sommigen van ons.

Ik schud Daniel wakker.

'Dan,' zeg ik hardop fluisterend. 'Word eens wakker.'

Hij gromt. Dan vindt niets zo erg als in zijn slaap gestoord te worden, maar dit is nu eenmaal een noodgeval.

'Wat? Wat is er aan de hand?'

'We moeten Sorrento afzeggen. Volgens mij hebben we daar nog maar een paar dagen voor. Zou jij dat morgen kunnen doen?'

Dan had het via zijn computer geboekt. Hij heeft dus het referentienummer, de gegevens van het reisbureau en al dat soort essentiële informatie. Het lijkt me logisch dat hij dan ook degene is die moet annuleren. Hij gaat rechtop zitten. Als hij eenmaal wakker is, is hij ook goed wakker.

'Heb je me daarvoor wakker gemaakt?'

'Ik was bang dat ik het anders zou vergeten. We kunnen het ons niet veroorloven om de aanbetalingen te verliezen.'

'Het komt wel goed,' zegt hij. 'Volgens mij wil Alex nog gewoon gaan. Ik neem aan dat hij Lorna meeneemt.'

Ik knip meteen de lamp op mijn nachtkastje aan zodat hij goed kan zien dat ik meen wat ik ga zeggen.

'Nee,' zeg ik op een toon die ik normaal bewaar voor een zich misdragende hond. Af! 'Nee, Dan, nee. Ben je nou helemaal bes… nuffeld?'

'Zei je nou echt besnuffeld?'

'Ik meen het.'

'Ja, maar *besnuffeld*?' Hij kijkt me aan en ziet dat ik niet in de stemming ben voor geintjes. 'Godallemachtig,' zegt hij. 'Ze is best oké.'

Ik geloof mijn oren niet.

'En de kinderen dan? Die hebben haar nog niet eens ontmoet. Ze kunnen voor het leven beschadigd raken als ze hun vader in zijn zwembroek zien rondspringen op het strand met een of ander bikinimens dat hun moeder niet is.'

'Volgens mij gaat er niemand in zwemkleding over het strand dartelen, aangezien het dan oktober is,' zegt hij op dat pedante toontje dat hij soms aanslaat.

'Daar gaat het nu niet om,' zeg ik, en de wanhoop begint toe te slaan. 'Het punt is, dat deze vakantie bedoeld is voor de kinderen. Dus als er al iemand met ons meegaat, dan is het Isabel, en niet Alex.'

'Dus jij wilt dat ik tegen Alex ga zeggen dat wij liever met Isabel op vakantie gaan dan met hem?'

'Waarom niet? Hij is degene die alles heeft verziekt. Luister, annuleer het nou maar gewoon, ja?' zeg ik, en ik keer hem de rug toe.

'We gaan wel ergens anders heen, met alleen Zoe en William. Misschien dat we de meisjes mee kunnen nemen. Maar geen Alex. En geen Lorna.'

'Best,' zegt hij, op een toon waar duidelijk uit blijkt dat het van alles is, behalve 'best'.

'*Whatever*,' zeg ik, alsof ik Zoe ben.

De volgende ochtend wordt er in verontwaardigd zwijgen gedoucht en aangekleed. We lopen weliswaar samen naar de metro, zoals elke dag, en ik wacht tot ik bijna de ondergrondse in verdwijn en hij op weg wil naar zijn bus, voor ik zeg: 'Vergeet niet om de vakantie te annuleren,' en dan hol ik bijna weg voor hij kan reageren.

Zo is het gegaan: Dan belt Alex om te vertellen dat hij op het punt staat de boel te annuleren. Alex zegt ja, maar wacht eens even, ik wil gewoon gaan, en tussen haakjes, ik neem Lorna mee. Dan zegt dat dat prima is, want zo is hij. Hij belt het reisbureau en zegt dat er maar twee volwassenen gaan. Geen kinderen, en geen Dan en Rebecca Morrison.

'Dus,' zegt hij tegen me als ik die avond sta te koken. 'Het is allemaal geregeld. Waar wil je dan graag naartoe op vakantie?'

Hij komt achter me staan en wurmt zijn armen om mijn middel, zijn manier om ons meningsverschil bij te leggen. Maar ik trap er niet in.

'We kunnen nergens naartoe,' zeg ik. 'Ik kan namelijk niet in dezelfde week weg als Lorna. Dus nu mag het kinderloze stel weg in de herfstvakantie en kunnen wij precies helemaal niks, omdat we de kinderen niet zomaar van school weg mogen houden.'

'Shit,' zegt hij. 'Daar heb ik helemaal niet aan gedacht.'

'Nee,' antwoord ik. 'Daar heb jij helemaal niet aan gedacht.'

Eigenlijk is het feit dat Lorna een week niet op kantoor is voor mij even goed als zelf op vakantie gaan. Ik wurm me niet elke ochtend uit de metro op Piccadilly met mijn schouders opgetrokken tot mijn oren. Ik kan ontspannen in de wetenschap dat er een hele week geen sprake kan zijn van etentjes of borrels in de pub of een gezellige avond thuis met z'n vieren.

Dan en ik blijken ons ineens te herinneren wat we ook alweer in elkaar zagen, en we kruipen samen tevreden op de bank voor de buis.

Lekker met zijn tweetjes. Geen van beiden brengt Alex of Lorna ter sprake, om de betovering niet te verbreken.

Op het werk ben ik absoluut minder defensief, minder geneigd om te mokken. En ik ben ook absoluut een stuk productiever zonder Lorna en de Telefoonoorlog. Ik beantwoord ieder telefoontje met plezier, bij de eerste of tweede keer overgaan. Isabel is deze week met de meisjes naar Cornwall. Ze belt me om te zeggen dat ik het hotel geweldig zou vinden, omdat het wordt gerund door iemand die in de jaren tachtig kinderprogramma's presenteerde op televisie, en die nog steeds een knalrode bril draagt – toen zijn handelsmerk – en nog veel te vaak zijn kreet van toen bezigt: 'Fantastico!' Het scheelt niet veel of hij haalt ook zijn versleten handpop tevoorschijn, een kangoeroe die er vroeger ook altijd bij was. Dan barst hij vast in tranen uit als niemand hem herkent. Ik moet lachen en zeg dat ze vooral een foto moet maken.

Voor de rest is het deprimerend, zegt ze. Het is geweldig om te zien dat de meisjes het naar hun zin hebben, maar wat volwassen gezelschap 's avonds zou niet gek zijn. Als de tweeling eenmaal in bed ligt, zit er weinig anders op dan in de aangrenzende kamer zitten en televisiekijken.

'Misschien ga ik wel aan de drank,' zegt ze, en ze lacht, maar ik weet dat ze doodongelukkig is.

'Misschien doe ik wel met je mee,' zeg ik.

We beloven elkaar snel af te spreken als ze weer terug is.

'Doe Dan de groeten van me,' zegt ze voor ze ophangt.

'Oké,' zeg ik. 'Doeg!'

Melanie en Joshua doen heel geheimzinnig. Ze sluiten zich steeds maar op in een van hun kantoortjes voor 'besprekingen'. Als ik niet beter zou weten, zou ik nog denken dat ze iets met elkaar hadden. Hoewel dat eigenlijk ook weer niet zo'n heel gekke gedachte is. Als zij ervoor in zou zijn dan denk ik dat hij geen seconde zou twijfelen, maar ja, zij heeft een knappe, attente en succesvolle echtgenoot en een uiterst professionele instelling. Die zie ik zaken niet zo snel combineren met vleselijke lusten. Hij, daarentegen, is een beetje een geile ouwe bok, die überhaupt nooit nee zou zeggen. Ik mag hem wel, hoor, begrijp me niet verkeerd. Hij heeft iets van zo'n ouderwetse schofterige gentleman, en dat vind ik wel ontwapenend. Hij is enorm theatraal, slaat allerlei overdreven teksten uit maar is verder volkomen ongevaarlijk.

Hoe dan ook, er is duidelijk iets aan de hand, want niemand doet ooit de deur dicht hier bij Mortimer and Sheedy. De laatste keer dat ik me kan herinneren dat het gebeurde was met het Gary McPherson-schandaal, en dat duurde ook niet lang, want Lorna en ik moesten alle telefoontjes van de boulevardpers afwimpelen, dus het had weinig zin om te doen alsof het zo geheim was allemaal.

Ik ga in mijn hoofd onze cliënten na, en ik probeer me in te denken wie wat met wie gedaan zou kunnen hebben, en dan komen ze ineens het kantoor weer uit, een en al glimlach, en is alles weer normaal.

'Alles goed?' vraag ik later aan Melanie. Ze is nooit zo goed in het bewaren van geheimen.

'Ja, natuurlijk.' zegt ze. 'Waarom zou het niet goed zijn?'

De week gaat veel te snel voorbij en voor ik het weet sjok ik weer door Jermyn Street vanaf de metro, met opgetrokken schouders, me schrap zettend voor het onvermijdelijke.

'O, Rebecca, we hebben het zo geweldig gehad!' zegt ze meteen als ik binnenkom, en dan krijg ik elk detail te horen van al dat geweldigs, te beginnen met de eerste schreden op Gatwick Airport tot aan, enfin, dat weet ik niet precies, want ik ben allang afgehaakt. Ik kijk op mijn horloge en zie dat er al bijna een uur voorbij is en het feit dat ze kennelijk is uitgepraat, zegt me dat ze aan het eind van de reis is.

Er valt een stilte.

'Mooi,' zeg ik. 'Fijn dat jullie een leuke vakantie hebben gehad.'

Gelukkig kan ik het daarbij laten, want ze vraagt nu wat ze allemaal heeft gemist en of er nog wat gebeurd is en wat de laatste roddels zijn.

'Niks,' zeg ik. 'Er is niks gebeurd, dus je hebt niks gemist, en roddels zijn er ook niet. Sorry.'

Dat snoert haar tijdelijk de mond, tot Joshua binnenkomt, goddank, en ze achter hem aan loopt zijn kantoortje in, en het hele verhaal nog een keertje opdist.

Als ze weg is praat ik mezelf moed in. De derde keer dat de telefoon gaat en zij zogenaamd opgaat in een stofje op haar bureau, neem ik op, maar dan, zodra ik degene aan de andere kant van de lijn met Melanie heb doorverbonden, haal ik diep adem.

'Lorna,' zeg ik, en ze kijkt op, gretig als een hondje dat zin heeft om te spelen. Ik krabbel bijna terug.

'Dat gedoe met de telefoontjes…' begin ik, en dan besef ik dat ik niet precies weet waar ik naartoe wil, al loop ik hier in mijn hoofd al een week op te oefenen.

'Telefoontjes?' vraagt ze alsof ze me niet helemaal begrijpt.

'Ja, je weet wel, dat jij nooit opneemt.'

'Jawel,' zegt ze. 'Waar heb je het over? Ik neem juist altijd op.'

'Nee,' zeg ik, 'dat doe je niet. Tenminste, alleen als het niet anders kan, als ik niet al heb ingegrepen.' Nu ik het zo hardop zeg, klinkt het best paranoïde.

'Ik ben net een week weg geweest. Ik moet wat dingen inhalen. Ik zit me alleen te concentreren, meer niet. Ik heb niet eens gemerkt dat er telefoon was. Hoe vaak is hij dan overgegaan?'

Ze begint harder te praten. Zo hard dat Joshua en Melanie elk woord kunnen horen. Ik wil zeggen dat het ook wat zachter kan, maar dat werkt natuurlijk als een rode lap op een stier. Was ik er maar nooit over begonnen.

'Ik heb het niet over vandaag,' zeg ik, en dan begint als bij toverslag de telefoon te rinkelen. Lorna duikt er bovenop, nog voor het eerste belletje zelfs maar is uitgerinkeld, en ze kijkt me triomfantelijk aan, alsof ze wil zeggen: 'Zie je nou dat er niks van klopt?'

Ik wacht tot ze klaar is. Ik weet niet precies hoe ik het onderwerp weer zal aansnijden zonder haar op de tenen te trappen, maar uiteindelijk blijkt het niet nodig. Ik wist nooit echt wat passief agressief betekende, totdat ik Lorna leerde kennen. Ze is de verpersoonlijking van die houding, ze heeft een onschuldig babysmoeltje, maar ze zal nooit iets vergeven of vergeten. Onder al dat engelachtige is ze net een pitbull.

'Dus waar zat je me nou ook weer van te beschuldigen voor ik de telefoon moest opnemen?' vraagt ze, met veel klem op de laatste vier woorden. Ik zie het vocht zich al verzamelen in haar ooghoeken en ik weet dat het einde zoek is zodra het langs haar wangen begint te stromen. En dat er in elk geval geen einde aan komt voor Joshua haar in tranen heeft gezien. Daar zorgt ze wel voor.

Maar goed, dat wist ik van tevoren. Nu ik A heb gezegd, moet ik door naar B, want ik weet niet of ik ooit nog wel de moed bijeen kan rapen om er weer over te beginnen.

'Ik beschuldigde je nergens van,' zeg ik op vlakke toon. Een van ons zal toch kalm moeten blijven. 'Ik zei alleen dat jij de gewoonte hebt om te wachten tot ik opneem, in plaats van het zelf te doen, en ik zou het fijn vinden als we dat een beetje beter zouden verdelen, meer niet.'

Ik zie hem, die ene traan die zich een weg naar buiten baant, en de weg vrijmaakt voor zijn talloze broertjes en zusjes.

'Ik heb geen idee waar je het over hebt,' zegt ze, en ze schroeft het volume nog maar eens wat op. 'Ik ben op vakantie geweest, en ik ben nog niet terug of je valt me aan. Waarom moet dat nou?'

'Ik val je niet aan… laat maar gaan. Dit gesprek heeft geen zin. Vergeet het maar, ja?'

'Nee,' zegt ze. 'Je kunt me niet zomaar ergens van beschuldigen en vervolgens net doen of je niks hebt gezegd.'

'Ik had er niet over moeten beginnen,' zeg ik. Zo eindigt het altijd als ik iets tegen Lorna zeg wat ook maar een beetje iets weg heeft van kritiek. Ik had dus zo onderhand beter moeten weten.

'Nee,' zegt ze nog eens. 'Je meende het. Je hebt hier duidelijk al die tijd dat ik weg was op zitten broeden…'

'Wat is er aan de hand?'

O, geweldig, de cavalerie komt aangestormd in de persoon van Joshua op zijn machtige witte ros.

'Niks,' zeg ik. 'Alles in orde.'

'Rebecca denkt dat ik expres de telefoon niet opneem,' zegt Lorna, en keurig getimed rolt het leger waterlanders langs haar gezicht. 'Ze denkt dat ik wacht zodat zij het wel moet doen. Dat ik net doe of ik druk ben ook al ben ik dat niet, of zo.'

Ze barst los in luidruchtig snikken. En zo ben ik alweer de kwaaie pier. Ik vraag me af of er mensen zijn die ook zo huilen als ze in hun eentje zijn, met al dat gekreun en gejammer. Als er geen publiek bij is. Ik waag het te betwijfelen. Joshua legt een vaderlijke hand op Lorna's schouder.

'Rebecca?' vraagt hij.

Ik zucht eens diep.

'Ik denk dat Lorna soms de telefoon laat gaan in de hoop dat ik hem aanneem, ja, inderdaad. Ook al ben ik duidelijk ergens heel druk mee, en zij niet,' voeg ik er voor de goede orde aan toe.

Hij moet toch ook inzien dat het een redelijke klacht is. Bezien vanuit zijn standpunt en dat van Melanie, willen zij gewoon dat de telefoon zo snel mogelijk wordt opgenomen door iemand die klinkt alsof ze daar plezier in heeft.

Lorna snikt nog een keer goed getimed en Joshua keert zich naar haar om, en heeft zo vol zicht op haar Niagara Falls. Dan kijkt hij weer naar mij, en uit zijn oude, wijze ogen spreekt de teleurstelling.

'Dit moet echt afgelopen zijn.'

Zodra hij weer in zijn kantoortje zit, kijkt ze me aan en glimlacht nerveus.

'Sorry,' zegt ze. 'Ik wilde je niet in de nesten werken.'

Ik stort me zonder nog iets te zeggen op mijn werk. Als de telefoon een paar minuten later gaat, neemt zij hem al bij de tweede beltoon op.

Als ik terugkom van de lunch staan Lorna, Melanie en Joshua klaar, met hun jassen aan. Ik voel me ontzettend buitengesloten als ze met zijn drietjes naar een restaurant lopen. Niet dat ik zo graag met mijn bazen zou willen lunchen – ze hebben het me al vaak aangeboden, maar ik verzin altijd een smoesje om niet te hoeven – maar mijn slechtste en meest paranoïde instincten gaan met me aan de haal als ik niet uitgenodigd ben en Lorna wel. En raad eens wat? Dit keer is er niet eens sprake van paranoia. Dit keer heb ik alle reden om me zorgen te maken, want als ze terugkomen heeft Lorna een kamerbrede grijns op haar gezicht.

'O, Rebecca,' zegt ze nog voor ze haar jas uit heeft. 'Je raadt nooit wat er is gebeurd!'

En ik hoef uiteraard niet te raden, want ze neemt nauwelijks de tijd om te ademen voor ze verder raast.

'Eigenlijk mag ik er niks over zeggen. Ik denk dat Joshua en Melanie het je liever zelf vertellen, maar als ik het niet met iemand deel dan knap ik, en ik wil het Alex niet over de telefoon zeggen.'

Oké, dit wordt dus iets heel ergs. Mijn gedachten springen naar dat wat het meest voor de hand ligt – ze is zwanger. Ze krijgt een kind van

Alex en onze levens zullen voorgoed met elkaar verbonden zijn. De tweeling krijgt een broertje of zusje dat het product is van Alex' totaal bizarre relatie met de duivel. Hoewel ik niet helemaal snap waarom Joshua en Melanie mij dat zouden willen vertellen.

'Ik word de nieuwe agent,' zegt ze, maar ik heb moeite om haar woorden te verwerken. Er is de laatste tijd veel gesproken over het feit dat er te veel nieuwe cliënten zijn en dat Joshua en Melanie dat samen niet meer kunnen behappen, zodat er in de toekomst misschien een nieuwe kracht moet worden ingehuurd. Het bureau zou dus moeten uitbreiden. Het klonk tot nu toe altijd heel vaag en ver weg, en ik dacht altijd dat ze iemand van buiten zouden aantrekken. Iemand met ervaring die zelf een paar trouwe cliënten zou meebrengen. Iemand anders dan Lorna.

Ik luister weer.

'Ik begin gewoon met helpen bij de mensen die we al hebben. En misschien neem ik er later een paar helemaal voor mijn rekening, waarschijnlijk de minder succesvolle. Maar ik mag ook zelf cliënten inbrengen. Sterker nog, ze willen dat ik daar meteen al mee begin. Ze zeiden dat ze er al eeuwen over dachten om me dit aan te bieden, maar ze moesten eerst kijken of het allemaal kon, want, nou ja, ik ga nu natuurlijk ook meer verdienen...'

Het is echt niet dat ik jaloers ben. Want dat ben ik niet. Ik ben zelf nooit ambitieus geweest. Ik wil ook helemaal niet meer verantwoordelijkheid. Ik wil niet dat een of andere ontevreden acteur me op zondagochtend belt om te klagen over hoe zwaar hij het heeft. 'Mijn kleedkamer is tien vierkante centimeter kleiner dan die van haar', of 'Die-en-die kreeg verleden jaar zes weken vrij om een lucratieve klus tussendoor te doen, maar ik mag zelfs niet eens op vakantie van ze.' O nee, wat aan mij vreet is veel erger dan jaloezie. Het is het feit dat mijn werkende leven ineens zo drastisch is veranderd. Lorna wordt mijn baas.

10

'I K MOET OP ZOEK NAAR een nieuwe baan,' zeg ik tegen Dan als hij in de keuken een fles wijn opentrekt. Het heerlijke vakantiegevoel is helemaal weg. Eén dag met Lorna en ik ben weer een negatieve chagrijn.

'Doe niet zo belachelijk,' zegt hij. 'Je bent dol op je werk.'

'Dat was ik, ja.'

'Waar denk je dat je anders zo'n flexibele werkgever vindt? Wie gaat jou ooit een dag vrijgeven omdat een van je kinderen sportdag heeft, zonder het van je vakantiedagen af te trekken? En denk je dat er nog andere werkgevers zijn die je een fles champagne geven op je verjaardag en bij wie je gratis kaartjes voor het theater krijgt?'

'Dat weet ik heus wel,' zeg ik, en als ik rationeel ben, dan weet ik dat ik in mijn handjes mag knijpen, maar ik weet alleen niet of ik dat ooit nog zo kan voelen.

'Nou ja, je moet het zelf weten,' zegt Dan, als altijd de redelijkheid zelve. 'Ik zeg het alleen maar.'

'Kun jij niet eens met Alex praten?' Ik weet ook wel dat het onzin is, maar ik heb het gevoel alsof ik meespeel in een heel slechte film. Waarom moet mij dit nu allemaal overkomen?

'En wat moet ik dan zeggen? Wil je alsjeblieft je vriendin dumpen, want ze verziekt Rebecca's leven?'

Ik moet lachen, al voel ik me nog zo beroerd. 'Om te beginnen,' zeg ik.

Wat een geluk, Alex en Lorna willen Lorna's succes vieren, en met wie denk je dat ze dat willen doen? Met hun allerbeste vrienden, uiteraard. Dus om halfacht zitten we met zijn vieren in de bar van het York and Albany te wachten op ons tafeltje. Alex heft zijn glas en brengt een toost uit.

'Op Lorna,' zegt hij lachend. 'Van harte en veel succes. Dat heb je wel nodig nu je Rebecca's baas bent.'

Hij kijkt me triomfantelijk aan. Touché. Lorna lacht buitenproportioneel hard, want o, wat is hij toch geestig.

'We komen er vast wel uit,' zegt ze. 'Ik ken haar streken zo langzamerhand. Ha ha ha.'

Hilarisch.

Lorna moet meteen beginnen met haar nieuwe taken. Hoewel we nog steeds samen op de receptie zitten – in afwachting van Melanies onderhandelingen met de huisbaas over het kantoortje naast dat van ons zodat de nieuwe hotshot haar eigen kamer kan betrekken – weten we allebei dat ik niet van Lorna kan verwachten dat zij de telefoon nog opneemt. Dat hoeft niemand me te vertellen; het is de Nieuwe Wereldorde. Ze is er nu veel te belangrijk voor. Tenminste, dat vindt ze zelf. En nu ik niemand meer heb om Telefoonoorlogje mee te spelen, blijkt het me veel minder energie te kosten om gewoon op te nemen.

Lorna hangt de hele dag aan de lijn met iedereen die ze ooit in haar leven heeft ontmoet en vertelt hen 'Ik ben namelijk nu AGENT!' En dan, als ze weet dat Joshua de vier minst succesvolle cliënten heeft gebeld, die dus waarschijnlijk niet durven klagen, om hen het heuglijke nieuws te brengen dat Lorna voortaan voor hen zal zorgen, belt zij hen ook om te zeggen dat ze het toch zo geweldig vindt dat zij vanaf nu 'HUN AGENT!' is. Ze geeft me bloedserieus de opdracht om aan iedereen die voor haar vier cliënten belt (alsof dat ooit gebeurt) te vertellen dat deze mensen nu door haar vertegenwoordigd worden, en dat als ze iets willen bespreken ze alleen nog maar met Lorna te maken hebben. Ik weersta de verleiding om te zeggen dat sinds mensenheugenis niemand ooit voor die vier cliënten heeft gebeld, behalve dan als een van hen een huurschuld had en de huisbaas via ons achter zijn verblijfplaats probeerde te komen.

Naast haar uitgebreide cliëntenportfolio zal Lorna vanaf nu ook alle jongens en meisjes vertegenwoordigen die voice-overwerk doen via ons. Tussen de telefoontjes door bestudeert ze oude contracten en gooit ze Melanie dood met vragen, waarbij ze uitvoerig aantekeningen maakt op het gloednieuwe notitieblok waarmee ze haar uitgebreide koninkrijk bestiert.

Tegen de lunch ben ik uitgeput van het kijken naar al die energie die zij verbruikt zonder ook echt iets te doen. Om kwart voor een sta ik op en trek mijn jas aan.

'Ik ga lunchen,' zeg ik. 'Vind je het goed dat jij later gaat?'

'O,' zegt ze. 'Nee. Ik bedoel, je moet maar even snel een broodje halen, want voortaan kun je niet meer buiten de deur lunchen. Ik heb genoeg aan mijn hoofd om ook nog eens mijn lunch met die van jou af te stemmen nu ik AGENT ben.'

'Dat kan niet elke dag, hoor,' zeg ik. 'Als ik eens een keer boodschappen moet doen?'

'Dat moet je dan eerst maar met Josh en Melanie bespreken,' zegt ze hooghartig.

Uiteraard sta ik eerst met mijn mond vol tanden. Noemde ze Joshua nu echt Josh? Zo noemt Melanie hem zelfs niet eens. Ik dwing mezelf weer in het gareel.

'Bovendien heb ik wettelijk gezien recht op frisse lucht,' zeg ik enigszins hysterisch. Ik kan er niks aan doen.

'Ik zei toch, overleg dat eerst maar eens met Josh of Melanie. Het enige wat ik je kan zeggen is dat ik veel buiten de deur moet lunchen met mensen, en dat ik dat moet kunnen doen wanneer ik dat wil, zonder jou daar eerst in te kennen.'

'Met wie moet je vandaag dan lunchen?'vraag ik een tikje agressief.

'Daar gaat het niet om.'

'Daar gaat het wel om. Als jij vandaag een zakenlunch hebt, dan begrijp ik prima dat je wilt dat ik op kantoor blijf, maar als dat niet het geval is, dan zie ik niet in wat het jou kan schelen dat ik eerst naar buiten ga en dat jij de telefoon opneemt tot ik weer terug ben.'

'Het behoort niet meer tot mijn takenpakket om de telefoon op te nemen,' zegt ze.

Ik adem langzaam in. 'Dat weet ik, ik zeg alleen dat aangezien er altijd iemand moet zijn om op te nemen, we toch heus wel iets kunnen regelen in plaats van dat jij me nu vertelt dat ik niet meer weg mag met de lunch.'

'Ik zei helemaal niet dat je niet meer weg mag met de lunch, ik zeg alleen dat je voortaan achter je bureau moet eten. Dat is een groot verschil. Dus, je moet maar even een broodje gaan halen, en kom dan snel weer terug, want ik moet om een uur weg.'

'Dit is belachelijk,' zeg ik en ik loop naar de deur. 'Daar ga jij helemaal niet over.'

'Nou,' zegt ze, 'daar ga ik dus wel over.'

Ik ga toch weg en ook al heb ik vandaag eigenlijk niets te doen, buiten, toch blijf ik een heel uur weg. Ik ga bij St.-James's Church zitten, en probeer me te concentreren op het lezen van de *Metro*. Ik zorg ervoor dat ik een paar minuten voor het eind van mijn lunchpauze terug ben. Ik wil het haar niet te gemakkelijk maken. Ze zit boos over een stapel papieren gebogen achter haar bureau. Ik vraag niet eens hoe het met haar lunchafspraak is afgelopen, want ik weet heel goed dat ze die helemaal niet had.

Zodra Melanie weer terug is, vraag ik haar of ze een paar minuten voor me heeft. Lorna mag Joshua dan in haar zak hebben, ik heb de hoop dat Melanie iets rationeler is.

'Ik vroeg me af,' zeg ik als ze de deur dicht heeft gedaan, hoewel ik er niet aan twijfel dat Lorna hoe dan ook meeluistert, 'hoe moet dat eigenlijk met dingen als de telefoon tijdens de lunch?' Ik heb al besloten dat ik me niet verlaag tot Lorna's niveau en dat ik dus niet ga klikken. Geen 'zij zei dit' of 'zij zei dat'.

'Nou, kan dat niet gewoon blijven zoals altijd?' zegt Melanie, die duidelijk niet erg geïnteresseerd is in dit gesprek.

'Eh...' zeg ik. 'Geweldig. Oké, als jij denkt dat het zo moet.'

'Mooi,' zegt ze, en ze rommelt door de papieren op haar bureau.

'Denk je... enfin, zou je dat misschien ook tegen Lorna willen zeggen, binnenkort? Dan weten we allemaal waar we aan toe zijn.'

'Prima,' zegt ze, en ik wil verder niet aandringen, dus ik laat het hierbij.

Dan heeft met Alex en Lorna afgesproken in de pub, maar ik heb het perfecte excuus om niet mee te hoeven, aangezien ik had beloofd om met Zoe en William naar Isabel te gaan. En dat valt natuurlijk niet te combineren. Isabel is kennelijk nog niet thuis, en dus laat ik mezelf binnen en geef ik de kinderen in haar keuken iets te drinken. Het is een schitterend huis, victoriaans, met alle originele kenmerken die je maar kunt verzinnen, uiteraard gekocht op Isabels salaris aangezien Alex geen inkomen heeft, hoewel ik zeker aanneem dat hij de aanbetaling heeft gedaan van de niet onaanzienlijke bonussen die hij in zijn bankierstijd heeft opgestreken. Het voelt alleen alsof het huis wat weinig liefde heeft gehad; het voelt niet meer als een thuis. Ongelofelijk wat de aanwezigheid van één iemand kan doen. Dat het leven uit een huis kan verdwijnen als die iemand weggaat. Anders rook het hier altijd naar versgebakken brood, en naar geurkaarsen van Diptyque en al die andere kleine dingetjes die Isabel altijd deed om het gezellig te maken. Ik denk dat ze er tegenwoordig gewoon geen fut voor heeft.

Ik hoor haar sleutel in het slot. De tweeling komt binnenstormen en ze zijn totaal niet verbaasd om ons al van drankjes voorzien in hun keuken aan te treffen. Ze zijn nooit anders gewend geweest.

'Sorry dat ik zo laat ben,' zegt Isabel als de kinderen naar de kamer van de tweeling zijn vertrokken. 'Hij had ze mee naar het zwembad genomen.'

'Zonder dat jij het wist?' Ze knikt. 'Maar dat kan hij toch niet maken?'

'Ik durf niet al te moeilijk te doen,' zegt ze. 'Want straks gaat hij nog eisen dat de meisjes bij hem komen wonen. Hij heeft per slot van rekening het grootste deel van hun leven voor ze gezorgd.'

'Alleen tot ze naar school gingen,' zeg ik. 'Dat zou hij toch nooit doen, joh.' Ik weet niet zo zeker of ik wel helemaal scherp heb waar Alex allemaal wel en niet toe in staat is, als ik eerlijk ben. Kennelijk is hij overal toe in staat. 'En ik geloof niet eens dat er een rechter is die twee kinderen aan de vader zou toewijzen in plaats van hun moeder.'

'Dat gebeurt zo vaak,' zegt ze. 'En waarom ook niet? Soms kan de vader echt beter voor de kinderen zorgen.'

'Niet in dit geval,' zeg ik. Ik ben er ongerust over, dit gepraat over wie de kinderen krijgt.

'Gaan jullie dan scheiden?'

'Dat wil hij,' zegt ze. 'Hij zegt dat het voor iedereen beter is om echt te breken.'

'Jemig,' zeg ik. Jemig is mijn stopwoordje aan het worden nu ik mezelf heb opgelegd om niet meer te vloeken. Gossie! Potverdikkie! Jekkes! 'Wat definitief.'

Isabel lacht vreugdeloos. 'Dat is geloof ik ook het idee.'

Dus dat is het. In één klap is alle hoop voor de toekomst weg. Ik ben nu ook weer niet zo pessimistisch dat ik denk dat Alex wil scheiden omdat hij met Lorna wil trouwen en ze zo voor eeuwig deel uit zal maken van mijn sociale leven. Ik twijfel er niet aan dat hij haar binnenkort wel weer zat is, nu hij zijn punt heeft gemaakt, maar het is zeer zeker het einde van een tijdperk. Het einde van 'het leven zoals wij dat kennen'. Alex en Isabel is voorbij, en er is geen weg terug. Diep vanbinnen – nee, eigenlijk helemaal niet eens zo diep – was ik ervan overtuigd dat Alex zijn verstand zou terugkrijgen en weer thuis zou komen. Het kwam alleen nooit bij me op dat het niet zo zou zijn. En ik geloof dat Isabel dat zelf ook dacht. Rebecca en Daniel, Alex en Isabel, zo is het nu eenmaal.

Als ik thuiskom ben ik down.

'Alex wil echt scheiden van Isabel,' vertel ik aan Dan, in de veronderstelling dat hij me wel begrijpt.

'Ik had al zo'n gevoel,' zegt hij. 'Het lijkt me ook wel verstandig. Het is beter om echt te breken.'

'Dat zei zij ook. Ben je er dan helemaal niet verdrietig om?' vraag ik beschuldigend.

'Natuurlijk wel,' antwoordt hij, en hij slaat een arm om mijn schouders. 'Maar dingen veranderen nu eenmaal.'

'Maar waarom?' zeg ik.

'Zo is het leven nu eenmaal. Dat jij dat nou niet leuk vindt…'

'Niet alles hoeft toch te veranderen. Wij toch niet?' zeg ik ineens zielig.

'Nee, rare,' lacht hij. 'Wij niet.'

O god. Zo meteen ga ik hem nog vragen of hij nog wel van me houdt en laat ik hem beloven dat hij nooit bij me weggaat. Als er iets is dat gegarandeerd zelfs de meest trouwe partner wegjaagt, dan is het wel vragen of hij echt nooit bij je weggaat.

Het is net of hij mijn onzekerheid ruikt (niet dat hij daar nu zo telepathisch voor hoeft te zijn; het ligt er duimendik bovenop), en Dan, omdat hij nu eenmaal Dan is, zegt: 'Ik vrees dat je aan me vastzit,' zodat ik niet hoef te laten blijken wat voor sneu watje ik ben.

'Ik weet het,' zeg ik geroutineerd. 'Hadden we maar geen kinderen, dan was ik nog lekker jong en loslopend.'

'Nou, hooguit loslopend,' zegt hij, en we lachen zoals we altijd lachen, in de veilige wetenschap dat in ons wereldje alles in orde is.

Dan lijdt niet aan onzekerheden. En als hij dat wel doet, dan weet hij het goed verborgen te houden. Hij weet dat ik van hem hou en dat is voor hem goed genoeg. Hij heeft niet steeds bevestiging nodig dat ik niet van gedachten ben veranderd. Hij neemt gewoon aan dat het nog altijd zo is, totdat ik hem het tegendeel laat weten. Ik benijd hem om zoveel zelfverzekerdheid.

11

LORNA IS OP EEN MISSIE om nieuwe cliënten te werven. Dit om haar bestaan als AGENT te bevestigen. Ze komt elke dag steeds een paar minuten later op kantoor, zuchtend en steunend tot ik vraag wat ze dan de vorige avond heeft gedaan, dat ze vanochtend zo laat was. En aangezien ik net doe of ik haar tot steun wil zijn, speel ik het spelletje een paar dagen mee, en hoor ik haar ademloze omschrijvingen aan van het waanzinnige nieuwe acteer- of schrijftalent dat ze ergens heeft opgeduikeld. Maar er komt nooit wat van terecht. Meestal blijkt dat haar ontdekkingen al enige maanden geleden door een ander zijn ontdekt, en dat ze allang een agent hebben, maar dat neemt niet weg dat ze ons allemaal flink inpepert hoe toegewijd ze is en hoe ze zich inzet voor de zaak. Na een paar weken vindt ze inderdaad een actrice die net van de toneelschool komt, en die wel wat lijkt te kunnen. Ook komt ze met een would-be scriptschrijver die, zoals zij het noemt, 'een mooie korte film' heeft geschreven, en ze lijft hem vol trots in en gaat aan de slag om supersterren van hen te maken. Ze slaat flink wat geld stuk op visitekaartjes met daarop de tekst: 'Lorna Whittaker. Agent voor Acteurs en Schrijvers. Mortimer and Sheedy', met ons kantooradres en ons telefoonnummer. Ze deelt de kaartjes rond als aalmoezen, en iedereen die ook maar haar kant op kijkt krijgt er eentje. Ik ben wel wat teleurgesteld dat er niet gewoon 'Ik ben AGENT!!!' op de kaartjes staat, hoewel dat waarschijnlijk op schrift minder indruk maakt dan als ze het hardop uitspreekt.

Haar nieuwe cliënten – Mary de actrice (die eigenlijk Mhari heet, maar Lorna heeft haar overgehaald om het te veranderen, omdat ze beweert dat anders geen mens weet hoe je het moet uitspreken, zodat ze nooit voor audities zal worden uitgenodigd omdat de mensen bang zijn dat ze zich anders blameren. Mhari, die nog nieuw in het vak is en heel dankbaar dat de grote Mevrouw Whittaker zelve haar agent wil zijn, ging onmiddellijk akkoord en zette haar hele Indiase achtergrond bij het grofvuil, zonder ook maar met haar ogen te knipperen) en Craig de schrijver – lijken lief en naïef genoeg om te geloven dat ze een verstandige stap hebben gezet in hun carrière door hun levens – en vijftien procent van hun toekomstige inkomsten – in haar handen te leggen. Ik moet wel eerlijk zijn: Mortimer and Sheedy is weliswaar klein, maar we hebben een goede reputatie en als we ergens bekend om staan dan is het wel het feit dat we nieuw talent aan de man brengen. Melanie en Joshua worden alom gerespecteerd. Dus de naam van ons bureau doet het goed op hun cv.

Op een dag lees ik tijdens mijn lunchpauze het script van Craigs korte film, en het is echt helemaal niet zo slecht. En daarbij, het moet gezegd, Lorna is zeer vasthoudend in het najagen van een van de scriptschrijvers van de soap *Reddington Road* om hem ervan te overtuigen dat Craig precies het frisse, jonge talent is dat ze nodig hebben voor hun kweekvijver van nieuwe schrijvers. En het loont. Ze geven hem de opdracht een proefaflevering te schrijven – voortbordurend op de bestaande verhaallijn. Hij krijgt er geen cent voor, maar er wordt wel alle zorg en aandacht aan hem besteed, alsof het voor het echie was. Als hij het goed doet mag hij misschien een echt script schrijven, dat ook echt wordt uitgezonden, en waar hij ook echt geld voor krijgt – maar ze kunnen niks beloven. Ik moet met tegenzin toegeven dat Lorna het deze keer toch maar mooi heeft geflikt. Het is het soort kans waar elke onervaren scriptschrijver van droomt. Ik vermoed dat Alex, ook al doet hij of hij zijn neus ophaalt voor soaps, sterker nog, voor televisie in het algemeen – want god verhoede dat je een keer goed verdient aan iets waar vijf miljoen mensen naar kijken – een moord doet voor deze mogelijkheid.

Mary is een iets lastiger geval. Er is niets tastbaars om aan een casting director te laten zien. Ze heeft nog nooit iets gedaan wat op tape staat. Toch lukt het Lorna om haar te laten auditeren voor een klein bijrolletje in een nieuw toneelstuk, ergens in een achteraftheatertje. Er komt niets uit, behalve dat Marilyn Carson, de casting director, ons informeert dat Mary een goed tekstgevoel heeft en dat ze haar in de toekomst zeker nog eens wil zien. In de tussentijd adviseert Lorna haar om alles aan te pakken, zelfs in de allerkleinste zaaltjes in kroegen en zo, zodat mensen langs kunnen gaan om haar in actie te zien. Ik bedenk dat ik haar precies hetzelfde advies zou geven, wat me een beetje verontrust. Misschien heeft Lorna inderdaad haar roeping gevonden. Hoewel, alsof ik weet hoe je ervoor moet zorgen dat een jonge actrice onder de aandacht komt?

Overigens heb ik moeite om alles bij te houden en zowel mijn eigen werk te doen als de taken die Lorna heeft afgezworen. We delen nog altijd de receptieruimte, tot het schilderwerk in haar kantoortje klaar is (het wordt lichtblauw). Ze moet dus wel zien dat ik veel te veel te doen heb. Niettemin houdt ze voet bij stuk. Als ik iemand aan de telefoon heb en er komt een andere lijn binnen, staart ze me aan met een blik van: Nou toe, neem eens op; dat is jouw werk. We hebben echt iemand nodig die de oude Lorna komt vervangen, maar niemand zegt daar iets over. Ik besluit om er met Melanie over te praten als ik even de tijd heb. Ik ben natuurlijk als de dood dat ze iemand aannemen die nog erger is dan zij, hoewel dat nauwelijks voorstelbaar is, maar ik blijf bij mijn gebruikelijke 'misschien is het beter om alles maar bij het oude het laten'-riedeltje, ook al werk ik me een slag in de rondte.

We zitten de hele dag achter ons bureau, ik vol wrok en mokkend, en zij opgewekt met haar voeten op het werkblad lezend. Ik probeer twee telefoongesprekken tegelijk te voeren en ben me ervan bewust dat Joshua me had gevraagd of ik koffie voor hem wilde zetten, als Lorna opstaat en parmantig op me afstevent en een stuk papier op mijn bureau dropt. Het papier staat vol gekriebeld en bovenaan staat gillend in dikke hoofdletters: UITTYPEN. Ik kijk bedenkelijk op, maar ze is al bijna de deur uit en heeft haar jas al aan.

Tegen de tijd dat ik de twee bellers heb afgehandeld (een koeriersbedrijf – 'Waarom hebben jullie de rekening nog niet betaald?' en een acteur – 'Ik ben op weg naar een auditie, maar ik ben de weg kwijt.') is ze allang weg. Ik kijk naar het vel papier. Ik draai het om. Misschien dat op de achterkant staat wat Lorna echt aan me kwijt wilde. Maar er staat helemaal niks. Ik scan de woorden op zoek naar andere clous. Het is kennelijk een cv voor Mary. Leeftijd, lengte, bezocht de Central School of Speech and Drama van september 2006 tot juni 2009, speelde in twee kleinschalige vrije theaterproducties en werkte een paar maanden bij toneelproducties voor educatieve doeleinden. Het kost me drie minuten om het in te tikken, dat is het punt niet. Het punt is dat het Lorna ook drie minuten zou kosten om het zelf in te tikken. Nu weet ik dus zeker dat ze met me loopt te sollen. Ik overweeg om Melanies kantoortje binnen te lopen om het aan te kaarten, maar ik heb het gevoel dat ik tegenwoordig niks anders meer doe dan klagen en steunen. Ik besluit dan ook om het papier weer terug te leggen op Lorna's bureau. Als ze wil dat ik iets voor haar uittyp, dan vraagt ze me dat potdomme maar gewoon netjes recht in mijn gezicht. Ik zet het tegen haar toetsenbord aan, zodat ze het niet kan missen, en ga weer aan het werk.

'Vlot het een beetje?' vraagt Joshua als hij door de receptie loopt, op weg naar buiten voor de lunch. 'Heb je niet te veel werk?'

'Eh...' zeg ik. 'Nou...'

Maar voor ik verder iets kan zeggen, als ik dat al had gewild, is hij de deur al uit. Joshua zit niet echt te wachten op een antwoord als hij je vragen stelt als: 'Hoe gaat het?' of 'Nog problemen tegengekomen?' Hij mag graag net doen of er rust heerst in zijn koninkrijkje.

Zevenenzestig minuten later stormt Lorna weer binnen. Ik heb mijn jas aan en sta klaar om naar buiten te gaan. Ik kijk op mijn horloge als zij regelrecht langs me banjert om in de keuken een kop koffie voor zichzelf te gaan zetten. Enfin, ze vraagt nog niet aan mij of ik het voor haar doe, dat is tenminste iets. Ik wacht tot ik haar hoor teruglopen en roep dan: 'Ik ben lunchen.'

Ik sta al bijna buiten als ik haar hoor zeggen: 'O, Rebecca?'

Ik dwing mezelf te blijven staan. 'Ik blijf wel even weg,' zeg ik, hoewel ik verder geen plannen heb, behalve een broodje eten op St.-James's Square.

'Ik had iets voor je neergelegd,' zegt ze. 'Heb je daar nog naar gekeken?'

'O,' antwoord ik. 'Ja, dat heb ik weer op je bureau gelegd.' Ik ga nu niet bekennen dat ik het niet heb uitgetypt, zoals zij wilde. Als ze ruzie wil, dan mag zij beginnen.

Ze glimlacht. 'Goed.' Dat was het. Goed. Ik wacht nog even of er 'dankjewel' volgt, want zij weet immers niet dat ik niet heb gedaan wat ze van me vroeg. Maar nee, hoor. Geen bedankje, alleen maar: 'Goed'. Ik hoor haar schuiven met papieren op haar bureau en ik moet me inhouden om niet te lachen. Ik kan kiezen: haar uitlachen of haar vermoorden.

Als ik precies een uur later weer terug ben (ik ben natuurlijk niet op mijn achterhoofd gevallen en ik weet dat ze op de klok kijkt omdat ze me dolgraag op een misstap wil betrappen), zit ze op me te wachten met een gezicht als een donderwolk.

'Hallo,' zeg ik glimlachend.

Ze slaat meteen toe. 'Ik dacht dat jij zei dat je dat cv voor me had uitgetypt.'

Ik doe net of ik haar niet helemaal begrijp. 'Nee hoor, ik zei alleen dat ik het papier dat je op mijn bureau had gelegd heb gezien.'

'En daar stond vrij duidelijk "uittypen" boven…'

Ik haal diep adem. 'Lorna,' zeg ik. 'Niemand heeft mij ooit gezegd dat ik nu jouw assistente ben naast de ondersteuning die ik Joshua en Melanie nu in mijn eentje moet bieden, naast alle algemene taken die ik heb. Als je werkelijk omkomt in het werk en je vraagt me een gunst, dan is dat iets anders. Als ik dan tijd heb, zal ik je met plezier helpen. Maar als je me behandelt als je tiepmiep, dan is dat een heel ander verhaal. Dat feest gaat niet door. Ik heb toch al twee keer zoveel werk erbij gekregen.'

Haar gezicht krijgt een eigenaardige kleur paars. 'Natuurlijk moet jij dingen voor me doen,' zegt ze bijna sissend. 'Jij bent de *assistente*.'

'Ik ben de assistente van Joshua en Melanie. Ik ben niet *jouw* assistente.' Duidelijker dan dat kan ik het niet stellen.

'Ik zal dit opnemen met Josh,' zegt ze, en ik antwoord: 'Prima, moet je doen. Ik ben benieuwd wat hij daarop te zeggen heeft.'

12

D E TWEELING IS JARIG EN in een poging om net te doen alsof alles dik in orde is, heeft Isabel een feestje georganiseerd waar ze niet alleen Dan en mij en de kinderen voor heeft uitgenodigd, maar ook Alex en Lorna. We hebben allemaal opdracht gekregen om ons keurig te gedragen, en om al onze onderhuidse rancune voor ons te houden en eventuele ruzies te bewaren voor een andere gelegenheid. Isabel weet hoe ik het vind om vaker met Lorna in dezelfde ruimte te moeten zijn dan strikt noodzakelijk, maar in mijn optiek wordt de avond voor haar vele malen lastiger. Haar kinderen moeten zien te wennen aan de walgelijke nieuwe vriendin van hun vader, en dan heb ik het nog niet eens over Alex zelf, dat ongeleide projectiel. Dus neem ik me voor om me koest te houden en om mijn best te doen voor mijn vriendin.

Het feestje is zondagmiddag, in het huis dat vroeger 'Het huis van Alex en Isabel' was. Om de kans op trauma's vanwege de ontmoeting met hun enge surrogaatmoeder zo klein mogelijk te houden zodat ze nooit meer hun verjaardag kunnen vieren zonder serieuze therapie, heeft Alex het weekend ervoor de meisjes en Lorna mee uit lunchen genomen. Lorna, die op een griezelig bipolaire manier in staat blijkt over te stappen van beul naar je allerbeste vriendinnetje, hoort me al dagen uit over wat ze aan zal trekken en waar meisjes van acht, bijna negen, graag over praten. Ik ben sterk in de verleiding om haar het verkeerde pad op te sturen ('Ze haten dieren, die vinden ze allemaal even walgelijk. Dus vertel vooral over die ene keer dat je een puppy hebt overreden.' Of: 'Ze hebben een obsessie voor seriemoordenaars, hoe gruwelijker de details hoe beter.'), maar dat is toch niet eerlijk tegenover de tweeling, op wie ik stapel ben. Ik vertel haar – naar waarheid – dat ze van Barbie houden en van Miley

Cirus en kleren en honden en turnen. Dat is niet bepaald hogere wiskunde, want dat gaat op voor alle meisjes van acht, maar ze kijkt me zo dankbaar aan dat je zou denken dat ik haar een aalmoes heb gegeven. Het feit dat ik haar blij heb gemaakt irriteert me, dus om haar een beetje angst aan te jagen vertel ik dat de meisjes identiek zijn, en dat hen door elkaar halen ongeveer de allerergste faux pas is die ze zou kunnen begaan. Ze trekt alweer nerveus wit weg. De waarheid is dat wie Natalie en Nicola langer dan vijf minuten kent, hen onmogelijk kan verwarren. Nicola is spontaan en bruist van het zelfvertrouwen. Natalie is stil en introvert. Dus dat, plus het feit dat Natalies haar nauwelijks tot haar schouders komt terwijl dat van Nicola als een waterval over haar rug stroomt. Ze zijn volkomen uniek, en ze kwamen bovendien al vroeg met de mededeling dat ze nooit meer precies dezelfde kleren of hetzelfde kapsel wilden. Dit cruciale brokje informatie deel ik alleen niet met Lorna. Laat haar maar een paar dagen zweten.

Isabel, die al jaren verhalen over Lorna moet aanhoren, gaat haar ook voor het eerst ontmoeten als ze de tweeling bij de Pizza Express in Islington dropt.

'Denk maar gewoon niet aan het boontje,' zeg ik als ze me belt om te zeggen dat ze onderweg is.

'Ik dacht dat ik moreel hoogstaand bezig was door haar uit te nodigen voor het feestje,' zegt ze, 'maar ik ben er nog helemaal niet klaar voor om hem met iemand anders te zien.'

Dat is dus typisch Isabel, om volwassen te willen doen. Ik weet dat ze zich heeft gekweld met de vraag of ze Lorna wel of niet zou uitnodigen, maar aangezien Isabel nu eenmaal is wie ze is weet ik ook dat ze zich heeft voorgenomen om zich vriendelijk op te stellen. Zij ziet het zo: Alex is degene die zich heeft misdragen, maar dat is geen reden waarom zij zich zou misdragen naar Lorna toe. Als ik in haar schoenen stond, nou, over mijn lijk dat Alex dan zijn nieuwe vriendin mee mocht nemen. Of liever gezegd: over haar lijk. En zodra ik dat had uitgesproken, zou Isabel me waarschijnlijk apart hebben genomen om me tot bedaren te manen en om me eraan te herinneren dat het enige waar ik macht over had, en het enige waar ik tot elke prijs aan moest vasthouden, mijn gevoel van eigenwaarde was. Isabel is altijd degene naar wie ik toe ga als ik weet dat ik mezelf buitenproportioneel zit op te winden over het een of ander. Zij is dan altijd degene die me de spiegel der redelijkheid voorhoudt.

Ik heb geen idee wat ik nu tegen haar moet zeggen. Ik kan me totaal geen voorstelling maken hoe het moet zijn om je nog-niet-eens-ex-echtgenoot te zien met een andere vrouw. Het weten is één ding, maar om er getuige van te moeten zijn is iets heel anders.

'Natuurlijk wordt het zwaar,' zeg ik. 'Maar je doet het goed.'

Ik weet niet of ik dat zelf wel echt geloof, maar het klinkt als de juiste reactie. 'En dan daarbij, we hebben het hier over Lorna,' voeg ik eraan toe. 'Dus je hoeft in elk geval niet het idee te hebben dat je tekortschiet, vergeleken met haar.'

'Rebecca,' zegt Isabel afkeurend, maar ik hoor haar glimlach.

'Ze ziet eruit alsof ze nodig eens iets moet eten,' is het eerste wat Isabel na afloop tegen me zegt.

'Vertel eens,' zeg ik, 'hoe… hoe was het verder?'

'Ze lijkt me best aardig. Een beetje territoriaal wat Alex betreft.'

'Ze is onzeker,' zeg ik. 'Daar komen al haar neuroses vandaan.'

'Moeten we soms medelijden met haar hebben?' vraagt Isabel, en ik snuif.

'We zijn allemaal onzeker,' zeg ik, zodat zij in de lach schiet.

Isabel vertelt dat Lorna zich enorm uitsloofde voor de meisjes. Dat vond ze prima, tot bij navraag bleek dat Nicola haar een bemoeial vond en dat Natalie erover klaagde dat Lorna 'veel te veel praatte'.

'Denk je dat Alex gelukkig is met haar?' vraagt ze.

Ik doe net of ik de vraag niet hoor. 'Ze verdienen elkaar.'

Op maandag is het met Lorna 'Nicola dit' en 'Natalie' dat, alsof ze het over haar twee klasgenootjes heeft met wie ze zojuist heeft afgesproken om beste vriendinnen te zijn. Ik laat haar maar doorremmeren, want ik heb liever dit, dan dat zij mij vertelt wat ik moet doen. Na een poosje luister ik niet eens meer en dat voelt vertrouwd. Het is weer net die goeie ouwe tijd waarin ze onophoudelijk over zichzelf praatte en ik haar negeerde en dat ongeveer alle interactie was die we hadden.

William is buiten zichzelf van opwinding over het feestje en hij heeft op woensdag al een outfit uitgekozen: zijn bruidsjonkerspak dat hij verleden jaar op de bruiloft van zijn oom aanhad, met een nogal fatterig shirt met ruches dat hij ooit middels chantage van ons heeft losgepeuterd op vakantie. Hij heeft besloten dat zijn blauwe das het geheel afmaakt.

'Wil je niet liever iets aan dat wat lekkerder zit?' vraag ik, ook al weet ik precies hoe zijn antwoord luidt. 'Jullie gaan vast rondrennen. Als je nou eens je joggingpak aantrekt?'

'Het is een feestje,' zegt hij met klem, alsof ik een beetje simpel ben. Ik weet dat hij visioenen heeft van zichzelf met een cocktail in zijn ene hand en een dikke sigaar in de ander terwijl hij Nicola of Natalie, wie dan ook in zijn gunst staat op dat moment, het hof maakt met zijn wereldwijsheid.

'Nou ja, je moet het zelf maar weten, ik zeg het je alleen.'

Hij heeft zich suf gepiekerd over wat voor cadeautje hij hen moet geven. Hij heeft een budget van twee pond vijftig per dame en hij wil per se iets geven waaruit zijn diepe begrip en waardering voor hun unieke kwaliteiten blijkt. Uiteindelijk gaat hij voor een haarborstel voor Nicola en een boek over kevers voor Natalie.

'Houdt ze dan van kevers?' vraag ik. Ik kan het me nauwelijks voorstellen.

'Ja, natuurlijk, waarom zou ik het anders voor haar kopen?' vraagt hij, zuchtend om zoveel domheid. Uit zijn keuzes maak ik op dat Natalie momenteel zijn favoriet is onder de zusjes.

Zoe mag een vriendin van school meenemen naar het feestje, omdat de meisjes diepteleurgesteld zouden zijn als ze niet meekwam, en het aan de andere kant schadelijk voor haar imago zou zijn als ze te veel tijd in het gezelschap van kinderen van acht en negen zou doorbrengen. Ik heb haar omgekocht door te zeggen dat zij en haar vriendin Kerrie wel op Isabels logeerkamer mogen gaan zitten wiiën zodra de taart en het 'Happy birthday'-zingen achter de rug zijn. Ze vertelt me dat ze flink wat van me te goed heeft nu ze überhaupt bereid is haar gezicht te laten zien.

Wat volwassenen betreft zijn we alleen met Daniel, Alex en Isabel. En Lorna. Alle andere ouders komen alleen hun kinderen droppen om daarna hard weg te rennen en te kunnen genieten van een middagje zonder zorgplicht. Ik verheug me normaal altijd op de verjaardag van de tweeling. Ik ben sowieso gek op kinderfeestjes. Enfin, als ik de meeste kinderen ken, tenminste. Maar dit keer hangt er een dikke donkere wolk boven het hele gebeuren. Een magere, zaadetende, praatzieke, donkere wolk. Ja, hoor eens, mij heb je nooit horen beweren dat ik goed was in beeldspraak.

Op de een of andere manier komen we de week voor de grote dag door zonder incidenten. Het lukt me om steeds op mijn tong te bijten en het lukt haar om haar eigen werk te doen zonder de dingen waar ze geen trek in heeft op mijn bordje te schuiven. Haar eigen kantoortje is bijna klaar, dus ik zie al licht aan het eind van de tunnel. Als ik op een dag alleen ben met Melanie weet ik de moed te vatten om haar te vragen wat er in de toekomst gaat gebeuren. Ik neem aan dat er toch iets zal moeten veranderen en misschien kan ik beter maar vast beginnen met wennen aan dat idee. Wie weet, als ze iemand aannemen voor Lorna's vroegere baan, kunnen we het werk wel helemaal verdelen. Dat ik voor Joshua en Melanie werk en de nieuwe voor Lorna. En het is zelfs mogelijk dat ze iemand aannemen die ik leuk vind, een bondgenoot. Misschien hoef ik dan wel helemaal geen andere levensvervulling te zoeken.

'Ja, daar moeten we het over hebben, inderdaad,' zegt Melanie als ik haar bij de kraag vat, en dan gaat ze door met telefoneren, en ik denk: Maar kunnen we dat niet nu doen?

Dus kom ik met een soort plan. Zoals het nu gaat is mijn baan niet te doen. We hebben vervanging nodig voor Lorna. Als ze haar niet vervangen kan ik niet blijven, want ik heb veel te veel werk en het is niet bepaald goed voor mijn gezondheid om de hele dag zo druk te zijn dat ik Lorna's orders kan ontduiken. Als ze haar gaan vervangen en iemand aannemen met wie ik het niet kan vinden, kan ik altijd nog weg. Ik kan net zo goed even afwachten hoe het uitpakt. Mijn goede voornemen van dit jaar – als ik in goede voornemens zou geloven, wat ik niet doe – is dat ik mijn best doe om veranderingen positief tegemoet te treden. Dat neem ik me praktisch elke december voor en op 1 januari ben ik het meteen weer vergeten. *Anyway*, ik heb het nu eenmaal toch al besloten, dus waarom zou ik er tot januari mee wachten. Ik ben vastbesloten om nu meteen te beginnen. Niemand schijnt naar me te luisteren, en dus stap ik direct af op degene naar wie ze misschien wel zullen luisteren.

'Jij hebt een eigen assistente nodig,' zeg ik tegen Lorna als ze met tegenzin een kop thee voor zichzelf aan het zetten is. 'Ik bedoel, ik zou je echt willen helpen als ik de tijd had (*tuurlijk*), maar ik heb mijn handen meer dan vol aan Joshua en Melanie. Ik weet niet waar ik de tijd vandaan zou moeten halen.'

Ze kijkt me achterdochtig aan, maar ze ziet nergens een valkuil, dus ontspant ze.

'Ik weet het,' zegt ze. 'Ze hebben gezegd dat ze nog iemand zouden aannemen, maar kennelijk zijn ze dat alweer vergeten.'

'Nou, dan zou ik nog maar een keertje met ze gaan praten,' zeg ik. 'Je bent nu per slot van rekening agent. Je moet je tijd kunnen besteden aan je cliënten, en niet aan je eigen administratieve klusjes.' Aan haar zes hele cliënten, die geen van allen ook maar een cent opleveren. Maar goed, ze hapt, zoals ik al vermoedde.

'Je hebt gelijk,' zegt ze.

'Ik bedoel, het is niet eerlijk,' zeg ik om haar nog een beetje op te jutten. 'Ik snap niet dat ze denken dat jij het zonder ondersteuning af kunt.'

'Plus, het komt niet goed over,' zegt ze. 'Als mensen vragen wie mijn assistente is en ze te horen krijgen dat ik er geen heb.'

'Precies,' beaam ik.

Voor ik het weet staat er een advertentie in de *Evening Standard*. Gevraagd: algemene secretaresse voor impresariaat. Ik overweeg om eraan toe te voegen: 'Het vermogen om achtenhalf uur per dag de lulkoek van haar baas aan te horen, geldt als sterk pluspunt', maar ja, ik wil graag dat er veel mensen solliciteren. In deze tijden van werkloosheid zullen we wel overspoeld worden met reacties, denk ik, ook al staat er niks in de advertentie over het salaris, en dat is op zijn zachtst gezegd nogal aan de lage kant. Melanie en Joshua zoeken iemand die even verliefd is op het idee van het baantje als Lorna en ik destijds waren. Ze zien het als een roeping. Ik voel me beter nu ik dingen in gang heb gezet. Nu gaat het goed komen, linksom of rechtsom. Ik moet zelf dadelijk alle sollicitanten screenen en een shortlist opstellen van mensen die we op gesprek moeten laten komen, dus ik kan een hoop potentiële nachtmerries meteen al elimineren. De vragen die ik hen wil stellen om te bepalen of ze geschikt zijn, zijn onder andere:

- Praat je de hele tijd, of je nu iets te melden hebt of niet?
- Ben je een machtswellusteling?
- Ben je zo wanhopig op zoek naar een relatie dat je elke man neemt, al is hij nog zo ongeschikt voor je?
- Eet je wel eens ijsbergsla/bleekselderij/zonnebloempitten?
- Eet je überhaupt wel eens?

Ik zal je eerlijk zeggen: ik verheug me erop.

Op zondag zorg ik dat ik er vroeg ben. Alex neemt de meisjes mee naar de Gap om een verjaardagsoutfit voor hen te kopen. Dat is zijn cadeau. Ondertussen gaan Isabel en ik de boel versieren en pizza's en cakejes bakken. Het is net de goeie ouwe tijd, behalve dat Isabel een gebroken hart heeft en haar man zijn nieuwe vriendin meeneemt naar het feestje.

Het is de eerste keer dat ik Alex en Isabel samen zie sinds ze uit elkaar zijn, hoewel ze elkaar natuurlijk wel regelmatig hebben gezien bij de overdracht van de kinderen. Isabel ziet er gespannen uit en doet net of ze helemaal over hem heen is, maar ze weet niet te overtuigen. Alex lijkt juist volkomen onaangedaan onder haar aanwezigheid. Hij ziet er goed uit. Relaxed. Ik vraag me ineens af waar hij van leeft. Betaalt Isabel hem soms zakgeld, naast de hypotheek? En de huur van zijn appartement, betaalt ze die ook? Of wordt hij door Lorna onderhouden? Misschien is dat wel haar aantrekkingskracht. Want zelf heeft hij geen cent. Ik ben blij dat hij weggaat met de meisjes. Ik ben tegenwoordig niet graag meer in zijn buurt. Er is een lijst met punten waarover ik graag eens ruzie met hem zou trappen, en die lijst wordt er niet korter op.

'Jullie zijn redelijk goed met elkaar, lijkt het,' zeg ik tegen Isabel als hij eenmaal weg is.

'Is ook zo,' zegt ze. 'Hij is tenminste opgehouden met dat ruzie zoeken.'

'Misschien dat hij nu wel snel weg kan bij zijn overgangsvrouwtje,' zeg ik en ik forceer een lach.

'Zal ik je eens wat zeggen? Ik ben blij dat hij gelukkig lijkt. Dat is veel beter voor de meiden. Ik hoef haar niet te mogen.' Ik weet niet zeker of ik haar wel moet geloven.

'Het zou alleen fijn zijn als hij iemand neemt die geen collega van me is. En die niet zo'n ongehoorde bitch is.'

Isabel zegt dat ze binnenkort op zoek moet naar een kleiner huis, en dat ze de winst van de verkoop moeten delen. Ik kijk aangeslagen om me heen. In dit huis liggen zoveel gedeelde herinneringen. In deze keuken begonnen Isabels weeën toen ze de tweeling kreeg. We zaten met zijn vieren te eten. Curry, in de hoop dat het de boel op gang zou helpen. Ik heb met haar op de keukenvloer gezeten en de weeën getimed terwijl Alex als een kip zonder kop rondrende en Dan zich in de zitkamer verschanste.

'Wat ontzettend jammer,' zeg ik, en ik weet dat zij wel weet wat ik bedoel.

'Ja, dat is het ook,' antwoordt ze, en ze concentreert zich overdreven op het aanbrengen van de finishing touch op één piepklein cakeje. 'Maar we moeten praktisch blijven. Het is maar een huis.'

'Hoe doet Alex dat eigenlijk?' vraag ik voorzichtig. 'Met geld?'

'Dat wil je niet weten,' zegt ze, en dus weet ik nu dat zij nog steeds alles voor hem betaalt.

Alex komt veel te snel weer terug met de meisjes, en met Lorna. Dan verschijnt ook Dan met onze twee kids en met Kerrie, en voor ik het weet zijn er achttien acht- en negenjarigen die door het hele huis verwoestingen aanrichten. Bij deze feestjes zitten de grote mensen meestal om beurten beneden in de tv-kamer aangelengde wijn en alcoholvrij bier te drinken terwijl de kinderen de zitkamer overnemen en doen wat kinderen zoal doen onder toezicht van een volwassene. Maar deze keer loopt het wel heel erg uit de hand, dus blijven Isabel en ik de hele tijd bij de kinderen, terwijl Alex en Dan af en toe eens komen kijken om te zien hoe het gaat. Ik vrees het tijdstip waarop de kleine gasten naar huis gaan en die van ons allemaal onderuitzakken in de slaapkamer, en wij ons traditiegetrouw klem zuipen met zijn allen. Op de een of andere manier lijkt me dat dit jaar niet zo'n strak plan.

Op een gegeven moment laat Lorna Dan en Alex achter om zich in het feestgedruis te storten. Het is zo'n ongepast gebaar, ook al zou ze het goed bedoelen, dat ik niet weet wat ik moet doen. Ik wil het liefst zeggen dat ze op moet duvelen en ons met rust moet laten, maar ik wil niet dat de kinderen een slechte sfeer oppikken. Dus offer ik me op door haar uit Isabels buurt te houden en hoor ik haar gezanik aan over dat Natalie haar toch zo aan haar zelf doet denken toen ze klein was en dat Nicola toch zulk schitterend haar heeft en dat William het evenbeeld van Dan is. Een uur lang hou ik dat vol zonder haar te wurgen, en dat is dunkt mij een prestatie van formaat.

William is het enige jongetje en wordt als zodanig afwisselend in de armen gesloten door de krijsende meute als een soort knuffeldier en versmaad als een paria. Het is net alsof je getuige bent van een bende relschoppers, maar dan in het klein. Als je die bende van buitenaf observeert valt er met geen mogelijkheid te zeggen waarom de stemming omslaat, het gebeurt gewoon ineens, en iedereen in de groep doet wat hij moet doen alsof er orders zijn uitgedeeld. Mijn arme mannetje is totaal in de war van die wisselende stromingen, maar hij weert zich kranig en houdt zich vast aan het idee dat het straks wel weer leuk wordt, want zo lijkt het steeds te gaan. Ik moet me inhouden om hem niet meteen te gaan redden. Tegen halfacht, als de eerste ouders komen om hun kroost op te pikken, is hij bediende geweest, en een hond, een paard, een vertroetelde baby en de bruidegom in verscheidene huwelijksceremonies.

Zoe en Kerrie zijn nergens te bekennen, dus die zitten waarschijnlijk nog steeds op Isabels logeerkamer. Ik kan het hen niet kwalijk nemen dat ze geen trek hebben om de hele middag in de herrie te zitten. Het is ook dodelijk vermoeiend.

En dan is het ineens stil. Kerrie, die als laatste vertrekt, belooft dat ze Zoe een sms'je stuurt zodra ze thuis is. Waar ze het verder nog over moeten hebben na zo'n hele middag, al sla je me dood. Onze kinderen blijven vanavond hier, zoals altijd bij dit soort gelegenheden, en terwijl de uitgeputte tweeling onder protest in bad wordt gestopt, sturen we William en Zoe naar de televisiekamer met boterhammen en cola en de belofte dat ze een uur (William) en twee uur (Zoe) mogen buizen. Wij nemen met zijn vijven de zitkamer weer in bezit en ploffen op de banken. De vijandelijkheden worden tijdelijk gestaakt, want we zijn kapot. Lorna hangt natuurlijk weer de koningin uit.

'Wat grappig, hè, dat Nicola en Natalie zo anders zijn ik bedoel ik zei tegen Nicola je moet journalist worden wat nou ja je weet wel ze is zo gek op verhalen vertellen en ze zei ik wil verpleegster worden sukkel Natalie wil juist journalist worden en…'

Plotseling staat Isabel op, alsof ze zich ineens weer herinnert wat er allemaal aan de hand is.

'Ik ga maar eens wat taxi's bestellen.'

'Nee,' zeg ik, en ik trek aan haar hand, zodat ze weer gaat zitten. 'Wij blijven nog even.' Ik wil eigenlijk zeggen dat Alex en Lorna nu weg moeten. Als ze ook maar een greintje fatsoen hadden, dan gingen ze uit zichzelf. Maar ze blijven uiteraard zitten.

'Zal ik anders iets te drinken halen?' zegt Lorna, die de spanning niet lijkt te voelen. 'Waar hebben we zin in?'

Isabel kijkt haar even met open mond aan, net als ik. Lorna begint onze glazen te verzamelen alsof zij de gastvrouw is.

'Nee!' valt Isabel dan uit, en ze keert terug in haar eigen rol. 'Dat doe ik zelf wel. Dank je, Lorna,' voegt ze er voor de beleefdheid aan toe. Ik snap niet waarom ze die moeite neemt. Oké, misschien was Lorna wel zo gek om te denken dat ze behulpzaam was, maar haar gebrek aan sociale intelligentie is stuitend. Ze heeft Isabels echtgenoot ingepikt en nu doet ze ook nog alsof ze het huis overneemt. Tenminste, zo voel ik het.

'Ik help wel even,' zeg ik tegen Isabel, en ik gris de glazen zo ongeveer uit Lorna's handen.

Dan gaat er eens goed voor zitten, alsof hij voorlopig nog niet weg wil.

'Kom, we laten ons eens goed vollopen,' zegt hij.

En dat bleek achteraf geen goed idee.

13

OKÉ, DUS DIT IS WAT ik me er nog van kan herinneren. Niks. Ik werd vanmorgen wakker in mijn eigen bed, maar ik heb geen idee hoe ik daar ben beland. Wat ik wel weet is dat mijn hoofd pijn doet en dat ik misselijk ben en dat er iets heel ergs is gebeurd, maar wat precies, dat is heel wazig. Mijn eerste gedachte is Dan. O god, ik heb toch geen ruzie getrapt met Dan? Dat doe ik wel eens als ik dronken ben, en dan raak ik onredelijk geïrriteerd omdat hij zo onbewogen blijft en nooit een keertje hapt.

Ik kijk om me heen. Hij is nergens te bekennen, maar zijn kant van het bed is wel gekreukt, dus we hebben duidelijk wel in dezelfde kamer geslapen, wat een goed teken is. Ik kreun, draai me om en werp een blik op de klok. Kwart voor negen. Is het vandaag niet maandag? En heb ik niet een baan waar ik naartoe moet? Ik probeer mezelf in een zittende positie te hijsen, maar mijn lijf doet niet mee. Als ik me nog verder beweeg, moet ik overgeven, en met een blik naar de grond zie ik dat daar al een afwasteil staat vol met god mag weten wat. Het moet wel van mij zijn.

Gelukkig komt Dan binnenlopen, net als ik van wanhoop in tranen uit wil barsten. Hij is al aangekleed en klaar om te vertrekken en bovendien glimlacht hij en lijkt het er helemaal niet op dat hij me haat.

'Hoe voel je je?' vraagt hij en hij gaat op het bed zitten.

'Wat is er in vredesnaam gebeurd? Wat heb ik gedaan?'

'Herinner je je dat dan niet meer?' vraagt hij, en ik voel me alleen nog maar beroerder. Dus is er iets wat ik me zou moeten herinneren.

Ik schud mijn hoofd, maar zelfs van die minimale beweging word ik al wee.

'Hebben we ruzie gehad? Heb ik lelijk tegen je gedaan?'

Hij aait me over mijn hoofd. 'Nee, natuurlijk niet.'

'Wat dan?' En dan weet ik het weer en ik krimp ineen. Lorna. 'O nee,' zeg ik. 'Lorna.'

'Ja,' zegt Dan. 'Lorna, maar maak je er nu maar niet druk over. Zij was ook dronken. Wij allemaal. Ze kan het zich waarschijnlijk niet eens meer herinneren.'

Hij kent Lorna dus duidelijk niet.

'Maar jij wel.'

'Ik ben eerder gestopt met drinken dan de rest omdat ik in elk geval nog in staat moest zijn om de taxi te bellen.'

'Wat heb ik gedaan dan?'

Dan kust me. 'Ik moet gaan, ik kom zo te laat op m'n werk.'

'Snel even dan.'

'Je hebt gezegd wat je van haar denkt, zullen we maar zeggen. Voor mij niks nieuws, maar ik weet niet zeker of je die dingen haar ooit in het gezicht zou zeggen…'

Als ik niet al misselijk was, dan zou ik het nu worden. 'Wat voor dingen?'

'Je weet wel, dat je denkt dat ze wanhopig is, dat ze alleen met Alex is omdat ze zo langzamerhand elke man wel wil, dat ze je irriteert…'

'O god. Goed, stop maar. Ik hoef het verder niet te weten. O god,' zeg ik nog eens, en ik verstop mijn hoofd in het kussen.

Dan herinner ik me Alex. 'En Alex?'

'Ik zou voorlopig maar even uit zijn buurt blijven, zou ik zeggen,' antwoordt Dan, en het zou fijn zijn als hij dat als grapje bedoelt, maar ik weet wel beter. 'Je kunt er nu toch niks aan doen, dus heeft het geen zin om je er op dit moment druk over te maken,' zegt hij, en ik zie hem een stiekeme blik op zijn horloge werpen.

'Het is goed,' zeg ik. 'Ga maar naar je werk.'

'Het punt is: ik heb om kwart voor tien een vergadering. Anders zou ik best…'

'Het komt wel goed, niks aan de hand.'

Ik weet één ding zeker, en dat is dat ik me niet ziek kan melden. In mijn afwezigheid neemt Lorna de telefoon op en zij weet natuurlijk dat ik helemaal niet ziek ben. Enfin, ik ben wel ziek, maar dit is niet een ziekte waarbij ziekmelden acceptabel is. En trouwens, wat moet ik zeggen als ze opneemt? Als Dan weg is sleur ik mezelf naar de badkamer en ga ik onder de douche staan zonder ook maar een poging te ondernemen me te wassen. Als ik over tien minuten wegga, kom ik maar een kwartier te laat op mijn werk. Niet dat er iets uit mijn handen gaat komen en waarschijnlijk stink ik uit al mijn poriën naar de wodka, maar ik ben er dan in elk geval. Ik bedenk in de metro wel hoe ik de situatie verder het hoofd ga bieden.

Het probleem is dat ik me oprecht slecht voel. Ik zeur wat af over Lorna, maar ik weet best dat ze dit niet verdiende. Niemand verdient zoiets. Ik ben nooit zo iemand geweest die meent dat ze het recht heeft om andere mensen te vertellen wat ze van hen vindt. Iemand die het als een deugd ziet – 'ik ben tenminste eerlijk' – terwijl ze eigenlijk alleen maar grof zijn. Wat gij niet wilt dat u geschiedt, et cetera. Ik kan wel scherp zijn, maar alleen in mijn eigen hoofd, of tegen Isabel of Dan, om hen aan het lachen te maken. Ik ben nooit een treiterkop geweest; dat vind ik juist vreselijke mensen. Ik wil een ander geen verdriet doen. Er zit dus maar één ding op, en dat is haar mijn welgemeende en nederige excuses aanbieden zodra ik op kantoor kom. Ik zal haar proberen uit te leggen dat het meer over mij zegt en mijn verdriet over het verlies van mijn vertrouwde clubje dan dat het iets over haar zegt. Ik moet door het stof. Want ik mag Lorna niet, maar ik wil wel rechtzetten wat ik denk te hebben misdaan. En dan moet ik straks nog maar eens bellen met Alex om vrede te sluiten. En met Isabel om mijn excuses aan te bieden omdat ik haar avond heb verpest. Enfin, één ding tegelijk.

Op weg naar kantoor flitsen de herinneringen voorbij als bliksemschichten. Ik zie een beeld voor me van een huilende Lorna, een van het woedende gezicht van Alex, en een van die schattige Isabel die zachtjes aandringt dat ik rustig moet blijven en dat ik naar huis moet gaan. Ik hoor mezelf tegen Lorna zeggen dat ze een eetstoornis heeft, en dat ze psychiatrische hulp moet zoeken. Ik dwing mezelf om die flashbacks te verdringen door me alleen nog maar te concentreren op hoe beroerd ik me op dit moment voel, wat niet zo moeilijk is zoals je je wel kunt voorstellen, omdat ik kotsmisselijk ben en de metro verschrikkelijk schommelt. Op een gegeven moment moet ik kokhalzen, en ik sla een hand voor mijn mond. De vent naast me gaat ergens anders zitten en werpt de vrouw tegenover hem een veelbetekenende blik toe.

Voor ik zelfs maar mijn tas heb neergezet zeg ik: 'Lorna, het spijt me zo.'

Ze kijkt me aan met een blik waar water spontaan van zou bevriezen, maar ze zegt niets.

'Ik was dronken. Ik heb me aangesteld. En ik meende niks van wat ik allemaal heb gezegd. Echt niet.'

Ze zegt nog steeds niets, terwijl ik juist niet meer op kan houden.

'Ik heb erover na zitten denken, maar ik denk dat ik me bedreigd voelde omdat jij in ons kringetje bent gekomen. Ik was bang dat alles voorgoed anders zou worden, en ik haat veranderingen. Het is belachelijk, dat weet ik ook best. En het is ook absoluut geen excuus voor wat ik heb gedaan, maar het is in elk geval een soort verklaring.'

Niets.

'Zeg dan iets. Ik kan mijn woorden niet meer terugnemen, maar ik wil dat je weet dat ik echt spijt heb. Dus zeg nou alsjeblieft dat je mijn excuses aanvaardt.'

Dan doet ze eindelijk haar mond open. 'Ik heb het druk, Rebecca,' zegt ze. 'Ik heb helemaal geen zin om naar je te luisteren.'

'Maar,' zeg ik, 'je moet luisteren. Ik wil dat dit nu wordt uitgesproken. Ik kom de dag niet door als mijn wangedrag tussen ons in blijft hangen.'

Lorna knijpt haar ogen tot spleetjes. 'O ja? Moet ik luisteren?'

'Ik bedoel niet dat het moet, ik bedoel alleen, wil je alsjeblieft naar me luisteren? Ik voel me verschrikkelijk. Dus laat me alsjeblieft mijn excuses aanbieden, dan kunnen we verder.'

'Je stinkt, weet je dat?' zegt ze, en ze staat op en loopt naar de keuken. 'Wil je er in godsnaam voor zorgen dat de cliënten je zo niet zien?'

Ik overweeg om haar achterna te lopen en op mijn knieën te gaan, en mezelf met een stok te kastijden, wat dan ook, maar juist op dat moment komt Joshua op zijn bekende manier zijn kantoor uit stuiteren.

'Mogguh,' zegt hij, op weg naar een kop koffie. 'Hoe is het?'

'Ik heb een kater, vrees ik,' zeg ik zwakjes. Het heeft geen enkele zin om er omheen te draaien.

'Dan moet je een borrel nemen,' zegt hij en hij loopt door. 'Mogguh!' schreeuwt hij tegen Lorna als hij in het keukentje komt. Ze duwt de deur dicht en ik weet dat ze het over mij hebben.

Terwijl de fysieke kater al wat wegtrekt, blijf ik zitten met de geestelijke kater, die twee keer zo sterk is en tien keer zo ellendig. Ik deug niet. Ik weet dat ik met een paar slokken te veel op de neiging heb luidruchtig te worden en dat ik dan doe of het me niets kan schelen wat anderen van me denken. En ik weet ook dat ik de volgende dag overloop van spijt en schaamte. Ik ben te oud voor dit soort gedrag. Maar toch laat ik het steeds weer gebeuren. Dan zeg ik ja tegen het ene na het andere glas wijn, ook al ben ik in het gezelschap van iemand die ik in mijn fantasie graag eens flink de waarheid zou willen zeggen. En ook al weet ik donders goed dat dat geen goed idee is, toch sla ik het volgende glas niet af. En dan durf ik ineens alles. Meegesleept door mijn eigen waanzinnig scherpe teksten, mijn vermogen om argeloze voorbijgangers te verbluffen met mijn recht-voor-zijn-raap bravoure, en de manier waarop ik mijn vijanden kleinkrijg. Over het algemeen kom ik ermee weg omdat het komische aspect zwaarder weegt dan mijn wreedheid – en zoals ik net al zei, ik ben van nature helemaal niet zo gemeen. Maar ja, ik heb ook nog nooit iemand meegemaakt aan wie ik zo'n hekel heb als Lorna. Dus was het stom van me. Onvolwassen. Echt zo'n kijk-mij-nou moment van iemand die zich doorgaans in de schaduw ophoudt.

Lorna laat me de hele dag lijden. En geef haar eens ongelijk. Ik glimlach voorzichtig als ik ook maar even haar blik weet te vangen, en zij zorgt er wel voor dat dat niet al te vaak is. Op een gegeven ogenblik belt ze Alex op en praat ze over me alsof ik er niet bij zit. Ze fluistert hard, zogenaamd omdat ik het niet mag horen, maar ze belt met haar mobieltje, dus als ze echt zo bang was dat ik meeluisterde, had ze ook de kamer uit kunnen lopen.

'Nou, ik ben gekwetst, Alex. Ik bedoel, dat soort dingen wil niemand over zichzelf horen.'

Ik begraaf mijn hoofd in mijn werk en doe net of ik haar niet hoor.

'Nee, nee,' zegt ze. 'Ik voel me straks vast wel weer beter. Je kent me toch, ik kan wel tegen een stootje.'

Dit hoef ik mezelf niet aan te doen, vind ik, dus ik loop weg en ga vijf minuten op de wc zitten tot ik zeker weet dat ze klaar is met bellen. En nu ik hier toch ben, kan ik maar net zo goed een potje janken, want ik voel me ellendig en ziek en ik haat mezelf. Ik kan zo niet naar huis, zoals ik me nu voel. Als ik dit de hele dag laat voortslepen, kan ik vannacht niet slapen en dan kan ik morgen al helemaal nauwelijks nog tot haar doordringen, want dan zal ze zich nog dieper hebben ingegraven. Ik moet dit nu oplossen. En hoe graag ik ook in een wereld zou willen wonen waarin Lorna en ik elkaar voor de rest van ons leven kunnen negeren, in die wereld leef ik nu eenmaal niet. Ze is een van mijn bazen en de vriendin van de beste vriend van mijn man. Zelfs al voelde ik me er niet zo beroerd onder, dan nog moest het opgelost worden. Het enige wat ik kan bedenken is wachten tot het eind van de dag, in de hoop dat Joshua en Melanie eerder weggaan dan Lorna, en dan maar smeken. Ik moet haar in een hoek drijven als ze geen publiek heeft en hopen dat ik een goedaardig deel van haar kan raken. Als ze dat heeft, tenminste. Ik heb geen keuze.

De middag duurt en duurt. Telkens als ze opstaat ben ik als de dood dat ze haar jas pakt en weggaat. Ik hou mijn hoofd omlaag, vastbesloten om het niet nog erger te maken voor ik het heb goedgemaakt. Uiteindelijk gaan Joshua en Melanie inderdaad weg. Lorna pakt haastig haar tas om te voorkomen dat ze ook maar een seconde met mij alleen achterblijft, maar ik steek al van wal nog voor ze het ding over haar schouder kan slingeren.

'Lorna,' zeg ik en ik loop voorzichtig in de richting van de deur, voor het geval ze zich toch nog uit de voeten wil maken. Ik neem haar in een rugbytackle als ze dat doet. 'Kunnen we even praten?'

'Ik kom te laat,' zegt ze, en ze propt een arm in de mouw van haar jas. 'Bovendien zou ik niet weten waar wij het over moeten hebben.'

'Het duurt niet lang. Luister alsjeblieft even naar me. Ik heb je niks anders te bieden dan mijn excuses. Het spijt me echt heel erg. Ik heb honderd procent spijt van hoe ik me heb gedragen. Ik kan het niet genoeg benadrukken, maar ik weet heel goed dat ik fout zat. En ik verwacht ook niet van je dat je nu zegt dat alles goed is of dat alles vergeten en vergeven is. En ik weet ook best dat we nooit echt vriendinnen zullen worden. Maar misschien kunnen we wel proberen om het achter ons te laten? Dat het weer is zoals het was?'

Ze staat daar en kijkt me hooghartig aan.

'Hoe bedoel je? Dat jij mijn privémails leest en de details aan je vrienden doorspeelt?'

Ik schrik zo dat ik niet weet wat ik moet zeggen.

'Dat heeft Alex me gisteravond verteld,' zegt ze, en daarmee gooit ze haar troefkaart op tafel. 'Ik wist altijd al dat je een bitch was, maar ik dacht wel altijd dat je professioneel was.'

'Lorna, ik…' maar ik heb al snel geen puf meer. Wat kan ik nu nog ter verdediging aanvoeren? Je wordt bedankt, Alex. Nu weet ik in elk geval hoe loyaal je bent. Alsof hij zich überhaupt nog aan mij verplicht voelde.

'Ja, Alex heeft me van alles over jou verteld. Bijvoorbeeld dat je een hekel zou hebben aan zijn vriendin, wie het ook mag zijn, omdat zijn geluk jou helemaal niet interesseert – jij wilt alleen maar dat je gezellige clubje van vier intact blijft. Het gaat altijd alleen maar om jou.'

De stoom komt uit mijn oren, maar ik wil niet dat zij dat ziet. Deels omdat het niet veel bijdraagt aan de situatie, maar voor een deel ook omdat ik niet wil dat ze denkt dat ze me hiermee raakt. Wat natuurlijk wel het geval is. Ik probeer luchtig weg te wuiven wat ze net heeft gezegd, en forceer een lachje. 'Dat is dus belachelijk.'

Ze negeert me. 'Hij zei ook dat Isabel altijd zei dat je veel te klef was. Dat het haar benauwde dat jij altijd alles samen met z'n vieren wilde doen. Hij zei dat het uiteindelijk een van de weinige dingen was waar ze het nog over eens waren.'

Ze zwijgt om te zien hoe haar pijl aankomt en als ze nu denkt dat ze raak heeft geschoten, dan zit ze er niet naast. Ik probeer mezelf voor te houden dat ze het allemaal verzint om mij te kwetsen, of dat Alex haar alleen maar heeft gezegd wat ze wilde horen, maar de waarheid is dat het zomaar waar zou kunnen zijn. Ik weet dat er heel wat gelegenheden waren waarbij Alex, of Isabel of zelfs Dan iets voorstelde als 'zullen we die-en-die uitnodigen', bijvoorbeeld als we een verjaardagsetentje hadden of zelfs gewoon een avond de kroeg in doken en dat ik, zo realiseer ik me nu, altijd degene was die nee zei. Omdat ik het gezelliger vond om het onder ons te houden. Ik voel hete tranen opwellen in mijn ooghoeken, maar dat kan natuurlijk helemaal niet. Er ontsnapt er eentje, die verraderlijk over mijn wang rolt. Ik gooi mijn hoofd opzij in de hoop dat hij er daardoor vanaf vliegt, en in de hoop dat zij het niet merkt, maar ik zie al een glimp van een grijns op haar gezicht. Ze weet dat ze me te pakken heeft. Dit loopt absoluut niet zoals ik had gewild.

'Dingen blijven nu eenmaal niet altijd hetzelfde, Rebecca. Mensen krijgen andere banden. Vriendschap is iets dat je moet verdienen. Je kunt niet zomaar aannemen dat er nooit iets verandert als je close met iemand bent. Vooral als jij hun keuzes niet respecteert. Je hebt Alex gedwongen te kiezen tussen jou, zijn vriendin, en mij, de vrouw van wie hij houdt, en laat me je dit zeggen: hij heeft mij al gezegd dat dat voor hem een heel eenvoudige keuze is.'

Ze zoekt haar spullen bijeen om triomfantelijk te kunnen vertrekken. Ik ben sprakeloos, gevloerd door de dingen die ze heeft gezegd. Ik neem aan dat dit het beoogde effect is. Ze pakt me terug voor mijn misdragingen van gisteravond. Het is begrijpelijk. Maar ze heeft me gekwetst en je kunt het me niet kwalijk nemen dat ik wil terugvechten.

'Lorna,' zeg ik zonder echt na te denken over wat ik zeg. 'Alex is…' ik zwijg. Ik moet me voor ogen houden dat het doel is om te zorgen dat het goed komt, ondanks alles. 'Het is… het is allemaal niet zo simpel als jij denkt. Je moet niet alles geloven wat hij zegt, oké?'

Lorna snuift. 'Alex en ik zijn een stel, of jij dat nu leuk vindt of niet.'

'Het gaat mij helemaal niet aan met wie Alex omgaat,' zeg ik, in een poging dit punt te winnen. 'Maar aangezien wij waarschijnlijk heel wat tijd samen zullen moeten doorbrengen, moeten we misschien een manier vinden om toch vrienden te kunnen zijn.'

Honend zegt ze: 'Wij worden nooit vrienden, Rebecca. Maar Daniel blijft Alex' beste vriend en dus zijn we gedwongen elkaar te zien, zelfs als we niet samen zouden werken. Ik zou nooit tussen de vriendschap van Alex en Dan willen komen,' zegt ze, waarmee ze impliceert dat ze wel tussen zijn vriendschap met mij wil komen, voor zover wij tegenwoordig nog vrienden zijn.

'Prima,' zeg ik, en ik gooi de handdoek in de ring. 'Ik heb het in elk geval geprobeerd.'

En dat heb ik ook. Ik heb geprobeerd boete te doen voor mijn zonde, maar ze geeft geen centimeter toe. Er rest mij dus niets anders dan proberen om aardig te doen, en haar te smoren met mijn vriendelijkheid. Maar lang duurt dat niet.

'Alex had gelijk,' begint Lorna terwijl ik mijn jas aantrek. 'Jij hebt een enorm minderwaardigheidscomplex.'

Ik bevries. 'Pardon?'

'Hij zegt dat je altijd heel onzeker bent geweest. Hij zegt dat je daarom zo uithaalt naar andere mensen. Je denkt dat het grappig is, maar niemand kan erom lachen. Hij zegt dat hij het verschrikkelijk vindt om in jouw buurt te zijn als je gedronken hebt.'

Oké, dat doet de deur dicht. Weg met die goede voornemens.

'Goh, is dat zo? En had Alex verder nog iets te vertellen?' Ik stap over van de verdediging op de aanval. Van de gebeten hond word ik de hond die van zich af bijt. Ze knippert even met haar ogen alsof ze bang is dat ze een beer uit zijn winterslaap heeft gewekt, maar dan herinnert ze zich weer dat zij alle goede kaarten in handen heeft. Althans, dat denkt ze.

'Ja, dat had hij zeker. Hij zei dat hij medelijden heeft met Dan. Dat die gevangenzit in een heel klein wereldje omdat jij nooit eens iets nieuws wil uitproberen of andere mensen wil leren kennen…'

Ik luister niet meer vanwege de omvang van dit verraad. De klap in het gezicht van iemand die ik als familie zag is te hard. Oké, misschien overdrijft ze. Ze dikt het misschien een beetje aan om mij nog harder te raken, maar ik twijfel er niet aan dat ze de kern van haar verhaal inderdaad van Alex heeft. Heb ik hem dan echt zo diep geraakt toen ik hem afwees? Ik kan geen andere reden bedenken waarom hij me zo zou willen afstraffen. Lorna grijnst weer triomfantelijk en ik heb zin om die grijns van haar tronie te trekken. Vriendelijk doen? Vergeet het maar. Ik wil haar verwonden zoals ze mij heeft verwond. Zij wil een vuil spelletje spelen? Nou, dat kan ik ook. Ik begin te praten voor ik mezelf censuur op kan leggen, ook al is er een klein stemmetje in mijn hoofd dat zegt dat ik mijn mond moet houden. Zeg. Het. Nou. Niet.

'En dan hebben we het dus over dezelfde Alex die mij vertelt dat hij zo van mij houdt?' vraag ik, en ik wacht even af en constateer tevreden dat ik nu haar aandacht heb. Ze snuift vol minachting, maar niet overtuigend. Ik wil dat ze heel goed tot zich door laat dringen wat ik zeg.

'Dezelfde Alex die me heeft verteld dat hij al jaren verliefd op me is? Op de dag – precies dezelfde dag – dat hij jou voor het eerst mee uit vroeg? Sterker nog, toen ik hem voor de tweede keer had afgewezen, heeft hij jou nog geen uur later gebeld. Nadat ik hem had gezegd dat hij geen schijn van kans heeft, dat ik nooit zou willen en dat hij me met rust moest laten. Wat een toeval, vind je ook niet?'

Ze kijkt me met open mond aan, en ze probeert vast te stellen of ik bluf of niet. Ik vertrouw erop dat zij even onzeker is als ik, ook al weet zij het beter te verbergen.

'Heb jij je nooit afgevraagd waarom hij je zomaar ineens belde? Vond je het zelf ook niet een beetje vreemd dat jullie elkaar pas twee maanden kenden toen hij zei dat hij van je hield? Of denk je soms dat je echt zo onweerstaanbaar bent?'

Lorna loopt rood aan. 'Jij bent echt heel zielig,' zegt zij door haar opeengeklemde tanden.

'O ja, ben ik dat?' zeg ik, zeker van mijn overwinning.

'Alsof Alex ooit op jou zou vallen,' voegt ze me toe terwijl ze me van top tot teen monstert.

'Waarom vraag je het hem zelf niet?'

Er valt niets meer te zeggen, dus pak ik mijn tas en zeil de kamer uit.

'Zal ik jou eens wat zeggen?' schreeuw Lorna me na. 'Jouw probleem is dat jij een complex hebt over je uiterlijk. Je bent dik en lelijk en je trekt het niet dat ik dat niet ben.'

Die laatste zin gilt ze uit, want ze wil dat ik er geen woord van mis, en dat doe ik dan ook niet. Maar Mary ook niet, want die tref ik aarzelend voor de drempel als ik de voordeur opentrek.

'O,' zegt ze. 'Ik wilde net…'

'Ze is binnen,' zeg ik, en ik wijs naar de kamer achter me.

'Het is alleen… ik zou even met haar borrelen en bijpraten.' In haar haast om bij mij weg te komen, was Lorna duidelijk vergeten dat ze met een van haar cliënten had afgesproken.

'Ga maar naar binnen,' zeg ik. Ik overweeg om nog iets te zeggen als 'We zaten wat scènes te oefenen uit een nieuw toneelstuk'. Iets wat zou verklaren waarom me de beledigingen werden toegeschreeuwd die Mary zojuist moet hebben gehoord, maar het zou slap en onwaarachtig klinken en bovendien, waarom zou ik iets doen om Lorna's figuur te redden. Zij is Mary's agente; laat haar zelf maar uitleggen waarom ze een collega dingen als 'jij bent dik en lelijk' naar het hoofd slingerde. Een collega? Een ondergeschikte, zelfs.

Als ik de Piccadilly Line naar huis neem, begint het tot me door te dringen wat ik precies heb gedaan. Ik vind het niet erg dat ik mijn geduld met Lorna heb verloren. Ik heb mijn best gedaan om mijn verontschuldigingen aan te bieden en ze wilde ze niet. Ze heeft net zo lang zitten zieken en zuigen tot ik over de rooie ging, en ik had ook wel bovenmenselijk moeten zijn om niet te happen.

Maar datgene wat ik voor me had moeten houden, datgene wat ik nooit aan wie dan ook had moeten vertellen als ik niet van plan was om het aan Dan te zeggen, was dat Alex me de liefde heeft verklaard. Ik maak me dus ook niet zozeer zorgen om hoe Lorna zich voelt nu ze dit brokje informatie tot zich heeft mogen nemen, maar wel over Dan. Ik had besloten om Alex' betuiging – het verraad van Dans beste vriend – voor me te houden en het enige wat ik verder nog hoefde te doen was me aan dat besluit houden. Dat ik het Dan toen niet heb verteld was één ding, maar dat hij er maanden later achter moet komen omdat ik het eruit heb geflapt tegen iemand anders is een heel ander verhaal. Wat moet ik nu doen? Ik zou het Dan nu meteen bij thuiskomst kunnen vertellen. 'O, trouwens, wat ik nu al een paar maanden vergeet te zeggen: Alex heeft gezegd dat hij verliefd op me was. Hij vroeg of ik bij je weg wilde gaan.' Maar dan wil hij natuurlijk weten waarom ik hem dat toen niet meteen heb gezegd. Dan heeft hij vast het gevoel dat Alex en ik op de een of andere manier stiekem, achter zijn rug om hebben zitten samenzweren en de waarheid voor hem hebben achtergehouden. Hij zal kapot zijn van Alex' gebrek aan loyaliteit. Hun vriendschap dateert al van voor mijn relatie met Dan. Die is onverwoestbaar. Althans, daar ging Dan altijd van uit. Ik kan toch niet degene zijn die hem daarvan berooft?

Ik probeer in te schatten hoe groot de kans is dat hij erachter komt als ik het hem niet vertel. Lorna zal Alex uiteraard dit verhaal meteen voor de voeten werpen. Maar Alex zal zeker niet willen dat Dan er ooit achter komt. En ik kan me voorstellen dat Lorna wordt verscheurd door aan de ene kant haar verlangen om mij te kwetsen en aan de andere kant haar tegenzin om met een verhaal te komen dat haar welbeschouwd in een nogal vernederend daglicht plaatst.

Tegen de tijd dat ik op het metrostation van Caledonian Road aankom heb ik besloten om het erop te wagen. Als Lorna zo wraakzuchtig is dat ze bereid is om Dan te kwetsen – terwijl die altijd zo lief en hartelijk voor haar is geweest – dan zal ik hem gewoon de hele waarheid vertellen. Dan gaat Alex er wat mij betreft aan, want ik heb inmiddels geen enkele reden meer om hem in bescherming te nemen. Hij heeft het allerergste verraad gepleegd dat je kunt verzinnen. Dus al dacht ik ooit dat we heel goede vrienden waren, dat zijn we nu zeer zeker niet meer.

Dan zit gezellig toezicht te houden op het huiswerk van de kinderen als ik binnenkom, flink later dan normaal. Ze mogen dat van hem doen met de televisie aan, zoals altijd, ook al weet hij dat ik dat niet goedvind. Dit keer zal ik het maar laten gaan. Ik word overspoeld door een golf van liefde voor mijn gezin. De golf is zo krachtig, dat hij me bijna vloert. Ik sla mijn armen om Dans rug en geef hem wel vijf of zes kussen op zijn kruin.

'Waar heb ik dat aan te danken?' vraagt hij.

'Nergens aan,' antwoord ik, maar ik laat hem niet los.

14

DE VOLGENDE OCHTEND IS HET griezelig stil op kantoor. Ik weet ook niet wat ik dan verwachtte. Dat Lorna zich krijsend boven op me zou storten met een schaar, of dat Joshua me bij zich zou roepen om me te zeggen dat ik dit keer echt te ver was gegaan. Maar alles lijkt redelijk normaal. Lorna heeft wel wat rode ogen, alsof ze niet veel heeft geslapen, maar we ontlopen elkaar en praten niet. We maken zelfs geen oogcontact, en dat bevalt me prima.

De grote dag is aangebroken. Ze betrekt haar eigen kantoortje. Melanie vraagt me of ik wil helpen om Lorna's spullen in te pakken en dat doe ik. Ik begin alles als een bezetene in dozen te mikken. Hoe sneller ze opduvelt, hoe beter. Tegen de lunch is ze weg.

Vandaag is ook de dag dat ik de meest geschikte kandidaten uit de stapel sollicitatiebrieven wil vissen die we hebben ontvangen. Ik heb een bondgenoot nodig. De hopeloze gevallen heb ik al uitgezocht en weggedaan, maar de stapel potentiële assistentes is nog steeds te hoog. Ik lees alle brieven heel goed door, op zoek naar de kern. Iedereen die iets te veel met zichzelf ingenomen lijkt gaat direct naar de stapel afwijzingen. Net als iedereen die te ambitieus overkomt. Joshua en Melanie willen graag wat continuïteit. Ze willen iemand die minstens een jaar of drie, vier als assistente wil aanblijven, en niet iemand die ons als opstapje wil gebruiken naar hogere doelen. Ik moet mezelf er steeds aan herinneren dat het van belang is dat ik iemand zoek met wie niet alleen ik blij ben, maar Joshua en Melanie ook. Het moet een slim, bereidwillig, vriendelijk en leergierig type zijn, dat ook nog normaal is, goed kan luisteren en dat een BMI van minstens tweeëntwintig heeft.

Het idee is dat ik een soort voorgesprek doe, zogenaamd om hen de ins en outs van de baan uit de doeken te doen ('Je doet algemeen kantoorwerk, dus telefoon opnemen en zo, maar je werkt ook voor Cruella Krengemans van hiernaast.'), maar in feite wil ik ze eerst ontmoeten om te zien wat voor vlees ik in de kuip heb. Dan stuur ik ze door voor een gesprek met Joshua, Melanie en, natuurlijk, Lorna. Aan de telefoon klinken ze allemaal reuze aardig, en ik voel me heel even schuldig omdat een van hen zal worden veroordeeld tot een afgrijselijke baas. Maar over dat gevoel weet ik toch redelijk snel heen te stappen. Als ik aan het eind van de dag naar huis ga, ben ik redelijk optimistisch. Bovendien is het Lorna en mij gelukt om een hele dag door te brengen zonder ook maar een woord te wisselen, en het bedrijf is daar niet van omgevallen. Joshua en Melanie merkten het niet eens, en alles wat er moest gebeuren is gewoon gebeurd. Ik wil dolgraag weten wat er gisteravond is voorgevallen, en of Alex en Lorna ruzie hebben gemaakt over mijn sensationele mededeling. Of dat het voor hen alleen maar een bevestiging was dat ze er goed aan doen om tegen mij samen te spannen, of dat hij haar er misschien van heeft weten te overtuigen dat ik het allemaal uit mijn duim heb gezogen. Maar ik kan daar natuurlijk onmogelijk naar vragen.

Ik was compleet vergeten dat het vandaag Williams grote dag is. Het is de eerste keer dat hij een vriendje mee naar huis heeft genomen sinds hij op de middelbare school zit. Hij is met Sam in de keuken bezig aan een soort scheikunde-experiment, en Zoe, die baalt omdat ze met – zoals zij hen noemt – twee nerds naar huis moest lopen in plaats van eentje, zoals gewoonlijk, heeft zich in haar kamer verschanst en zit verwoed te sms'en.

'Hallo,' zeg ik tegen Sam. 'Ik ben de moeder van William.'

'Aangenaam,' zegt hij, en hij steekt stijfjes zijn hand naar me uit. Ik schud hem, maar weet niet goed wat ik verder moet zeggen. Dus hou ik het op: 'Nou, maak maar niet te veel troep,' en ik laat hen verdergaan met het verwoesten van mijn schitterende aanrecht van Italiaans marmer.

Nu ik geen kinderen heb om me gezelschap te houden en ik de keuken niet in kan om vast met het eten te beginnen, zit ik in mijn eentje in de zitkamer te wachten tot Dan thuiskomt. Ik kan niet goed alleen zijn als ik dingen aan mijn hoofd heb. Ik ben geneigd om te gaan piekeren, en ik maal over al mijn tekortkomingen en de diverse manieren waarop mijn prettige leventje uit elkaar zou kunnen knallen. Tegen de tijd dat Dan de kamer binnen loopt, ben ik bijna wanhopig. Ik *moet* weten wat voor effect mijn gekijf met Lorna heeft gehad.

'Heb jij Alex vandaag nog gesproken?' vraag ik zo achteloos mogelijk nadat ik mezelf heb gedwongen te wachten tot hij zich heeft omgekleed en een biertje uit de ijskast heeft gepakt. (Beeld door de deels openstaande keukendeur: twee kleine jongens die van top tot teen onder het meel zitten, zo te zien, en iets wat griezelig staat te borrelen op het fornuis).

'Nee,' zegt hij, klikt zijn blikje open, gaat languit op de bank liggen en pakt zijn krant.

Dat was het dus. Voorlopig.

Lorna en ik zetten deze staat van ontkenning nog een paar dagen voort – niet de ontkenning van het probleem, maar die van elkaars bestaan. We praten alleen als ik een beller met haar moet doorverbinden. Dan zegt zij: 'Hallo', en ik zeg: 'Ik heb zus-en-zo voor je aan de lijn.' Ik wacht niet eens om te horen of ze het gesprek wil aannemen of niet, ik druk meteen door. Ik heb haar nauwelijks een blik waardig gekeurd. Nu ze haar eigen kantoortje heeft, komt ze daar bijna niet uit, behalve om zich op te sluiten met Joshua of Melanie, of, naar ik aanneem, om te gaan lunchen. Het moge duidelijk zijn dat het probleem van de lunchplichten niet meer aan de orde is, want dat zou inhouden dat we moeten communiceren, en dat gaat voorlopig niet gebeuren. Dus zet ik de telefoons op voicemail, en hol ik naar de broodjeszaak in het steegje om de hoek waar ik snel iets mee gris, dat ik dan achter mijn bureau opeet. Ik weet dat het eind in zicht is.

Vandaag is het sollicitatiedag. Er komen vijf vrouwen en een man zich van hun beste kant laten zien. Het is een gemengd gezelschap – een moeder die zich voor het eerst weer op de arbeidsmarkt begeeft, twee zijn er net afgestudeerd, een financiële adviseur die totaal iets anders wil gaan doen, een pas boventallig geworden secretaresse en een oudere dame wier jongste kind net is gaan studeren, zodat ze zich een beetje stuurloos voelt. Wat Melanie en Joshua van die laatste kandidaat zullen vinden weet ik nog niet zo net. Ik heb het gevoel dat ze een of ander jong ding verwachten dat ze nog kunnen vormen. Maar ik geloof heel erg dat je iedereen een eerlijke kans moet geven, hoe oud of onervaren hij of zij ook is. Je weet maar nooit wat voor talent je op die manier opduikelt.

De eerste, Marie, blijkt een lichte teleurstelling. Zij is de moeder die weer aan het werk wil nu haar dochtertje naar school gaat – een situatie die zo veel weg heeft van de mijne dat ik haar dolgraag leuk wil vinden. Maar ze heeft een zeurderig Londens accent waar ik na een paar uur al knettergek van zou worden. Ze lijkt wel behoorlijk gebrand op de baan, maar ze is ook vrij saai. Ik heb het gevoel dat ze net zo lief op een accountantskantoor zou werken als voor een impresariaat, terwijl het mij juist belangrijk lijkt dat wie hier komt werken even verliefd is op dit wereldje als wij. Als ik haar doorstuur naar het triumviraat streep ik haar naam in gedachten door. Dan komen Annie, de financiële adviseur die een beetje met zichzelf is ingenomen en die me niet de indruk geeft dat ze graag kopjes thee zet voor anderen, en Amita, de secretaresse die net is weggesaneerd (*directie*secretaresse, zegt ze een paar keer met klem, alsof mij dat wat uitmaakt), maar die lijkt me nogal een wijsneus. Ik denk dat zij een heel strak contract wil waarin precies staat omschreven wat wel en wat niet tot haar takenpakket hoort (de Tweede Telefoonoorlog lijkt me niet ver weg met haar erbij). Ze zegt een paar keer dingen als: 'Zo deden wij dat niet bij MacReedy's', de verzekeringsmaatschappij waar ze voor werkte. Ik moet dan ook op mijn tong bijten om niet iets te zeggen als: 'Het interesseert mij geen moer hoe ze het bij MacReedy's deden.' Als ik haar ons archief laat zien – en ons systeem laat inderdaad wel iets te wensen over – zegt ze: 'Dat moet ik reorganiseren', en ik besluit dat ik haar haat.

Ik probeer haar net uit te leggen dat het ons allemaal goed bevalt zoals wij het hier hebben geregeld, als de telefoon gaat. Ik moet alle telefoontjes beantwoorden terwijl ik met de kandidaten spreek, en in zekere zin is dat wel nuttig, want zo krijgen ze een goede indruk van wat de baan behelst. Ik regel voor hun ogen een auditie. Ik beantwoord een telefoontje van iemand van *Reddington Road* die me vertelt dat een van hun schrijvers is uitgevallen door ziekte en dat ze daarom hebben besloten – 'besloten' betekent eigenlijk dat ze met hun handen in het haar zitten en dat verder iedereen het te druk heeft – om Craig de kans te geven een echte aflevering te schrijven. Ik wimpel handig een aanbod af van iemand bij een castingnieuwsbrief, die onze cliënten laat betalen in ruil voor zinloze informatie over projecten, nauwelijks meer dan ideeën, in feite, laat staan dat ze al zover zijn dat er gecast gaat worden. Nee, zeg ik, geen van onze schrijvers of regisseurs heeft iets interessants in de pijplijn. Eén foutje, één brokje premature informatie en ze bombarderen het kantoor wekenlang met foto's en cv's van hoopvolle acteurs en actrices op zoek naar een niet-bestaand baantje. Na elk telefoontje vertel ik de kandidaat die er toevallig getuige van was wat er zojuist precies gebeurde, en leg ik uit hoe je zoiets het best kunt afhandelen. De vierde keer dat er wordt gebeld ben ik gewoon blij dat ik niet meer hoef te luisteren naar Amita die mij vertelt hoe waardeloos wij zijn.

'Eens even kijken wat dit is,' zeg ik, groeiend in mijn rol als mentor. 'Mortimer and Sheedy,' zeg ik op mijn allerzangerigst.

'En, ben je nou tevreden?' blaft een mannenstem op zo'n agressieve toon dat het even duurt voor ik weet wie het is. Alex. Ik schrik zo van zijn woede dat ik niet reageer. Ik voel Amita naar me kijken.

'Doe maar niet net of je er niet bent,' gromt hij na een korte stilte. Ik kom met een schok bij mijn positieven.

'Ik heb het druk, Alex.'

'Jij hebt je zin gekregen, oké? Lorna hoeft me niet meer.'

Ik zou dolgelukkig moeten zijn. Dit is immers het antwoord op al mijn gebeden. Ik was alleen nooit van plan geweest om hen eigenhandig uit elkaar te halen.

'Jij bent een rancuneuze bitch, Rebecca,' zegt hij. 'Ik hoop dat je nog met jezelf kunt leven.'

Ik wil zeggen: 'Ho, ho, wie was ook alweer degene die mij vertelde dat hij altijd al van mij heeft gehouden, om vervolgens op dezelfde dag Lorna mee uit te vragen? Wie was ook alweer degene die verkering met haar nam uit rancune tegen mij? Doe dus maar niet net alsof ik verantwoordelijk ben voor het einde van de allermooiste romance ooit', maar Amita kijkt me verwachtingsvol aan, dus ik moet uiteraard mijn mond houden. In plaats van die dingen zeg ik: 'Ik kan er nu helaas niets over zeggen. We zullen het nog wel eens bespreken als jij er iets rationeler in zit'. En ik hang op.

'Mag je privégesprekken voeren op kantoor? Bij MacReedy's deden we dat nooit. Dat werd daar als uiterst onprofessioneel gezien. En terecht, mijns inziens,' zegt Amita hoogdravend, en ik haat haar nog meer.

Ik probeer het juiste spoor weer te vinden, maar ik ben zo in de war van het venijn in Alex' stem dat ik me moeilijk kan concentreren. Gelukkig word ik gered door het vertrek van Annie. Melanie brengt haar weg en ik stel haar voor aan Amita en ga weer zitten en wacht op de volgende. Melanie en ik voeren steeds een ingewikkeld duim-omhoog/duim-omlaag ritueel uit, achter de rug van de kandidaat om, en dit keer prik ik mijn duim een paar keer omlaag, als een wraakgierige Romeinse keizer, omdat ik haar duidelijk wil maken hoe ongeschikt Amita in mijn ogen precies is.

Amita wordt gevolgd door een van de twee pas afgestudeerden, Nadeem, die dolgraag deze business in wil, zo vertelt hij mij. Hij is gek op toneel en hij is helemaal onder de indruk van het kantoor. Ik vind hem leuk. En het tweede jonkie, Carla, is dat ook. Ze is wat stil, wil graag van alles weten, weet niet precies welke kant ze op wil maar is zeker geïnteresseerd in wat wij hier doen, dus ik krijg een positief gevoel bij haar. Geen van beiden heeft echt ervaring, maar ze krijgen wel allebei een voorzichtige duim omhoog voor ze naar binnen gaan.

Maar het is Kay voor wie ik pas echt warm loop. Ik heb haar niet goed ingeschat toen ik aannam dat ze al tegen haar pensioen aan zat. Ze is pas midden veertig, realiseer ik me als ze binnenloopt. Ze heeft gewoon vroeg kinderen gekregen. Toen ze in de twintig was, voor ze haar eerste kind kreeg, heeft ze even achter de kassa bij een theater gewerkt. Ze vond het baantje niet veel soeps, vertelde ze, maar ze vond het wel geweldig om het theater in te kunnen glippen en alle nieuwe producties te kunnen zien. Ze heeft nooit een carrière overwogen omdat ze altijd al wist dat ze graag kinderen wilde hebben en thuis wilde blijven om voor ze te zorgen. En nu heeft ze het gevoel dat ze niet echt meer een doel heeft in het leven. Ze is niet langer nodig als moeder, en haar huwelijk is al lang geleden gestrand. Ze wil nu eindelijk zichzelf eens op de eerste plaats zetten en werken in een bedrijfstak waar ze echt van houdt. Het kan haar niet schelen hoe simpel de taken zijn, ze wil gewoon weer eens het gevoel hebben dat ze ergens bij hoort.

Ze is nuchter en slim. Ik merk dat ik zin heb om de tranen te laten stromen en haar alles te vertellen over de idiote puinhoop waar ik mijzelf en alle anderen in heb geholpen. Ik heb het gevoel dat ze een vriendin zou kunnen worden. Mijn duimen steken al de lucht in voor ze zich zelfs maar heeft omgedraaid.

Zodra Kay weg is, sluiten Melanie, Joshua en Lorna zich op en ik moet me inhouden om niet een glas tegen de deur aan te drukken om ze af te luisteren. Ik wil hen dolgraag zeggen wat ik ervan denk en goddank heeft Melanie me nog hoog genoeg zitten om me binnen te vragen en mijn licht over de zaak te laten schijnen.

'We twijfelen tussen Amita en Kay,' zegt ze. 'We dachten dat jij ons misschien wel kon helpen om de knoop door te hakken, aangezien je over hen allebei een nogal uitgesproken mening had.'

Jemig, dus Amita is nog in de running? Hoe is dat nou mogelijk? Ik loop naar de andere kamer. Lorna kijkt me niet eens aan en na mijn gesprek met Alex durf ik niet meer haar kant op te kijken, dus de sfeer is nog meer gespannen dan anders.

'En?' vraagt Joshua. 'Wat vind jij ervan?'

Ik weeg mijn woorden zorgvuldig af. 'Kay spreekt me aan,' zeg ik. 'Ze lijkt me intelligent en gemotiveerd. En ik denk dat we het goed kunnen vinden,' voeg ik eraan toe. Ze zullen toch niet nog eens iemand binnen willen halen met wie ik niet door één deur kan?

'En we hadden de indruk dat je minder te spreken bent over Amita,' zegt Melanie. Ik knik. Wat ik ook zeg, nu, ik moet zorgen dat zij nu niet goed uit de verf komt.

'Ze is nogal…' Wat? Efficiënt? Ervaren? Consciëntieus? '…ik heb het gevoel dat we onze handen vol zouden krijgen aan haar,' is het beste wat ik kan verzinnen. 'Ik weet niet zo zeker of zij wel bereid is om haar handen uit de mouwen te steken en alles aan te pakken wat er moet gebeuren.' Handen uit de mouwen staat hoog in het vaandel bij Mortimer and Sheedy.

'Hm, daar waren wij inderdaad ook al bang voor,' zegt Joshua, en ik neem aan dat hij met 'wij' duidt op Melanie en zichzelf, want Melanie is de enige die knikt. 'Jij zag Amita juist heel erg zitten, of niet, Lorna?'

O, leuk, dus nu ben ik alweer op Lorna's tenen gaan staan, zonder het te weten. Hoewel het me niet verbaast dat zij de voorkeur geeft aan Amita. Ze wil een secretaresse met een zekere uitstraling. Dat is goed voor haar eigen status.

'Ja,' zegt ze, en ik dwing mezelf om haar aan te kijken omdat ik niet onbeschoft wil lijken. Ik schrik van wat ik zie. Ik ben wel gewend aan de net weer single Lorna met de rode ogen, maar deze versie ziet eruit alsof ze dagen achtereen heeft gehuild. En de tranen of het slaapgebrek hebben donkere geulen onder haar ogen getrokken. Zo te zien heeft ze geen make-up op en haar kapsel is een puinhoop. Uit schuldgevoel kijk ik weg.

'Ik denk dat we wel wat modernisering kunnen gebruiken. Het zou hier en daar wel wat efficiënter kunnen,' vervolgt ze, en ik weet dat ze bedoelt te zeggen, weinig subtiel, dat je aan mij niks hebt en dat ze iemand nodig hebben die mij eens flink achter de vodden zit. Maar ze heeft niet goed genoeg nagedacht over haar argumentatie. Want zo ongeveer het ergste wat je tegen Joshua kunt zeggen is dat Mortimer and Sheedy mee moet met de eenentwintigste eeuw. Hij heeft niet eens een mobieltje. Ik hou me koest, want ik wil haar niet nog meer tegen de haren in strijken, en ik wacht af.

'Volgens mij rommelen wij zo heel aardig aan,' zegt Joshua, en ik weet dat ze de juiste beslissing gaan nemen. Juist voor mij, in elk geval. In werkelijkheid zou de bezem inderdaad wel eens flink door Mortimer and Sheedy mogen worden gehaald. Het kan waarschijnlijk allemaal een stuk efficiënter, en we zouden meer kunnen verdienen – alleen zou het dan lang zo fijn niet zijn om hier te werken.

'Laten we Kay een proeftijd van een maand geven,' zegt hij. 'Lorna, wil jij haar bellen met het goede nieuws?'

Ik slaak een zucht van verlichting. Joshua kan een arrogante ouwe patriarch zijn, maar dat is soms precies wat je nodig hebt.

Als ik de kamer uit loop schenkt Lorna me een blik waar zo'n intense weerzin uit spreekt dat ik er bijna van ineenkrimp. Terug op de receptie denk ik na over wat er allemaal is gebeurd. Het verbaast me eerlijk gezegd dat Lorna Alex heeft gedumpt. Ik wist wel dat ik haar had geraakt, en ik wist geloof ik ook wel – en ik hoopte het toen eerlijk gezegd zelfs – dat mijn onthulling wel wat problemen tussen hen zou geven maar ik had nooit gedacht dat ze het in zich had om zelf een eind aan een relatie te maken. Ik nam altijd aan dat al die keren dat ze hier met rode ogen rondliep werden veroorzaakt door de man die ze op dat moment aan de haak had. Dat die zich uit de voeten had gemaakt voor het te laat was. Misschien had ze wel nooit zulke sterke gevoelens voor Alex als ze voorgaf. Als we van het gebruikelijke patroon mogen uitgaan, dan zal ze een paar dagen huilerig blijven, en dan gaat ze weer door naar de volgende. En hopelijk komt Kay vanaf volgende week om als menselijke buffer tussen ons te fungeren; dan wordt het hier vast snel weer zoals het was.

Alex is een totaal ander verhaal. Ik weet niet of onze vriendschap ooit nog kan worden wat het was, en ik weet ook niet of ik dat nog wel wil. Ik weet niet eens of ik het nog wel een kans wil geven. Ik heb de afgelopen maanden trekjes van hem gezien die mij helemaal niet aanstaan. Trekjes waarin ik hem nauwelijks nog herken. Hij lijkt in bijna niets meer op die grappige, onstuitbare grappenmaker die altijd overal voor in was, en met wie ik zo lang zo close ben geweest. Ik weet dat hij kwaad is, en ik begrijp ook waarom. Ik heb doorverteld dat hij heeft geprobeerd me te verleiden, en ik weet zeker dat hij dacht dat ik dat voor altijd geheim zou houden. Hij komt er wel overheen. Maar of ik ooit over het feit heen kom dat hij het überhaupt in zijn hoofd haalde om me te versieren, en over de manier waarop hij me sindsdien heeft behandeld, dat is een tweede. Laat staan de manier waarop hij Isabel heeft behandeld. De dingen die hij tegen me heeft gezegd zal ik nooit vergeten; zijn kinderachtige, opzettelijke wraak door Lorna mee uit te vragen, alle verhalen die hij haar heeft verteld, en de manier waarop hij mijn baan in feite op het spel heeft gezet.

Ik weet niet, misschien was onze vriendschap wel nooit echt zo diep, als hij in staat is om me zo te kwetsen. Nu het allemaal achter de rug is, ben ik een beetje de kluts kwijt door alles. Ik zou wel een potje willen janken. Het is net alsof ik het al die tijd heb opgekropt en ik het nu de vrije loop kan laten. Maar ik word niet zo iemand die aan haar bureau gaat zitten sniffen tot er iemand langskomt die vraagt of het wel goed met haar gaat. Tenminste, dat wil ik proberen. Het is alleen makkelijker gezegd dan gedaan.

15

DAN GAAT VANAVOND MET ALEX naar de kroeg. Dat kondigt hij aan als ik de deur binnenkom.
'Het is uit tussen hem en Lorna,' zegt hij. 'Hij klinkt beroerd. Vind je het erg?'

'Tuurlijk niet.' Ik kus hem op zijn wang om te demonstreren dat ik het echt niet erg vind.

'Waarom ga je anders niet mee?' vraagt Dan. 'Jij bent er altijd zo goed in om Alex op te vrolijken. Hij vindt het hartstikke fijn om je te zien.'

Dat kon wel eens tegenvallen, denk ik, maar ik zeg: 'En de kinderen dan? Het is veel te kort dag om nu nog een oppas te regelen.' Ik probeer teleurgesteld te klinken. Maar ik ben ook bang dat Alex zijn hart gaat uitstorten bij Dan. Joost mag weten welke versie van de werkelijkheid hij hem op de mouw speldt als hij te veel drinkt. Maar ik hoop ergens ook dat het hierbij blijft. Dat hij zijn verdriet om Lorna gaat verdrinken en dat hij dan weer door kan. Lorna is voorgoed uit beeld, en Alex en ik kunnen eens rustig de schade opnemen.

Zoe, William en ik kijken een poosje naar de televisie, maar ik merk dat ik me moeilijk kan concentreren. Tegen de tijd dat Dan weer thuiskomt, sta ik nog net niet te stuiteren in de zitkamer, zo benieuwd ben ik.

'En,' vraag ik, 'hoe ging het met hem?'

'Hij heeft er kennelijk een flinke knauw van gekregen,' zegt Dan, die wat van een kliekje pasta snoept. 'Volgens mij vond hij haar echt leuk.'

Ik snuif. Gelukkig hoort Dan het niet. Ik aarzel over mijn volgende vraag, maar ik moet het weten, dus waag ik het erop.

'Waarom zijn ze eigenlijk… weet jij dat?' Ik kan hem niet aankijken.

'Uit elkaar? Ik heb eigenlijk geen idee.'

Ik adem langzaam weer uit.

'Zij heeft het uitgemaakt, dat weet ik wel. Hij zei dat het allemaal één groot misverstand is, dat zij het overdrijft. Dus ik zei, nou, in dat geval kun je het dus weer goedmaken, en haar ervan overtuigen dat ze het bij het verkeerde eind heeft. Maar daar wil hij niks van horen.'

'Misschien dikt hij het allemaal wat aan,' zeg ik, onmetelijk opgelucht dat ik mezelf nu niet hoef te verdedigen. 'Je kent hem toch.'

'Ik vind het vreselijk om hem zo te zien.' Dan schenkt ons allebei een glas merlot in.

'Het zat eraan te komen,' zeg ik. 'Het is veel te snel na Isabel, en hij is nog niet klaar voor nieuwe relaties. Misschien was zij wel gewoon zijn overgangsvrouw, en kan hij nu iemand ontmoeten die wat… beter bij hem past.'

Dan lacht. 'Iemand die jij wel mag, bedoel je.'

Ik glimlach. Was het maar zo eenvoudig, dat Alex een leuke vrouw zou ontmoeten en dat alles weer bij het oude was. 'Precies,' antwoord ik.

Voor een geheim is het mijne niet eens zo groot of heftig, maar ik haat het om geheimen te hebben. Ik probeer mezelf gerust te stellen door te denken dat het beter is voor Dan en voor zijn vriendschap met Alex, maar het zit me toch niet lekker. Vroeger op school was ik altijd degene die haar hand opstak als de leraar vroeg wie het had gedaan. Ik kan me zelfs herinneren dat ik de schuld op me nam toen Pauline Cooper in een plas was geduwd, ook al had ik het niet gedaan. Andrew Eldon had het gedaan. Maar ik trok de spanning niet toen onze mentor, mevrouw Harding, aan de klas vroeg wie dat op zijn geweten had. Niet dat ik Andrew Eldon zijn straf wilde besparen (het gejoel 'je bent verlie-hiefd, je wilt hem zoeoeoe-nen' was daarna niet van de lucht), ik wilde alleen die spanning doorbreken. Ik ben nooit bang geweest voor straf. Verdiend of onverdiend. Tot nu toe, dus. En dat komt doordat ik niet degene ben die het ergst geraakt wordt als de waarheid aan het licht komt. Dat is Dan. En dat laat ik niet gebeuren. Dus trek ik het juiste gezicht om aan te geven dat het zo jammer is dat Alex en Lorna uit elkaar zijn en dat ik zo met Alex te doen heb, maar diep vanbinnen begint er iets van optimisme te groeien. Oké, dus de relatie tussen mij en Alex komt niet vanzelf goed, maar ik heb nu tenminste maar één iemand in mijn vriendenkring die me haat. Dat valt dus reuze mee.

Isabel belt me de volgende morgen als ik nog maar net op kantoor ben.

'Wist jij dat Alex en Lorna uit elkaar zijn?' vraagt ze na de nodige plichtplegingen.

'Ja,' zeg ik. 'Van wie weet jij het?'

'Van de meisjes. Ze zijn dolblij.'

Ik schiet in de lach. 'En hoe is hij er zelf onder?' vraagt ze voor ik verder iets kan zeggen. Ondanks alles maakt Isabel zich altijd nog eerst zorgen om Alex.

'Ach, je weet hoe dat gaat,' zeg ik. 'Ik geloof niet dat hij er echt mee zit.'

'Echt niet?' zegt ze, hengelend naar meer. 'Ik dacht anders dat hij behoorlijk gek op haar was.'

'Hij komt er wel weer overheen,' zeg ik hardvochtig.

Ik besef dat op het werk niet alles zo soepeltjes weer bij het oude wordt als ik had gehoopt, wanneer ik op de receptie word opgevangen door Joshua en Melanie, die eruitzien als twee agenten met slecht nieuws.

'Goedemorgen,' zeg ik gespannen, en ik rommel wat op mijn bureau, in afwachting van wat ze me te zeggen hebben.

'Heb je even?' vraagt Joshua en hij doet de deur naar de gang dicht, zodat ik niet kan ontsnappen. Ik vraag me af wat ze zouden doen als ik zou zeggen: 'Nee, dat heb ik niet. Ik ben druk. Jullie moeten maar een afspraak maken.'

'Tuurlijk. Wat is er aan de hand?' Ik ga achter mijn bureau zitten. Joshua en Melanie kijken elkaar aan. Het is duidelijk dat ze niet hebben besproken hoe ze dit aan gaan pakken – wie de *good cop* is en wie de *bad cop*. Joshua kijkt naar de grond, waarmee hij aangeeft dat hij als de senior partner het vuile werk overlaat aan Melanie.

'Het zit zo, Rebecca,' zegt ze zodra ze de hint heeft begrepen. 'Lorna heeft ons iets verteld en wij willen nu graag jouw kant van het verhaal horen. Ze is erg overstuur.'

Ik schrik me een ongeluk. Ik had al zo'n vermoeden dat Lorna erachter zat, wat er verder ook maar aan de hand is, maar ik neem aan dat een klacht als 'Rebecca zei dat mijn vriendje niet van me houdt' zakelijk geen hout snijdt. Ik durf niks inhoudelijks te zeggen, dus ik reageer met: 'Ja…?' en wacht af waar Melanie mee komt.

'Ze heeft een klacht ingediend, een officiële klacht zou je denk ik kunnen zeggen…'

Ik wil haar onderbreken, maar ik hou me in. Hoe bedoelt ze, een officiële klacht? Wat is dit voor onzin? Sinds wanneer hebben Mortimer and Sheedy een officiële klachtenprocedure? Ik voel dat ik rood aanloop. Ik neem een slok uit mijn flesje Evian en probeer kalm te lijken.

'Je weet dat we dol op je zijn, maar we moeten dit serieus nemen. Er is veel spanning tussen jullie en daardoor heerst er hier een verschrikkelijke sfeer.'

Melanie zwijgt alsof ze verwacht dat ik iets ga zeggen.

'Waar heeft ze dan over geklaagd?' vraag ik en ik weet dat het er agressiever uitkomt dan ik wilde. Melanie aarzelt en ik heb een beetje met haar te doen. Ik zou het niet nog moeilijker voor haar moeten maken dan het al is. Ik probeer wat vriendelijker te kijken, maar mijn gezicht werkt niet mee. Joshua, die duidelijk het wachten beu is, besluit om to the point te komen.

'Lorna denkt dat jij haar e-mail bekijkt als ze niet op kantoor is en dat je persoonlijke dingen uit die mails doorvertelt aan anderen.'

Wow. Dat had ik dus niet verwacht. Dat is echt ontzettend laag van haar. Oké, als ze het zo wil spelen.

'Wat?' Ik doe mijn best gekwetst-verbijsterd te kijken (en ik dank de Heer voor mijn driejarige toneelcursus). Ze kijken een tikje verward nu ik niet met een bekentenis kom. Meestal ben ik maar al te graag bereid om mijn tekortkomingen op te biechten.

Melanie glimlacht zenuwachtig. 'Ze zei dat die vriend van jou met wie zij iets heeft, Alex, het haar heeft verteld.'

'Alex en ik hebben een poos geleden ruzie gehad,' zeg ik, en ik doe mijn best oogcontact te houden. Ik dwing mezelf om niet naar links en omlaag te kijken, want dat betekent geloof ik dat je liegt. Of was het nou rechts en omlaag? Hoe dan ook, ik probeer om mijn blik zo strak mogelijk te houden en zeg: 'Hij kan ontzettend vals zijn. Ik neem aan dat dit zijn manier is om me terug te pakken. Hoewel ik eerlijk gezegd dit soort wraakzucht niet achter hem had gezocht.'

'Dus het is niet waar?' zegt Joshua, en hij lijkt opgelucht.

'Nee! Natuurlijk niet. Zoiets zou ik nooit doen.'

'Nou, dat is dan hopelijk opgelost. Het spijt me dat we je zo voor het blok hebben gezet, maar Lorna was zo vreselijk over haar toeren en we zijn verplicht om te proberen iedereen tevreden te houden,' zegt Joshua doodleuk.

'Heeft ze ook gezegd wat voor privédingen ik zogenaamd heb bekeken?' Ik kan het niet helpen. Het idee dat een van hen nu zou moeten zeggen: 'O, nou, ze zei dat jij je vrienden hebt verteld dat ze haar clitoris haar "boontje" noemt,' is te leuk.

Geen van beiden neemt de moeite die vraag te beantwoorden, maar Melanie zegt: 'Wat verschrikkelijk. Hij lijkt me bepaald geen aardige man.'

'Ik geloof dat ze uit elkaar zijn,' zeg ik. 'Ik denk dat dat ook de reden is waarom Lorna er de laatste tijd zo ongelukkig uitziet. Dat heeft dus niets te maken met haar en mij.' Ik probeer dit op zo'n manier te brengen dat erin doorklinkt dat Lorna misschien ietsje minder rationeel is dan normaal en dat ze wat eerder geneigd is om zelf ook wild om zich heen te slaan met beschuldigingen. Joshua, die het nooit zo fijn vindt als het gesprek een persoonlijke wending neemt, loopt naar zijn kantoor. Dit boek is dicht, wat hem betreft. Maar Melanie is nieuwsgierig en wil de *dirty details*, die ik haar niet wil geven.

'Zoals ik al zei,' zeg ik als ze aandringt, 'Alex en ik kunnen het momenteel ook niet echt goed met elkaar vinden, en dit heb ik ook maar via Dan gehoord. Ik heb geen idee wat er is gebeurd.'

'Nou, mij dunkt dat dit maar het beste is,' zegt ze, en dan kan ze tot haar opluchting weer aan het werk. Godzijdank zijn mijn bazen niet zo heetgebakerd, en zijn ze goed van vertrouwen, en willen ze allebei zo graag dat alles weer goed is in hun eigen kleine wereldje, en godzijdank hebben ze het speurderstalent van... enfin, van twee impresario's die het verder eigenlijk geen bal kan schelen. Ik baal er wel van dat ik recht in hun gezicht heb moeten liegen. En zo goed kan ik niet liegen. Nooit gekund. En ik wil ook helemaal niet goed kunnen liegen. Ik heb ook nooit mijn best gedaan om die vaardigheid te ontwikkelen. Goede voornemens – leren breien, Italiaans leren en leren bedriegen. Maar ja, het is nu een kwestie van *survival of the fittest*.

Een paar minuten later komt Lorna vol zelfvertrouwen binnen, tien minuten later dan normaal. Als ze door de deur van de receptie komt weet ik zeker dat ik haar in mijn richting zie grijnzen, en dus wacht ik met ingehouden adem terwijl zij zich opsluit met Melanie. Na een paar seconden hoor ik iemand schreeuwen, en aan de licht hysterische toon te oordelen zou ik zeggen dat het Lorna is. Ik kan niet verstaan wat ze zegt, maar ik kan me er wel wat bij voorstellen. Een paar minuten later hoor ik een deur dichtslaan en komt ze voorbij stormen. Lafaard die ik ben, pak ik de telefoon en doe net of ik midden in een gesprek zit, tot ze veilig en wel in haar eigen kantoortje zit. Die slag is aan mij.

Ik weet nog steeds niet wat ik met Alex aan moet. Toen hij belde zei ik dat ik hem later terug zou bellen en dat heb ik uiteraard niet gedaan. Dat kan niet. Ik zou niet weten wat ik tegen hem moest zeggen. Maar als ik er te veel tijd overheen laat gaan, ben ik bang dat we nooit meer normaal tegen elkaar kunnen doen, en dat er altijd een nare sfeer blijft hangen. Ik pak de telefoon op en toets zijn nummer voor ik de kans heb om op andere gedachten te komen. Hij neemt meteen op, en mijn hart begint keihard te bonzen. Ik moet iets zeggen, wat dan ook, om weer een brug naar hem te slaan. Niet omdat ik denk dat we ooit weer vrienden kunnen worden, want zo naïef ben ik niet. Het moet vanwege Dan, we moeten een manier vinden om te kunnen functioneren zodat hun vriendschap gewoon door kan gaan.

'Alex…' zeg ik, maar voor ik verder kan gaan, onderbreekt hij me. 'Ik heb jou niks te zeggen.'

'Ik weet wel dat het tussen ons niet meer goed komt,' zeg ik, 'maar ik wil dat je gelooft dat het nooit mijn bedoeling was dat jullie relatie zou uitgaan. Ik weet dat je je verschrikkelijk voelt over Lorna…'

'Zal ik je eens wat zeggen, ik vond haar leuk,' zegt hij hatelijk. 'Ik weet wel dat dat niet in jouw straatje te pas komt, maar ik vond haar echt leuk. Ze was wel niet de liefde van mijn leven, maar het was aan mij om daar iets mee te doen, niet aan jou. Het kan me geen moer schelen dat ze me heeft gedumpt, om je de waarheid te zeggen, maar wat me wel iets kan schelen is dat ze me heeft gedumpt vanwege jou. Wie denk jij goddomme wel dat je bent?'

'We moeten maar…' begin ik, maar dan hoor ik de pieptoon, zodat ik weet dat hij al heeft opgehangen.

Een paar weken geleden zou ik dolgelukkig zijn geweest dat Alex en

Lorna niet meer bij elkaar waren. Misschien zou hij dan wel weer bij zijn positieven komen, zich realiseren wat hij allemaal heeft opgegeven en teruggaan naar Isabel. Ik heb er nooit aan getwijfeld dat zij hem wel weer terug zou nemen. Maar nu blijkt dat allemaal niet zo simpel te liggen. Alex – deze agressieve, hatelijke versie van hem – wens ik niemand toe. Tenminste, niet iemand die ik mag.

Isabel en ik hebben afgesproken voor een borrel na het werk. We vechten ons een weg door de mensenmassa in de Red Lion op Kingly Street en weten twee krukken te bemachtigen bij de open haard. Eerst lijkt dat een godsgeschenk, maar al snel beginnen we te zweten en dan begrijpen we waarom niemand die krukken had ingepikt. Toch blijven we liever zitten dan dat we in de meute gaan staan, en we proberen zo ver mogelijk bij het vuur vandaan te blijven zonder andere mensen lastig te vallen.

Ze ziet er goed uit. Beter dan ze er in weken heeft uitgezien, eigenlijk, en ik kom er al snel achter hoe dat komt.

We zitten nog niet, of ze zegt ademloos: 'Ik heb iemand leren kennen. Ik wilde het je zo graag vertellen, maar ik vond dat ik moest wachten tot ik hem een paar keer had gezien, weet je wel, voor het geval het toch niks werd.'

Ik ben een paar tellen sprakeloos. Heeft ze nu al iemand anders? Hoe kan dat nou? Ik dacht altijd dat je dramatisch minder aanbod had als je de veertig gepasseerd was. Alle normale mensen zijn dan getrouwd of op zijn minst gesetteld. En degenen die dan nog overblijven, zijn niet voor niets nog single – die zijn sociaal onaangepast, bijvoorbeeld, of, god verhoede, psychopaat. Moederskindjes en nichten die te benauwd zijn om uit de kast te komen. Maar kennelijk zie ik dat dus verkeerd. Er zijn de pas gescheiden mannen, en de mannen die het huwelijksbootje hebben gemist doordat ze het te druk hadden met hun carrière. Een doelgroep waarvan ik me nooit realiseerde dat hij bestond.

Isabels nieuwe man hoort bij de groep van de bijna-pas-gescheiden kerels. Ze hebben elkaar ontmoet bij een ouderavond op school, vertelt ze me. Hij stond te wachten op een afspraak met juffrouw Farley Evans. Zij fladderde wat rond als een postduif die de weg kwijt was, op zoek naar het tafeltje van meneer Leach, de meester van de meisjes.

Toen heeft een man haar de weg gewezen. Ze bedankte hem, en omdat hij zo knap en aardig was, schonk ze hem haar allerliefste dankbare glimlach. Hij vroeg haar van wie ze de moeder was, en zo raakten ze aan de praat.

'Waar was Alex dan?' onderbreek ik haar. Er is veel mis met Alex, maar hij is een goede vader en ouderavonden mist hij nooit.

'Die had een of andere crisis met Lorna,' zegt ze, en ze rolt met haar ogen. 'Hij belde op het allerlaatste moment af. Het was rond de tijd dat ze uit elkaar zijn gegaan, dus dat is dan wel een goed excuus, denk ik.'

'Hm…' zeg ik neutraal. 'Misschien.'

'Gaat het goed met hem, trouwens?' vraagt ze dan, en ik haal mijn schouders op en zeg: 'Wat kan ons dat schelen?' En dan lacht ze weer.

'Anyway,' zeg ik, 'we hadden het over je nieuwe man. Hoe heet hij?'

'Luke. Hij zit midden in een scheiding, vandaar dat hij ook alleen naar de ouderavond was. Kennelijk trekken ze het niet om samen in dezelfde ruimte te zijn. Hij heeft een zoontje van tien, en hij doet iets financieels, maar wat, begrijp ik nog niet helemaal.'

'En toen?' vraag ik. 'Kom op, laat mij ook eens meegenieten. Dus hij vertelde waar meneer Leach zat, en wat gebeurde er toen?'

'Hij vroeg of ik zin had om daarna iets te gaan drinken, en ik zei ja.'

'Echt waar?'

Ik heb Isabel nooit als single gekend. Tenminste, een paar maanden maar, en dat is al ruim twintig jaar geleden. Ik kan me niet voorstellen dat zij ja zegt tegen een borrel met een knappe vent die ze pas net heeft ontmoet.'

'Ik dacht: wat is het ergste dat me kan gebeuren? De leraren op school leken hem allemaal te kennen. Als hij dus een maniak zou blijken te zijn, dan zou het hem niet meevallen om de sporen uit te wissen. Dus gingen we naar een kroeg aan het kanaal, en het was heel leuk. En toen vroeg hij of ik nog een keer wilde afspreken, en ik zei oké.'

'En?' vraag ik vol verwachting.

'En de tweede keer gingen we uit eten. La Petite Maison.'

'Daar wil ik altijd al een keer naartoe,' zeg ik jaloers. 'En verder?'

Ze kijkt een beetje koket, een blik die ik niet ken van Isabel.

'Verder… niks.'

Ik gil en een stel aan een tafeltje verderop kijkt misprijzend om. 'Niet waar! Dat heb je toch niet echt gedaan!'

'Sst,' zegt ze, en ze kijkt naar de mensen alsof die weten waar wij het over hebben. 'Nee, dat hebben we niet gedaan. Maar hij heeft me wel gezoend, en toen hebben we nog even in zijn auto gezeten. Je weet wel…'

'Izz!' zeg ik. 'Op je tweede afspraakje? En ik neem aan dat hij de eerste is sinds Alex?'

'Ja natuurlijk,' zegt ze verontwaardigd.

'Hoe was het? Nee, dat kan ik je natuurlijk niet vragen, je bent mijn vriendin. Vertel het maar niet.'

'Dat was ik ook niet van plan. Maar goed, hij heeft me thuisgebracht en dat was het verder.'

'En de volgende keer…? Ik neem aan dat er een volgende keer is?'

Ze glimlacht. 'Ik zie hem maandag weer. Hij moet morgen een paar dagen weg voor zaken. Hij is veel weg voor zijn werk. Voornamelijk Zwitserland en Brussel. En New York. Dus ik hoop dat ik er op zijn minst een paar leuke vakanties aan overhou.'

'Dus, maandag?'

'Maandag gaan we weer uit eten, en dan hoop ik dat hij met me mee naar huis gaat, ja.'

'O, mijn god! Hartstikke gaaf voor je,' zeg ik, en ik meen het. Als Isabel een nieuwe man heeft, dan overweegt ze dus helemaal niet meer om Alex terug te nemen.

'Ik hou je op de hoogte,' zegt ze. 'Hoewel het waarschijnlijk allemaal al voorbij is als ik je de volgende keer zie. Dan is hij me vast alweer zat en heeft hij iemand anders aan de haak…'

'Denk positief,' zeg ik. 'Er moeten toch nog goede mannen zijn, en misschien is Luke er daar wel eentje van.'

'Ik dacht altijd dat Alex er ook een was,' zegt Isabel, en ze kijkt peinzend in haar glas. 'Ik zou nooit zo lang met hem getrouwd zijn gebleven als ik dat niet had gedacht. Als ik niet had gedacht dat we het op de een of andere manier weer goed konden maken. Als ik niet had geloofd dat hij dat even graag wilde als ik.'

'Ach, nou ja, we maken allemaal zo onze fouten,' zeg ik en ik pak onze glazen en loop naar de bar om ze nog eens te laten vullen.

Als ik uit de metro kom en Caledonian Road op slinger merk ik dat ik dit niet meer zo goed kan hebben als vroeger. Isabel en ik doen altijd één keer per maand een borrel. Vroeger lieten we de kinderen achter bij hun vaders, en dan doken wij een paar uur de kroeg in om stoom af te blazen. Meestal stop ik na drie glazen, omdat ik niet zeker weet of ik anders nog wel heelhuids thuiskom, en omdat ik tegenwoordig zo'n beetje probeer om me aan de van overheidswege aanbevolen richtlijn voor alcoholconsumptie te houden. Maar vanavond heb ik mezelf er eentje extra gegund, omdat we zoveel bij te kletsen hadden. Ik ben niet echt dronken, maar om nu te zeggen dat ik een helder hoofd heb, dat ook weer niet. Dan zal nu de kinderen wel eten hebben gegeven en naar bed hebben gedelegeerd, dus ik hoef alleen nog maar te proberen om wakker te blijven om hem gezelschap te houden en nog een uurtje televisie met hem te kijken. Ik heb zelf nog niet gegeten, maar daar heb ik ook geen zin meer in. Misschien dat ik nog een glaasje wijn neem, denk ik overmoedig als ik de hoek om sla en onze straat in loop.

Ik ga naar binnen en loop direct door naar de zitkamer. Ik doe heel zachtjes, om de kinderen niet wakker te maken. Dan vindt het altijd grappig als ik aangeschoten ben, dus probeer ik het niet eens meer te verhullen. Maar vanavond zie ik dat hij niet erg geamuseerd lijkt, en dat werkt op slag ontnuchterend.

Ik blijf stokstijf staan als ik de uitdrukking op zijn gezicht zie, want die is op zijn zachtst gezegd ernstig.

'Is alles goed?' vraag ik.

'Lorna is hier geweest.'

'Lorna?'

'Ze zei dat ze me iets te vertellen had. Ik denk dat ze het jammer vond dat jij er niet was om het aan te horen.'

'Wat dan?' vraag ik. 'Wat had ze jou te zeggen?' Ik heb natuurlijk wel een idee wat dat zou kunnen zijn, maar met Lorna weet je het momenteel niet zeker. Dan schenkt me een flauwe glimlach. 'Ze wilde mij wijsmaken dat jij haar hebt gezegd dat Alex jou de liefde heeft verklaard. Dat hij een paar maanden geleden heeft geprobeerd om je te versieren, vlak voor hij haar mee uit vroeg.'

Hij kijkt me aan en hij wil dat ik nu zeg dat het niet waar is. Dat kan ik niet.

'Dan... dat is ook zo...' zeg ik met tegenzin.

Dan kijkt zo verbouwereerd dat ik naar hem toe moet lopen om mijn armen om hem heen te slaan. 'Alex...?' zegt hij, en hij trekt zich terug.

Ik knik. 'Hij was dronken, hij wist niet wat hij zei. Ik wilde het je best vertellen, maar ik dacht dat het door de drank kwam, en dat hij zich er wel heel slecht onder zou voelen als hij weer nuchter was. Ik wilde gewoon geen problemen tussen jullie. Ik dacht dat het maar het beste was voor iedereen als we zouden doen of het niet was gebeurd.'

'Alleen, je vond het wel van belang om het aan Lorna te vertellen? Zij zegt dat je haar hebt gezegd dat Alex nooit echt verliefd op haar kon zijn, omdat hij al verliefd op jou was.'

Hij heeft gelijk. Dat heb ik letterlijk tegen Lorna gezegd, en ik ga daarover niet liegen tegen Dan, maar misschien kan ik hem wel tegen de hele waarheid beschermen.

'Dat heb ik inderdaad tegen haar gezegd, vrees ik. Ik was kwaad. Ze was gruwelijk tegen mij geweest op het werk, en ik denk dat ik gewoon doorsloeg. Ik wilde haar kwetsen.' Bij het uitspreken van die woorden weet ik al dat ze heel zielig en weinig overtuigend klinken.

'Weet je wat het is,' zegt hij, 'ik voel me nu nogal dom. Alsof jullie met z'n allen een geheim hadden en ik de enige was die niet wist dat mijn beste vriend met mijn vrouw naar bed wilde.'

'Het spijt me, Dan. Ik dacht dat het juist goed was om het je niet te vertellen. Ik wilde je niet kwetsen.'

Hij neemt een ferme slok uit zijn glas. 'Wil je me dan nu vertellen wat er precies is gebeurd? En spaar me niet. Laat me zelf maar bepalen wat ik wel en niet aankan, oké?'

'Oké,' zeg ik, en ik vertel hem het hele verhaal van wat er die avond is gebeurd. Ik laat niets weg, zelfs niet dat Alex me vroeg om bij Dan weg te gaan. Als ik dat vertel komt er een uitdrukking op Dans gezicht die ik nog nooit heb gezien. Het is deels woede, deels intens verdriet. Ik aarzel en leg mijn hand op zijn arm.

'Ga door,' zegt hij. 'Wat gebeurde er toen?'

Ik ben blij dat ik honderd procent eerlijk kan zijn over mijn reactie op Alex' voorstel. Ik vertel Dan woordelijk wat ik heb gezegd, voor zover ik het me nog herinner.

De opluchting die ik even over zijn gezicht zie glijden, verraadt dat hij als de dood was dat ik er misschien ook nog op in was gegaan, en dat er echt iets was gebeurd tussen Alex en mij. Het was niet eens bij me opgekomen dat hij dat zou kunnen denken. Dat hij hier de hele avond heeft zitten piekeren over hoe zijn beste vriend en zijn vrouw hem hebben bedrogen.

Ik stel hem nog maar een keer gerust met de ondubbelzinnige aard van mijn afwijzing. 'Nog geen seconde. Nog niet de allerkleinste fractie van een seconde.'

Ik leg mijn hand op zijn knie en hij pakt hem in een van de zijne. 'Nou, dat is tenminste iets,' zegt hij. 'En hoe heeft hij daarop gerageerd?'

'Ik zei toch, hij was dronken, en ik denk dat hij het gevoel had dat hij voor paal stond. Weet je niet meer? Je vroeg je de volgende ochtend nog af waar hij was gebleven.'

Dan knikt en kijkt me dan recht in de ogen. 'En dat was het? Verder is er niks meer gebeurd?'

Ik zou de rest nu voor me kunnen houden. Dat was ik immers van plan, en achteraf had ik me er waarschijnlijk aan moeten houden.

Maar Dan ziet mijn aarzeling en zegt: 'De waarheid graag, Rebecca. Alsjeblieft,' en het dringt als een bliksemflits tot me door dat mijn loyaliteit bij hem hoort te liggen en nergens anders.

'Nee…' begin ik aarzelend. 'Er is nog iets gebeurd. Hij belde me de volgende dag en vroeg of ik mee ging lunchen zodat we het erover konden hebben.' Ik zwijg even en zie dat Dan wit wegtrekt.

'Dus toen was hij broodnuchter?' zegt hij, en ik knik. 'Ik geloof het wel. Ik moest er wel heen, want aan de telefoon praten kon niet, met Lorna erbij. Bovendien moest ik zeker weten dat mijn boodschap luid en duidelijk was overgekomen. Dat begrijp je toch wel, hè?'

'Ja,' zegt hij, want hij wil mij geen schuldgevoel bezorgen. 'Hij heeft je in een heel moeilijke positie gebracht.'

'Dus ik zag hem bij YO! Sushi. Want dat is een mooie open ruimte, zonder nisjes waar je kunt gaan zitten fluisteren. Ik heb herhaald wat ik hem de avond ervoor heb gezegd, dat hij het wel kon vergeten en dat ik geen interesse had. Ik was kwaad op hem, om wat hij jou aandeed. We hadden woorden, hebben zelfs niks gegeten, en toen ben ik gewoon weggegaan.'

'En hij wilde jou dus nog steeds de liefde verklaren? Hij wilde je nog steeds overhalen om bij me weg te gaan om er met hem vandoor te kunnen?'

'Ja. Het spijt me zo ontzettend, Dan.'

'Het is jouw schuld niet,' zegt hij, en hij kust me om aan te geven dat hij dat meent. 'Wat moet het vreselijk zijn geweest voor jou.'

'Dat was het eerlijk gezegd ook. Ik vond het verschrikkelijk om iets voor jou geheim te houden. Maar ik dacht, nou ja, jouw vriendschap met Alex is zo belangrijk voor je. Ik wilde niet degene zijn die dat voor je verpestte.'

'Dat heb jij ook niet gedaan. Dat heeft hij gedaan.' Dans gezicht verhardt en ik vraag me af wat hij nu doet, wat er nu gaat gebeuren.

'Dus daarom was je zo cynisch over hem en Lorna?'

Ik knik. 'Hij belde en vroeg haar mee uit, vlak na onze lunch. Ik vond het een beetje kinderachtig om mij zo terug te pakken. Hij wist dat ik een bloedhekel aan haar heb. En dan moet ik vijf minuten later zeker geloven dat zij zo vreselijk verliefd zijn.'

'Ik heb medelijden met haar,' zegt Dan, als altijd de redelijkheid zelve. 'Als hij haar zo heeft gebruikt. Jij niet?'

'Misschien,' zeg ik weinig overtuigend. 'Het is zo complex. Zodra ik denk dat ze misschien wel meevalt, doet ze iets waardoor ik haar toch weer haat.'

'Alex is in dit verhaal de enige schurk.'

'Shit, Dan. Het spijt me zo. Ik had het toch meteen aan je moeten vertellen.'

'Is dit de reden waarom hij bij Isabel is weggegaan, denk je? Vanwege zijn gevoelens voor jou?'

'Ik denk het. Tenminste, dat zei hij. Haar heb ik het trouwens ook niet verteld,' voeg ik er snel aan toe. Ik wil niet dat Dan denkt dat ik het hier achter zijn rug om over heb gehad, en ik wil ook niet dat hij er zelf met Izz over praat. 'Ik denk dat het beter is als zij er niets van weet.'

'Dat ben ik met je eens,' zegt hij.

'Wat ga je nu doen?' vraag ik.

'Wat denk je? Ik vermoord hem, die eikel.' Hij kijkt op zijn horloge. Ik op het mijne. Het is tien voor elf. 'Nu?'

'Nee,' zegt hij. 'Ik ga hem nu alleen nog even bellen alsof er niks aan de hand is, en dan nodig ik hem uit om morgenavond hier te komen. En dan vermoord ik hem.'

'Figuurlijk dan,' zeg ik. 'Met woorden bedoel ik. Niet letterlijk.'

'Figuurlijk,' antwoordt hij, en hij lacht grimmig. 'Hoewel letterlijk vermoorden wel een verleidelijk idee is.'

16

NU DE WAARHEID EINDELIJK BEKEND is, ook al is die nog zo moeilijk en akelig, heb ik het gevoel dat er een last van mijn schouders is gevallen. Wat Lorna ook hoopte te bereiken door Dan te vertellen wat ik had gezegd, het is hopeloos mislukt. Ze zal wel gedacht hebben dat Dan kwaad op me was dat ik het geheim had gehouden. Ik geloof niet dat ze het deed om hem te raken; hij is altijd zo lief en hartelijk voor haar geweest. Het is een vals loeder, maar zo vals is ze nu ook weer niet. Misschien dacht ze wel helemaal niet na, en wilde ze het gewoon kwijt. Alles er uitgooien en dan maar zien wat ervan kwam. Het meest waarschijnlijk is nog wel dat ze Alex terug wilde pakken. Dat ze datgene wilde verwoesten wat hem zogenaamd boven alles dierbaar was. Waarschijnlijk heeft ze helemaal niet stilgestaan bij de andere slachtoffers die ze hiermee zou maken.

Ik zeg niks tegen haar als ik haar de volgende dag op het werk zie. Die lol gun ik haar niet. We moeten op een gegeven moment wel weer iets tegen elkaar zeggen, en dat is jammer, want het ging net zo lekker met dat wederzijdse negeren. Terwijl Lorna met iemand in gesprek ik, neem ik een telefoontje aan van iemand van de scriptredactie van *Reddington Road*. Ze wil weten waarom Craig niet is komen opdagen bij de werkbespreking. Ik heb geen idee, en ik zet haar in de wacht waarna ik Craig vlug bel op zijn mobiel. Gelukkig neemt hij op, dus ik vraag hem hoe ver hij nog moet en hoe laat hij denkt er te zijn.

'Waar heb je het over?' vraagt hij. Ik hoor harde muziek op de achtergrond en wat gekletter van metaal.

'Waar ben je nu dan?'

'Ik ben op de sportschool,' zegt hij. 'Heb je nog wat gehoord van *Reddington Road*?'

'De werkbespreking,' zeg ik. 'Ze hebben verleden week gebeld omdat ze je willen boeken voor een echte aflevering.'

'Dat meen je niet!' zegt Craig. 'Waarom hoor ik dat nu pas? Wou je zeggen dat ik daar bij had moeten zitten?' Hij klinkt licht hysterisch. Ik weet niet wat ik nu moet doen. Tenzij Craig aan een soort vroegtijdige dementie lijdt, heeft Lorna duidelijk wat steken laten vallen en hem niet verteld over de allerbelangrijkste gebeurtenis in zijn nog korte carrière. Ik moet de schade zien te beperken.

'Craig,' zeg ik, 'geen paniek. Er is kennelijk iets misgegaan. Ik zal het uitzoeken en dan bel ik je terug. Het goede nieuws is in elke geval dat ze bij *Reddington Road* willen dat jij een echte aflevering gaat schrijven, dus dat is geweldig, toch?'

'Maar ik kan natuurlijk geen vergadering missen,' zegt hij in paniek, ondanks mijn eerdere verzoek. 'Niet bij mijn allereerste klus.'

'Laat je telefoon aanstaan,' zeg ik. 'Dan probeer ik erachter te komen hoe het zit.'

Lorna hangt nog altijd aan de lijn, dus pak ik de dame van *Reddington Road* weer op en vertel haar dat Craig heel erg ziek is. Dat zijn vriendin me zojuist meldde dat hij bazelt van de koorts en dat zij zelf niet wist dat hij vandaag een vergadering had, want dan had ze zelf wel gebeld. De vrouw is toch nog licht geïrriteerd. 'Ik heb echt mijn nek uitgestoken voor hem,' zegt ze, maar ze is wel zo redelijk om het excuus te slikken. Ik zeg dat Lorna haar meteen terugbelt zodra ze klaar is met haar andere gesprek, zodat ze iets kunnen afspreken.

Ik hoor geen stemmen achter Lorna's gesloten deur, daarom wacht ik even voor ik aanklop en mijn hoofd om de deur steek. Misschien was ze precies klaar met haar telefoontje in de vijfentwintig seconden die het mij kostte om van de receptie naar haar kamer te lopen. Als ik de deur opendoe zie ik Lorna voor zich uit staren, en ligt de hoorn van de haak op haar bureau. Ze schrikt als ze mij ziet en pakt dan de telefoon op en legt hem nonchalant op de haak alsof het iets volkomen acceptabels is om heel de ochtend met je telefoon van de haak in je kantoortje te zitten.

'Je moet kloppen,' zegt ze.

'Heb ik ook gedaan,' zeg ik. Er is nu echt geen tijd om ruzie te maken, dus ik stoom meteen door: 'Je hebt het waarschijnlijk niet gehoord.'

'Nou?' vraagt ze. 'Wat is er zo belangrijk?'

'Ik had net *Reddington Road* aan de lijn. Ze wilden weten waarom Craig niet is komen opdagen voor zijn werkbespreking.'

Een blik van totale paniek komt opzetten voor ze hem kan verstoppen en ik moet toegeven dat me dat oplucht. Er was heel even een moment dat ik bang was dat ik degene was die het niet had doorgegeven. Dat ik misschien het oorspronkelijke bericht over Craig niet aan Lorna had gemeld. Zou dat kunnen? Ik weet nog dat ik met ze heb gesproken en ik weet ook vrij zeker dat ik haar een e-mail heb gestuurd, maar ik moet altijd zo veel doorgeven dat ik het niet met zekerheid durf te zeggen. Door die blik weet ik nu goddank dat ik dat wel heb gedaan. Niet dat zij de schuld op zich wil nemen.

'Welke werkbespreking?' zegt ze, en ze doet net of ze kwaad op mij wordt.

'*Reddington Road*,' zeg ik kalm. 'Weet je het niet meer? Die belden verleden week om Craig een aflevering aan te bieden. Ik heb je er nog een e-mail over gestuurd.'

'Ik heb helemaal geen mail van jou gekregen,' zegt ze. 'Anders had ik er natuurlijk wel voor gezorgd dat Craig alle gegevens had. Ik bedoel, we hebben niet eens gesproken over het aanbod. Waarom zou ik hem dan naar een werkbespreking laten gaan?'

Nu weet ik het allemaal weer. 'Dat stond ook in dat bericht. Dat er bij hen iemand was uitgevallen en dat ze hem op korte termijn nodig hadden als invaller. Ze hebben de tijd en de locatie van de werkbespreking doorgegeven en ze zeiden nog dat hij voor hun laagste tarief aan de slag moest; dat voor schrijvers zonder ervaring. Ze zeiden dat jij hen moest bellen als dat een probleem was, en dat je anders moest bevestigen dat het oké was. Dat heb ik allemaal voor je opgeschreven.'

'Ik zei toch,' zegt ze, 'ik heb je bericht niet gekregen.'

'Mag ik misschien even op je computer kijken?' vraag ik. 'Ik weet precies waar het staat.'

Ze legt haar hand beschermend over haar muis. 'Je bent gewoon vergeten om het aan me door te geven en nu moet ik Craig bellen om het hem uit te leggen en dan *Reddington Road* proberen over te halen om hem toch nog een kans te geven.'

'Ik heb ze gezegd dat hij heel ziek was,' zeg ik. 'En dat zijn vriendin dat niet aan ons heeft doorgegeven.' Het heeft nu geen zin om nog meer te gaan zitten kijven. Ze heeft duidelijk besloten dat zij de verantwoordelijkheid niet accepteert en daarmee uit.

'Prima,' zegt ze. 'Dan zal ik wel zien of ik de situatie nog kan redden.'

Ik draai me om en wil weglopen, maar ik trek het niet dat zij alle schuld op mij wil afschuiven zonder dat ik mezelf verdedig. 'Ik heb wel een mail gestuurd,' zeg ik terwijl ik wegloop. 'O, en Lorna, het is misschien ook een goed idee om hier niet urenlang te zitten met de telefoon van de haak. Dan heb je kans dat je ook nog eens echt iemand aan de lijn krijgt en hoef je er niet meer op te vertrouwen dat ik de boodschap aanneem.'

Ze negeert me. 'Craig, hoi,' zegt ze tegen de telefoon en ik trek de deur dicht. 'Het spijt me zo ontzettend, maar Rebecca heeft me de boodschap niet doorgegeven...'

Ik weet zeker dat ik de mail met alle gegevens erin vind, als ik zo mijn verzonden e-mails check, maar ik weet ook dat als we dadelijk in haar inbox kijken, er geen spoor van dat bericht meer te vinden is.

Ik moet toegeven dat dit niks voor haar is. Het feit dat Craig deze kans krijgt is een *big deal*, want het is de eerste opdracht die ze voor een van haar eigen cliënten binnenhaalt. Ik had gedacht dat zij zich hier juist ongehoord efficiënt op zou storten en dan weerzinwekkend zelfingenomen door het kantoor zou banjeren. Dat gedoe met de telefoon naast de haak vind ik ook al zo vreemd. Hoe lang zat ze daar al zo? Ik heb minstens drie telefoontjes proberen door te schakelen, en elke keer was de lijn bezet. Heeft ze daar dan de hele ochtend maar wat voor zich uit zitten staren?

De rest van de dag wacht ik af wat dit voor consequenties gaat hebben. Ik hoop van harte dat Lorna niet zo stom is dat ze hiermee naar Joshua en Melanie gaat, want ook al kan ik niet bewijzen dat ze mijn mailtje nooit heeft gekregen, ik kan wel laten zien dat ik het heb verstuurd. Dat heeft zij klaarblijkelijk zelf ook bedacht, want er gebeurt niets. Nou, mooi. Ze heeft haar kleine overwinning geboekt. Ze heeft haar gezicht gered bij haar cliënt en hopelijk heeft ze ook onze commissie weten te redden. Ze weet donders goed dat ze fout zit, maar als je het maar nooit tegen me gebruikt kan ik met deze versie van de waarheid wel leven. Vanaf maandag kan ik al haar boodschappen doorspelen naar Kay. Dan hoeven we nooit meer met elkaar te praten.

Dan heeft tegen Alex gezegd dat ik de hele avond weg ben, om hem naar ons huis te lokken. In werkelijkheid ben ik zo bezorgd over wat er tussen hen te gebeuren staat dat ik me in de slaapkamer heb verstopt, met mijn vinger boven de toets voor het alarmnummer, mocht het uit de hand lopen. De kinderen zijn naar tante Isabel versleept, en blijven daar logeren, om te voorkomen dat ze moeten toezien hoe hun vader zijn beste vriend, hun ereoom, afslacht. Dan is gespannen en staat strak van de adrenaline en de woede. Hij zegt dat hij zich de hele dag nauwelijks kon inhouden om Alex te bellen en door de telefoon tegen hem te schreeuwen dat hij alles af weet van zijn verraad. Ik vind zijn woede zorgwekkend, maar wat me nog meer zorgen baart is dat wat ervoor in de plaats gaat komen zodra die eenmaal is verdwenen. Als het tot hem doordringt dat hij zijn maat kwijt is. De vriend die hij al bijna dertig jaar lang dagelijks een paar keer spreekt. Ik kan me niet voorstellen dat hun vriendschap dit gaat overleven en dat het ooit nog hetzelfde wordt als die door een wonder toch blijft bestaan.

En ik zou echt niet weten wat Dan zonder die vriendschap moet beginnen.

'Laat je nou niet gek maken,' zeg ik vlak voor ik me in onze slaap-kamer terugtrek met mijn glas wijn en een bord pasta. 'Je moet het er gewoon maar uitgooien, dat lucht vast al op.'

Hij ijsbeert door de hal als een tijger in het circus in afwachting van zijn kans om de kop van zijn trainer eraf te bijten.

'Jij moet in de slaapkamer blijven,' zegt hij. 'Ik wil niet dat je hier nog erger in verstrikt raakt.'

'Zal ik doen,' zeg ik gehoorzaam. Ik heb absoluut geen zin om Alex te zien.

'Dit is nu iets tussen hem en mij,' zegt Dan, en hij veegt zijn haar uit zijn gezicht. Ik zie dat hij transpireert. 'Ik ken hem al sinds de eerste klas van de middelbare school, dat geloof je toch niet? En dan flikt hij me dit.'

'Ik weet het,' zeg ik. 'Rustig nou maar.'

'Ik ben rustig,' zegt hij op een manier die alleen iemand die absoluut niet kalm is voor elkaar krijgt. 'Het komt wel goed.'

Er wordt aangebeld en ik geef Dan nog snel een kus voor hij open-doet.

'Ik hou van je,' zeg ik terwijl ik de slaapkamerdeur dichttrek.

Dan hoor ik Alex vrolijk 'Alles goed?' zeggen en meteen daarop hoor ik een doffe klap en gerinkel, en meteen vergeet ik dat ik me verstopt zou houden en ren de hal in waar ik Alex op de grond zie liggen. Het bloed stroomt uit zijn neus en Dan staat naar hem te kijken alsof hij ook niet precies begrijpt wat er is gebeurd.

'*What the fuck…?*' zegt Alex, en hij veegt het bloed van zijn gezicht.

Dan, die kennelijk ooit heeft leren boksen, helpt Alex overeind en begint dan allerlei beschuldigingen naar zijn hoofd te gooien. Het moet gezegd, Alex laat het allemaal over zich heen komen en wacht tot Dan uitgeschreeuwd is, voor hij zegt: 'Oké, ik heb er een grote klerezooi van gemaakt, dat weet ik ook wel.'

'Wat ik nou zo graag zou willen weten,' zegt Dan. 'Stel dat Rebecca ja had gezegd, zou je het dan hebben doorgezet? Zou je dan mijn huwelijk stuk hebben gemaakt?'

Alex kijkt naar de grond. 'Ik denk het, ja. Ik heb er verder niet zo bij nagedacht. Ik was nooit van plan om er iets mee te doen, en toen werd het me allemaal te veel en voor ik het wist was ik bij Izz weg en… nou ja, toen kwam het er gewoon uit. En toen kon ik het ook niet meer terugnemen. Het was fout.' Hij kijkt mij vol minachting aan. 'Dat zie ik nu wel. Een heel grote fout.'

Dan zwijgt even en zegt dan: 'Dus je had mijn huwelijk kapot kunnen maken om vervolgens te besluiten dat het een grote fout was. Moet ik het daardoor minder erg vinden of zo?'

'Nee. Natuurlijk niet. Ik bedoel alleen… Nou, ik wilde niet dat je zou denken dat ik nu nog steeds verliefd op haar ben. Want dat ben ik niet.'

'O, nee, dan is alles nu weer koek en ei, inderdaad,' zegt Dan sarcastisch. 'Zand erover. Weet je wat, laten we gezellig met zijn allen op vakantie gaan.'

'Ik wil alleen maar zeggen dat het me spijt. Ik kan het niet terugdraaien. Ik zeg alleen maar dat als niemand je dit zou hebben verteld het gewoon was overgewaaid, meer niet.' Hij kijkt mij beschuldigend aan.

Ik zeg niks.

'Rebecca heeft het me niet verteld,' zegt Dan. 'Dat heeft Lorna gedaan.'

Alex lijkt even uit het veld geslagen. 'Wanneer heb jij Lorna dan gezien?'

'Ze kwam hier langs om me te vertellen wat een goeie vriend jij bent. Ik neem aan dat dit de reden is waarom jullie uit elkaar zijn?'

Alex werpt een snelle blik mijn kant op. 'Rebecca is de reden waarom wij uit elkaar zijn.'

'O, dus nu moet ik medelijden met jou hebben?' zegt Dan. 'Jij bent de vriendin met wie je vijf minuten verkering hebt gehad kwijt. Ik was bijna mijn huwelijk van twintig jaar kwijt.'

'Nee,' zeg ik snel. 'Dat was je niet.'

'Maar dat hoopte hij toen wel. Dat was wat hij hoopte te bereiken. Mijn beste vriend.'

'Dan,' zegt Alex. 'Ik weet niet wat ik nu moet zeggen. Het was een ongelofelijk stomme fout die ik de rest van mijn leven zal betreuren. Ik wil alleen – ik moet weten of er een kans bestaat dat we dit achter ons kunnen laten. Je bent mijn beste vriend. Ik…' Zijn stem breekt en ik krijg nog bijna medelijden met hem, hoewel ik daar ook snel weer overheen ben. 'Ik weet niet wat ik zonder jou moet.'

Hij wacht tot Dan iets zegt, en als dat niet gebeurt zegt Alex: 'Alsjeblieft, Dan. Kunnen we het niet uitpraten? Of wat ook…?'

'Ik heb je niks meer te zeggen. Ik wil nooit meer iets van jou horen. Ik wil niet meer dat je me belt of niks, oké? En nou wegwezen. Oprotten. Ik meen het.'

'Dan.' Alex verroert zich niet. Hij ziet er verloren uit. Dan – die ik nog nooit zo kwaad heb meegemaakt – ziet eruit alsof hij elk moment kan gaan overgeven.

'Ik ben klaar met je, Alex. Als je echt zo veel spijt hebt als je beweert, dan rot je nu op en laat je me verder met rust, want dat is wat ik wil.'

Alex komt nog steeds niet in beweging, dus Dan schreeuwt: 'Nu!' Hij schreeuwt zo hard dat ik me even afvraag wat de buren wel niet zullen denken. Eindelijk begrijpt Alex de hint. Hij gaat. Hij kijkt me even aan, maar ik wend mijn blik af, omdat ik niet weet wat ik anders zou moeten doen. Dit is allemaal zo belachelijk uit de hand gelopen.

Dan staat te trillen. Ik sla mijn armen om hem heen en probeer hem te zeggen dat het allemaal wel goed komt, ook al geloof ik daar zelf niet in. Hoe moet je een vriendschap van ruim dertig jaar nou ooit vervangen? Ik weet hoeveel Dan van mij houdt, maar ik weet ook dat hij aan mij alleen niet genoeg heeft. Ik maak me los uit onze omhelzing en zie tot mijn ontsteltenis dat Dan huilt. Ik vlij mijn gezicht tegen het zijne en zo blijven we even staan. Uiteindelijk zeg ik: 'Het spijt me.'

Hij kijkt me aan. 'Jij kunt hier helemaal niks aan doen,' zegt hij voor de tweede keer. 'Dit is allemaal zijn schuld.'

17

Ik moet beslissen hoeveel ik Isabel precies wil vertellen over dit alles. Hoewel we natuurlijk nooit meer met zijn allen samen zijn, zal het haar vroeg of laat toch opvallen dat er iets ergs aan de hand is met Dan en Alex. We hebben nog andere gedeelde kennissen en die komen er gauw genoeg achter dat er stront aan de knikker is en dan krijgt ze het zo wel te horen. Alex en Lorna zijn twee ongeleide projectielen, dus met hen weet je ook maar nooit uit welke hoek je iets kunt verwachten. Na wat er met Dan is gebeurd ben ik niet van plan om ooit nog iets geheim te houden, maar ik heb ook geen trek om bij haar binnen te stomen en te vertellen dat haar huwelijk grotendeels een schijnvertoning was. Dan en ik hebben het erover voor ik de kinderen de volgende ochtend ga ophalen. Ik wil dat hij goedkeurt wat ik ook maar ga doen. We besluiten dat het een enigszins herschreven en iets beter te verteren versie van de werkelijkheid moet worden, en ik wapen mijzelf zodat ik het onderwerp straks zo natuurlijk mogelijk in het gesprek durf te wurmen.

Isabel is altijd de moeder van de groep geweest, ondanks het feit dat zij ook de enige carrièrevrouw is. Zij is zo'n vrouw die alles lijkt te hebben – de goede baan, het mooie huis, de prachtige tweeling, de liefhebbende echtgenoot (oké, dan zaten we daar dus allemaal naast) – maar je misgunde het haar nooit, omdat ze zo aardig is, en zo lief en zo attent. Zelfs het feit dat ze er zo goed uitziet kun je haar vergeven; ze is namelijk blond en zacht en mooi op een manier die je onmogelijk als bedreigend kunt ervaren. Ze gaat altijd uit van het beste in iedereen totdat het tegendeel eventueel wordt bewezen – mijn tegenpool dus. En ze heeft me zo vaak uit de nesten geholpen. Ik weet gewoon dat ze er altijd voor me is als ik haar nodig heb. Ze doet alles voor een ander, vergeet nooit een verjaardag of trouwdag, is een goede moeder en een fijne dochter en twintig jaar lang is ze een liefhebbende en trouwe echtgenote geweest. Dus als ik zeg dat ze dit allemaal niet heeft verdiend, dan druk ik het nog zachtjes uit. Ik heb er alles voor over om te voorkomen dat ze nog meer wordt gekwetst.

Als ik mezelf binnen laat, zit William op een stapel kussens op een van de keukenstoelen, met een servet om zijn nek geknoopt bij wijze van slabbetje. Nicola en Natalie mogen de 'baby' om beurten voeren van een of ander papperig goedje.

'Hé, dames,' zeg ik, en ik kus mijn jongste boven op zijn kruin. 'Hebben jullie het gezellig?'

'Hij is een heel zoete baby,' zegt Natalie, en ze geeft hem een klopje op het hoofd en vervolgens ook een zoen, wat verklaart waarom hij zo braaf mee wil spelen.

'Ik denk dat de baby een boertje moet doen,' zegt Nicola als ik de keuken uit loop op zoek naar Isabel. 'Laten we hem even op zijn rug kloppen.'

Zoe ligt op de bank in de zitkamer te sms'en, zoals gewoonlijk. 'Hoi, mam,' zegt ze zonder op te kijken.

'Ik ga nog even met tante Isabel kletsen voor we gaan,' zeg ik. 'Alles goed?'

'Prima,' zegt ze. 'Wil je me op weg naar huis bij Kerrie afzetten? Ze wil gaan shoppen.'

'Tuurlijk.' Ik wacht tot ze zegt: 'Gaan jij en tante Isabel maar hier kletsen, dan ga ik wel naar de andere kamer,' maar dat doet ze niet, want ze is dertien. Dus trek ik me terug.

'Waar is tante Isabel trouwens?' vraag ik en Zoe haalt haar schouders op: 'Weet niet.'

Uiteindelijk vind ik haar boven, waar ze bezig is met bedden opmaken. Ik schiet haar te hulp en zoek naar een opening om Alex terloops ter sprake te kunnen brengen.

'O ja, had ik je al verteld dat Alex bij je weg is gegaan omdat hij verliefd was op mij?'

'Wat er nu toch is gebeurd! Dan heeft Alex gisteren een poeier in zijn gezicht gegeven en toen gezegd dat hij moest oprotten en nooit meer terug hoefde te komen. En dat allemaal vanwege mij!'

Toch maar beter van niet.

Izz vertelt dat Zoe de meisjes alle teksten van Lily Allen heeft geleerd. Aan de ene kant vind ik het geweldig dat mijn dwarse puber überhaupt tijd wil besteden aan haar twee kleine pseudonichtjes, en Lily Allen is op zich ook een prima rolmodel. Het is een sterke, onafhankelijke, succesvolle vrouw die tenminste niet alleen maar beroemd is geworden omdat ze altijd zonder kleren rondloopt. Aan de andere kant vind ik het idee dat mijn snoezige kleine surrogaatnichtjes dingen zingen als *'I want loads of clothes and fuck loads of diamonds'*, maar dan zonder gevoel voor de ironie, nu niet direct geweldig. Maar goed, Isabel vindt het zelf wel grappig, en dat is het enige wat telt.

'Ze zijn helemaal idolaat van Zoe,' zegt ze, en dan bied ik mijn verontschuldiging aan omdat ik niet wil dat zij voortijdig rondlopen als twee mokkende pubers. Daar zal Isabel weinig trek in hebben.

'Doe niet zo raar,' lacht ze. 'Ze zijn nu al een nachtmerrie, die twee. Moet je zien wat ze die arme William allemaal aandoen.'

Ik haal diep adem. 'Izz,' zeg ik, 'je weet dat Alex en Lorna uit elkaar zijn, hè?'

Ze knikt.

'Nou, daar zit iets meer achter dan wat ik je tot nu toe heb verteld.' Ze kijkt me nieuwsgierig aan. 'Niks ergs, hoor,' zeg ik. 'Tenminste, niet echt.'

En ik vertel haar het hele verhaal, zonder dat stukje waarin Alex me vertelt dat hij al jaren verliefd op me is en dat dat de reden is waarom hij niet meer bij Isabel kon blijven. Zoals ik het vertel klinkt het alsof hij me in een dronken bui probeerde te versieren. Alsof het iets eenmaligs was. Een gênante maar niet echt ingrijpende liefdes-verklaring.

Ze lacht nerveus. 'Jemig, dit lijkt toch wel erg op een midlifecrisis, of niet?'

'Dat lijkt me duidelijk,' zeg ik. Een midlifecrisis die al speelt vanaf dat hij ergens in de twintig was. Ik moet het brengen alsof Lorna het allemaal belachelijk heeft overdreven, en gelukkig vindt Isabel dat wel geestig.

Het is wel ietsje moeilijker om Dans reactie redelijk te laten klinken, als ik Alex' wangedrag zo drastisch afzwak. Isabel weet dat Dan niet jaloers of onredelijk is. Hij heeft nog nooit iemand geslagen. Hij heeft zelfs nog nooit zijn stem tegen iemand verheven.

'Het zal wel een mannending zijn,' is de strohalm waar ik me aan vastgrijp.

'Ze nemen het zo vreselijk serieus, dat je altijd trouw moet blijven aan je maten. Denk maar aan al die oorlogsfilms waarin ze een kogel opvangen voor elkaar. Hij komt vast wel weer bij zinnen.'

Over dat laatste ben ik helemaal niet zo zeker, maar goed, iets anders kan ik niet verzinnen om de aandacht af te leiden van Dans buitenproportionele agressie. Goddank trapt ze erin.

'Arme jij, en arme Dan,' zegt ze terwijl ze over mijn arm wrijft. 'Dat jullie nu zo in onze ellende verstrikt moeten raken.'

'Wij overleven het wel, hoor,' zeg ik. 'Hé, heb je Luke nog gesproken?' vraag ik een paar tellen later, als ik denk dat het tijd is om op een ander onderwerp over te gaan.

'Ja,' zegt ze, en ze kijkt me aan met de blik van een opgewonden puber. 'Hij heeft me gisteren gebeld, uit Zürich. Kun jij de meisjes maandag nog steeds voor me opvangen?'

'Uiteraard. Zoe en ik gaan ze leren hoe ze crack moeten roken.'

'Ho, dat zijn geen leuke grapjes.'

'En, wat had hij te vertellen. Dat het in Zwitserland maar van een tragische dorheid is zonder jou?'

'Zoiets. Nee, hij heeft alleen verteld waar hij allemaal mee bezig is en toen hebben we over van alles en nog wat zitten kletsen. Hij is echt heel gezellig om mee te bomen. Hij was op een of andere receptie, en toen is hij buiten in de sneeuw gaan staan om me te bellen. We hebben wel een uur aan de lijn gehangen.'

Ik ben eerlijk gezegd wel een beetje jaloers; het klinkt zo spannend. Niet dat ik Dan ooit voor een ander zou willen ruilen, maar toch, het is zo bijzonder als je iemand net kent. Dan voel je je weer jong en je doet gekke dingen. Overweldigend is het. Isabel ziet er ook anders uit dan anders. Ze is een paar kilo lichter, ook al was dat helemaal niet nodig. Ze straalt. Ze is levendig. En hoewel ik zonder meer aanneem dat Luke heel leuk is – het komt ook zeker door de bevestiging dat ze nog meetelt als aantrekkelijke vrouw, en dat er nog mannen zijn die interesse in haar hebben. Slimme, knappe mannen ook nog eens. Tenminste, ik neem aan dat hij er goed uitziet. Maar wat maakt het uit, zolang hij maar lief voor haar is en ze het naar haar zin heeft.

'Nou, hij mag in zijn handjes klappen,' zeg ik, en ik knuffel haar even.

Op maandag word ik wakker met het gevoel dat de wereld nu in elk geval weer door kan draaien. Het is wel verschrikkelijk dat Dan zo'n slachtoffer van deze hele geschiedenis is geworden, maar er zijn in elk geval geen geheimen meer, en dus kunnen we het voorzichtig achter ons laten.

Als ik tien minuten te vroeg op kantoor kom, staat Kay voor de deur. Ze zit strak in de lak en de kleren, zoals je dat altijd bent op je eerste dag bij een nieuwe baan.

'Hoi,' zeg ik. 'Nou, jij hebt er zin in.'

'Ik ben altijd al een noeste arbeider geweest,' zegt ze met een glimlach.

We lopen naar boven en ik geef haar een rondleiding door ons kleine kantoor en laat haar zien waar ze haar jas kwijt kan. Ik zet een kop koffie voor haar in het keukentje en vertel haar hoe Melanie en Joshua hun koffie drinken.

'En Lorna?' vraagt ze. Ik heb me voorgenomen om volwassen over Lorna te doen, tenminste, naar Kay toe, dus ik zeg: 'Zwart, zonder suiker', en laat het daarbij. Het lukt me zelfs om niet met mijn ogen te rollen. Ik leg haar uit hoe de telefoon werkt. Ik wil haar niet overladen met informatie, dus geef ik haar eerst maar eens een map met de cv's van alle klanten, zodat ze vertrouwd kan raken met wie wie is – aangezien ze van negentig procent van hen waarschijnlijk nog nooit heeft gehoord. Ik zeg dat ik vanochtend alle telefoontjes zal aannemen, en dat ze dan moet meeluisteren zodat ze een beetje een idee krijgt van wat er zoal speelt.

Als Lorna arriveert is ze verplicht om naar de receptie te komen om Kay te begroeten, en dus zorg ik ervoor dat ik een en al glimlach ben en dat het lijkt alsof ik blij ben haar weer te zien. Ik weet dat zij denkt dat ik een hels weekend achter de rug heb, na haar bezoekje aan Dan op vrijdagavond, maar ik gun haar niet het plezier van mijn boze blik. De verwarring die ik in haar ogen lees als ik opgewekt vraag of ze een leuk weekend had is onbetaalbaar. Maar omdat ze een goede indruk wil maken op Kay, moet ze wel even amicaal antwoorden.

Het is voor het eerst dat ik langer dan vijf minuten met haar in dezelfde ruimte ben sinds zij en Alex uit elkaar zijn, en ik zie dat ze nog uitgemergelder is dan ze al was en dat de donkere kringen onder haar ogen permanent hun plek hebben ingenomen. Ze ziet er oud uit, dus ik zie wel dat het haar zwaar heeft geraakt dat deze relatie uit is. En al is ze nog zo walgelijk, Alex heeft haar gebruikt, en dat is niet eerlijk. Ik twijfel er niet aan dat hij om cynische redenen aan het avontuur is begonnen, en dat hij haar echt heeft laten geloven dat hij verliefd op haar was. Dat was ook niet zo moeilijk, omdat ze altijd al zo wanhopig op zoek is geweest naar de liefde. Nou ja, of ze het zich nu realiseert of niet, ze is beter af zonder hem (te oordelen aan de rode randen om haar ogen is dat nog niet tot haar doorgedrongen). Zodra ze met wat meer afstand naar deze relatie kan kijken, zal ze het zelf ook wel inzien, dat weet ik zeker. En als het zover is, neem ik me voor, dan zal ik proberen om haar te vertellen wat er allemaal is gebeurd. Dan zal ik zien of de lucht te klaren valt en we in elk geval de schijn op kunnen houden dat we elkaar mogen.

Er hangt een opgewonden sfeertje op kantoor, want we hebben een nieuwe cliënt. En niet zomaar eentje. Lorna is het succesnummer, want op de een of andere manier is het haar gelukt om de ongekroonde maar door iedereen erkende koningin van de zaterdagavondtelevisie, Heather Barclay, naar de nederige stal van Mortimer and Sheedy te halen.

Het schijnt – en dit verneem ik van de magere Lorna zelf, want ook al heeft ze geen zin om haar goede nieuws met mij te delen, ze geniet er wel van om de show te stelen bij Joshua waar Kay bij is – dat Lorna haar een paar weken geleden bij de screening van een film van een wederzijdse vriend heeft ontmoet. Zij (Lorna) stelde zich bij die gelegenheid aan Heather voor en vleide haar door te zeggen dat ze veel belangrijker en uitdagender werk zou kunnen doen dan alleen maar andermans woorden van de autocue oplezen. Heather vertrouwde haar toe dat ze het gevoel had dat ze in een hokje werd gestopt als 's lands toch wat nietszeggende lievelingetje, en dat ze dacht dat haar huidige agent niet in staat was haar te helpen haar horizon te verbreden. Ze zat bij een van de grotere, hippere impresariaten en ze had het gevoel dat niemand daar hongerig genoeg was om echt voor haar aan de slag te gaan. Ze vonden het wel prima als ze lekker doorging met wat ze deed, zolang zij maar vijftien procent van haar nogal aanzienlijke salaris konden opstrijken.

'Dus toen zei ik tegen haar,' zegt Lorna die er zichtbaar van geniet dat haar publiek aan haar lippen hangt (Kay en Joshua, bedoel ik, want ik doe natuurlijk alsof ik het druk heb met mijn werk), 'dat ik agent was en dat niemand hongeriger is dan ik!' Ze lacht om haar eigen grapje, maar de ironie is dat ze er inderdaad uitgehongerd uitziet. Letterlijk.

'En toen vertelde ik haar over Mortimer and Sheedy. Eerlijk gezegd had ik er verder niet meer over nagedacht, tot ze me dit weekend belde en zei dat ze Fisher Parsons Management vandaag de wacht gaat aanzeggen. Ze komt om drie uur hier om te bespreken wat ze precies van ons wil.'

Gek genoeg brengt Lorna haar verhaal, ondanks de grapjes en de eigendunk, toch een tikje vlakker dan je zou verwachten. Het is net alsof ze het allemaal afdraait zoals het hoort, en dat ze opschept omdat dat er nu eenmaal bij hoort, maar niet omdat ze er zelf oprecht plezier aan beleeft.

'Braaf zo,' zegt Joshua, alsof hij het tegen zijn hondje heeft. 'En jij gaat natuurlijk zelf haar zaken behartigen?' Er klinkt een vraagteken door in zijn stem waaruit blijkt dat hij hoopt dat Lorna zegt: 'Nee, ze komt omdat ze door jou vertegenwoordigd wil worden', maar dat kan hij natuurlijk op zijn buik schrijven. Ik vermoed dat hij, al is hij blij met deze grote vis voor zijn bedrijf, ook een beetje jaloers is dat hij haar zelf niet binnen heeft gehaald. Lorna is natuurlijk niet van plan deze hoofdprijs af te staan.

'Ja,' zegt ze. 'Ze zei dat ze het gevoel had dat het echt klikte tussen ons.'

Het valt niet te ontkennen dat het weglokken van Heather groot nieuws is voor Mortimer and Sheedy. Hoe meer geld er wordt binnengebracht, des te beter dat voor ons allemaal is. We hebben maar heel weinig cliënten die echt wat in het laatje brengen. We moeten het meer hebben van de gestage verdieners. Heathers komst zal ons alleen niet meteen veranderen. Er is zelfs geen enkele garantie dat dat überhaupt zal gebeuren. Het werkt namelijk zo, dat Heather commissie blijft afdragen aan haar vorige impresariaat, Fisher Parsons Management dus, voor alle klussen die ze heeft aangenomen voor ze naar ons overliep. Dus als zij de komende vijf jaar doorgaat met de grote spelshow, *High Speed Dating*, verdienen wij geen cent. En hetzelfde geldt als ze doorgaat met *Celebrity Karaoke*. Het is dus aan Lorna om nieuwe projecten voor haar te vinden, en splinternieuwe deals te sluiten. En dat kon wel eens minder makkelijk zijn dan het klinkt, vooral omdat Heather het hoog in haar bol heeft. Maar goed, zelfs al verdienen wij nooit iets aan haar, ze is altijd nog geweldige reclame. En omdat de ene celebrity de andere aantrekt, als motten om een kaars, is de kans groot dat we de komende maanden meer mensen van de A-lijst zullen aantrekken.

Kay is onder de indruk van haar nieuwe baas, en dat is ook niet zo gek.

'Wow,' zegt ze als Lorna en Joshua de kamer uit zijn. 'Heather Barclay.'

'Yep,' zeg ik, en ik vertrouw mezelf ineens niet meer zo. Dit is een nogal sterk staaltje van Lorna, en dat irriteert me eerlijk gezegd.

'En ze is gewoon op een feestje op haar afgestapt,' gaat Kay verder. 'Dat vind ik zo cool.'

'Ja,' antwoord ik. 'Dat is het ook.'

Ik neem Kay mee naar de Red Lion voor de lunch en ik vraag of ze tot nu toe nog vragen heeft. Die heeft ze, en het zijn allemaal slimme vragen. Precies het soort dat je zou moeten stellen, dus ik ben blij dat ik op het goede paard heb gewed. Ik vind het fijn dat ik haar kan vormen tot mijn ideale collega. ('De telefoon mag nooit vaker dan drie keer overgaan. Nu je nog ingewerkt wordt, is dat eigenlijk het meest leerzame wat je kunt doen, om zo vaak mogelijk de telefoon aan te nemen. Dan krijg je feeling voor wie er zoal belt en waarom.') Kay is zo blij om weer een baan te hebben, en zo dankbaar voor de kans, en er zo op gebrand om alles goed te doen, dat ze alles wat ik haar vertel opzuigt als een spons. Ik zorg er wel voor dat ik fair blijf. Ik laat haar duidelijk merken dat we alle klusjes en verantwoordelijkheden eerlijk verdelen. Ik probeer niet om de rotklusjes bij haar te dumpen omdat ik daar nu de kans toe heb. Zij heeft het toch al lastiger omdat ze voor Lorna moet werken.

Lorna hangt rond op de receptie als wij weer terug zijn, en daar word ik altijd heel nerveus van. Ze kijkt op haar horloge.

'Voortaan moeten jullie je lunchpauze na elkaar nemen,' zegt ze en ze kijkt Kay aan. 'Jullie kunnen niet allebei tegelijk weg; er moet hier altijd iemand zijn om de telefoon aan te nemen.'

'O,' zegt Kay, en ze kijkt zorgelijk.

'Mijn schuld,' zeg ik opgewekt. 'Ik heb het aan Melanie gevraagd en die vond het prima, omdat ze zelf niet weg hoefde.'

'Nou, dat had je mij dan moeten laten weten,' zegt ze chagrijnig.

'Ja, je hebt gelijk,' zeg ik, want ik heb geen zin om te happen. 'Maar, joh, er is niks ergs gebeurd.'

Als Kay er niet was geweest, hadden we nu waarschijnlijk dikke ruzie gehad. Dan had ze mij ervan beschuldigd dat ik opstandig doe, en ik had haar allerlei hooghartige dingen naar het hoofd geslingerd. Maar nu mompelt ze alleen nog wat en trekt zich dan terug in haar kantoortje om zich voor te bereiden op de belangrijke afspraak.

Heather lijkt me best aardig als ze binnenkomt, hoewel ze ophoudt met al te aardig doen als ze doorheeft dat ik alleen maar de assistente ben. Ik breng haar thee terwijl zij wacht tot Lorna klaar is met haar telefoontje, en ik hoop dat de muur vol foto's van onze cliënten, van wie ze er waarschijnlijk niet een kent, haar niet afschrikt.

De bespreking verloopt duidelijk volgens plan. Heather onderstreept nogmaals haar besluit om haar huidige agenten te ontslaan en bij ons te komen. Als ze weg is, tovert Joshua ergens een fles champagne vandaan en staat erop dat wij in zijn kantoortje komen om te klinken op het heuglijke feit.

'Haal je maar niks in je hoofd,' zeg ik lachend tegen Kay. 'Dit gebeurt niet elke dag.'

Ze lacht en Melanie vraagt of ze het tot nu toe naar haar zin heeft.

'Het is geweldig,' zegt Kay. 'Ik denk dat ik het hier heel erg leuk ga hebben.'

Stiekem hoop ik dat ze gelijk heeft.

18

HET IS EEN OPLUCHTING DAT Nicola en Natalie de boel bij ons thuis al op stelten hebben gezet als ik thuiskom. Dan heeft Dan even wat afleiding van zijn ruzie met Alex. Hij was het hele weekend zo vreselijk down, en zo in gedachten verzonken. Vanavond heeft hij niet de luxe om te kunnen peinzen, want dan wordt hij gedwongen om mee te spelen met Muizenval of hij moet boksen op Zoe's Wii.

Isabel is al weg en heeft de meisjes bij Zoe achtergelaten om vervolgens terug te racen naar Liverpool Road om zich voor te bereiden op haar date. Luke neemt haar mee naar Nobu, en dan – ik twijfel er tenminste niet aan dat Isabel dat hoopt – gaat hij mee naar haar huis.

Ik stuur haar een sms'je – 'Niks doen wat ik ook niet zou doen.' – en ze belt me vrijwel meteen terug en zegt: 'Ik ben doodsbang.'

'Gewoon op je rug liggen. Doe het voor volk en vaderland,' zeg ik, en ze lacht.

'Sinds Alex heeft niemand me ooit nog naakt gezien. Dus dat is al sinds, hoe oud was ik, mijn twintigste?'

'Ik heb jou anders wel naakt gezien.'

'Je weet best wat ik bedoel. Ik zie er nu niet meer zo uit als toen. Ik zie eruit als een vrouw van veertig die een tweeling heeft gebaard.'

'Dat kan goed zijn, want dat ben je ook. En wat is daar mis mee?'

'Het is alleen… het ziet er allemaal niet meer zo goed uit als vroeger.'

'Luke heeft toch zelf ook kinderen? Dus dan mogen we aannemen dat hij zijn vrouw ook heeft gezien zonder kleren nadat ze die op de wereld had gezegd.'

'Zij zijn niet voor niks uit elkaar.'

'Isabel. Als jij nu durft te beweren dat Luke bij zijn vrouw weg is

146

omdat hij haar niet meer mooi genoeg vond, dan verbied ik je hierbij om die man ooit nog te zien.'

'Nee! Natuurlijk niet. Ik weet ook niet waarom ik dat zei. Ik vind het gewoon zo eng om… nou ja, je weet wel… het te doen.'

'Moet je jezelf nou eens horen. Je bent een prachtige, grappige, intelligente, succesvolle vrouw; hij mag in zijn handjes knijpen.'

'Ja, ja, ik stel me aan.'

Zo gemakkelijk komt ze niet van me af. 'Denk je niet dat hij ook zenuwachtig is? Ik waag te betwijfelen dat hij nog hetzelfde lichaam heeft als toen hij nog studeerde, maar kan jou dat iets schelen? Nee, dus. En zo denkt hij ook over jou. En als hij zo oppervlakkig is dat hij een beetje striae hier of daar niet trekt, dan is hij de moeite ook helemaal niet waard. Gesnopen?'

'Ja, Gesnopen.'

'Geniet er nou maar van. Het is ook leuk, weet je nog wel?'

'Leuk. Ja. Ik zal het onthouden.'

'Drink eerst maar een glas wijn voor je de deur uitgaat. En bel me meteen als hij morgenochtend weer weg is. En geen minuut later, oké?'

Ik moet er later de hele tijd aan denken. Niet aan dat Isabel en Luke seks hebben, dat zou raar zijn. Nog los van het feit dat ik geen idee heb hoe Luke eruitziet, dus dan zou ik zelf iemand moeten verzinnen om in het plaatje te passen. Nee, waar ik over blijf malen is de gedachte aan hoe het zou zijn als ik met iemand anders was dan Dan. Nu, op mijn leeftijd. Ik weet precies wat Isabel bedoelt als ze zegt dat ze zenuwachtig is, ondanks dat ik haar zo op haar kop geef. Ik zou me zoveel bloter voelen, het zou potentieel zoveel vernederender zijn dan toen we nog jong waren en vol zelfvertrouwen. Maar het zou ook spannend en gedurfd zijn. Om nog maar te zwijgen van de boost die het zou zijn voor je ego dat iemand nu naar je zou kijken, gewoon zoals je bent, met al je lillende delen en rimpels om je ogen, en zou denken: 'Wow.'

Een deel van mij, een deel dat ik liever niet onder ogen zie, benijdt haar. Maar ik weet dat ik mijn eigen advies nooit ter harte zou nemen als ik haar was. Ik zou lekker in mijn veilige schulp kruipen en niet het risico lopen te worden afgewezen. En trouwens, ik zit helemaal niet te wachten op wat voor verandering dan ook. Ik ben heel erg gelukkig met hoe mijn leven nu is. Het is alleen een beetje gek om ineens aan alle kanten te zijn omgeven door woeste lustgevoelens. Dat ben ik helemaal niet gewend van mijn vrienden. Het geeft me een… ja, wat voor gevoel geeft het me eigenlijk? Dat ik saai ben? Dat ik er niet meer bij hoor?

Ineens bedenk ik dat ik zo ontzettend zelfverzekerd was toen ik Dan leerde kennen. Toen woog ik natuurlijk ook maar zevenenvijftig kilo. Heel even voel ik me verschrikkelijk onzeker als ik me afvraag wat hij nu eigenlijk van me vindt, en of hij ziet dat ik mezelf een beetje heb verwaarloosd of dat hij alleen de vrouw ziet van wie hij houdt, en al die veranderingen voor lief neemt. Of hij stiekem naar Alex en Isabel kijkt met het idee dat hij zelf ook weg zou willen lopen om woeste, gepassioneerde seks te hebben met iemand anders. Nee, zeg ik bij mezelf. Zo is Dan niet. Hij denkt waarschijnlijk hoe verschrikkelijk het is dat je dan de hele tijd je buik in moet houden en niet door je mond moet uitademen omdat je knoflook hebt gegeten. En zo denk ik er zelf ook over. Echt waar.

Zodra ik de kinderen naar school heb gestuurd – waarbij ik Zoe strikte orders gaf om de meisjes tot aan de deur van hun school te brengen 'en te wachten tot ze naar binnen waren' voor ze met William op de bus stapte – bel ik Isabel. Ik weet dat ik eigenlijk moet wachten tot ze mij belt, want er is een risico dat Luke er nog is. Ik ga ervan uit dat ze niet opneemt als dat het geval is. Maar ze neemt op bij de derde toon, en het klinkt niet alsof ik haar stoor.

'En,' vraag ik zodra ze me begroet heeft, 'hoe was het?'

'O,' zegt ze, en ze klinkt alsof ze zojuist een heel wilde nacht heeft gehad. 'Het was leuk. Denk ik. Het was eigenlijk vrij snel weer achter de rug.'

'Dat is de eerste keer altijd zo,' zeg ik alsof ik er verstand van heb. 'Die moet je gewoon achter de rug hebben, en als je je niet meer zo gek voelt in je nakie, dan kan je het de volgende keer rustig aan doen. Toch?'

'Dat was het hem juist,' zegt ze. 'Er was geen volgende keer.'

'Zelfs vanochtend niet?'

'Hij is niet blijven slapen. Hij kwam mee naar huis, en het ging allemaal echt heel goed, maar toen zei hij dat hij naar huis moest, omdat hij vanmorgen een vergadering heeft en omdat hij schone kleren nodig had.'

'O. Aha. Nou, dat is begrijpelijk, denk ik. Het zou ook wel een beetje aanmatigend zijn geweest als hij een schoon pak bij zich had gehad op jullie eerste echte date.'

'Weet ik ook wel, maar ik was toch wel teleurgesteld. Ik had een heel scenario in mijn hoofd. Dat ik een ontbijtje voor hem zou maken, en dat we echt de kans zouden hebben om elkaar wat beter te leren kennen…'

'Heb je hem expliciet gevraagd of hij wilde blijven slapen? Voor je hem mee naar huis nam, bedoel ik?'

'Nee. Ik geloof het niet. Ik nam het gewoon aan…'

'Zal ik je eens wat zeggen? Het is misschien maar goed. Ik moet er niet aan denken om met iemand die ik nauwelijks ken aan de cornflakes te zitten. Vooral niet na…'

Ze lacht. 'Je hebt gelijk. In werkelijkheid zou het waarschijnlijk een stuk minder romantisch zijn. Maar goed, hij heeft wel gevraagd of ik later deze week nog een keer wat wil doen, samen, dus dan moet hij het wel oké hebben gevonden.'

'Alleen maar oké?'

'Nee. Het was meer dan oké. En de volgende keer wordt het fantastisch.'

'Dus het was niet zo dat hij het op een lopen zette toen hij je zonder kleren zag?'

'Nee,' zegt ze koket. 'Zo was het niet.'

'Moet ik de meisjes weer nemen? Doe ik met alle plezier.'

'Hoeft niet,' zegt ze. 'Alex wil ze hebben.'

'Heb je met hem gesproken?'

'Natuurlijk. Alleen over logistieke dingen. Hij heeft niks gezegd over zijn ruzie met Dan. En ik ben ook niet van plan om erover te beginnen.'

'Hoe klonk hij?' zeg ik. Ondanks al mijn boosheid wil ik ook weer niet dat Alex een verloren ziel is.

'Een beetje triest, eerlijk gezegd. Mat.'

'Nou, dat is dan zijn eigen schuld,' zeg ik.

'Voor een deel,' zegt ze. 'Niet helemaal.'

Als we ophangen voel ik me ineens ongelofelijk verdrietig. Hoe is het mogelijk dat we zo ver zijn gekomen dat Isabel met een andere vent naar bed gaat en Alex er al weer een complete relatie met een ander op heeft zitten? Het voelt bizar dat onze hele gedeelde geschiedenis en band die voor ons allemaal zo belangrijk was, ineens helemaal niets meer waard blijken.

Ondanks Lorna is mijn werk op het moment een welkome afleiding van het echte leven, en ik voel mijn humeur al verbeteren zodra ik in de krakkemikkige oude lift stap naar onze zolderetage.

Kay is er al. Ze heeft water opstaan en we kletsen gemoedelijk tot de dag vaart begint te krijgen. Ze neemt een boodschap aan van Craig, die belt om te zeggen dat hij veilig op weg is naar zijn werkbespreking en dan schakel ik Heather naar haar door zodat die ook een boodschap voor Lorna aan haar kan doorgeven.

'Wat moest ze?' vraag ik als Kay heeft opgehangen.

'Ze wilde weten of Lorna de BBC al heeft gebeld om een bespreking te regelen.'

'Jemig-de-pemig. Die zit er ook bovenop.' Strikt genomen heeft Heather een opzegtermijn van drie maanden bij Fisher Parsons Management en zouden wij de commissie over nieuwe klussen die we in die periode voor haar regelen met hen moeten delen. In werkelijkheid is het een grijs gebied, waar nauwelijks toezicht op te houden valt. Het duurt allemaal zo lang dat zelfs als Heather morgen een afspraak zou hebben met het Hoofd Amusement van de BBC (of de Controller of Entertainment zoals die zich tegenwoordig noemt. Ik probeer maar niet al te veel stil te staan bij wat het allemaal kost, al die nieuwe visitekaartjes) en die haar ter plekke een eigen serie aan zou bieden, dan nog zou het maanden duren voor de contracten konden worden ondertekend en de productie van start zou gaan. En tegen die tijd weet niemand meer wanneer de oorspronkelijke onderhandelingen zijn begonnen. En trouwens, Heather staat nog anderhalf jaar onder contract bij ITV, dus het doet überhaupt niet ter zake.

'Dan stuur je Lorna nu een e-mail met alle gegevens die je hebt, en je zet er ook het tijdstip van dit telefoontje bij. En dan bewaar je die e-mail goed. Nooit deleten.'

Kay knikt, en slaat het allemaal in zich op.

'En als het echt belangrijk is, moet je de boodschap persoonlijk overbrengen zodra je ook maar even de kans daartoe hebt.'

Als ze zich al afvraagt waarom ik dit punt er met zoveel geweld in ram, dan laat ze dat in elk geval niet blijken. Ik wil gewoon dat ze zich goed indekt.

Later, als Lorna binnenkomt – vijfentwintig minuten te laat, want dat is tegenwoordig haar gewoonte – met waterige ogen en slaphangend haar, en hyper van de teleurstelling en het gebrek aan vast voedsel, hoor ik mijn protegé de twee boodschappen overbrengen en ik ben blij dat mijn wijze les zin heeft gehad.

Rond de lunch, als Kay even een broodje aan het halen is en nog wat boodschappen doet, krijg ik Craig nog een keer aan de lijn.

'Hoe ging het?' Ik weet dat hij stijf stond van de stress en de spanning, vlak voor deze eerste echte opdracht.

'Prima,' zegt hij. 'Alleen, ze hebben daar nooit meer iets van Lorna gehoord over mijn honorarium, dus heb ik nu nog steeds geen contract.'

Echt niet? Wat is er toch met dat mens aan de hand? Ik probeer niet zo geërgerd te klinken als ik me voel. 'Er is vast ergens een vergissing in het spel. Ik weet wel dat ze geprobeerd heeft om ze te bellen,' lieg ik. 'Ik zal vragen of ze het vandaag nog een keertje wil proberen, en dan komt het wel goed. Maak je geen zorgen.'

'Het is alleen zo dat Hattie, de script editor, zei dat het niet door kan gaan als er geen overeenstemming is. Ze zijn bang dat Lorna van gedachten verandert en hen ineens een fortuin gaat vragen of zo. Ik zei nog dat ik het wel voor niks wilde schrijven...'

'Zover hoeft het niet te komen. Ze zit nu even aan de telefoon, maar zodra ze ophangt zal ik het met haar bespreken en dan word je door een van ons teruggebeld, goed?'

'Oké,' zegt hij met tegenzin.

Ik wacht een paar minuten, maar Lorna's lijn blijft bezet. Dus stuur ik haar een mailtje, met als titel: 'Dringend!!!' Ik wacht tot het lichtje van haar telefoon dooft, maar na een kwartier brandt dat ding nog steeds. Misschien zit ze daar wel weer met de telefoon ernaast, dus ook al zou ik kunnen wachten tot Kay terug is, of een halfuur, ik vind dat deze zaak nu meteen moet worden opgepakt, voor Craig.

Ik zet me schrap als ik naar de gesloten deur van haar kantoortje loop. Ik luister even, maar ik hoor haar niet praten, dus klop ik aan en wacht tot ze zegt dat ik binnen kan komen. Stilte. Ik klop nog eens. Ik weet zeker dat ik het zou hebben gehoord als ze de deur uit was gegaan, en bovendien hangt haar jas nog aan de kapstok. Nog maar een keertje kloppen, en dan doe ik de deur open. Lorna zit achter haar bureau. De tranen stromen haar over de wangen, en haar ogen zijn helemaal gezwollen.

'Wat nou?' zegt ze agressief. Ik zie dat haar telefoon er weer naast ligt, en ik besluit haar huidige emotionele staat te negeren en me professioneel op te stellen. Het is wel duidelijk dat ze niet wil dat ik haar zo ziet. Ik leg haar in zo kort mogelijke bewoordingen uit wat er met Craig aan de hand is.

'Ik heb de producent gesproken,' zegt ze defensief. 'Dus dan hebben ze dat daar zelf niet doorgegeven of... wat dan ook.' Nu wil ik zo snel mogelijk deze kamer weer uit. 'Misschien dat je ze even kunt bellen om de zaak recht te zetten? Craig is echt heel bang dat ze anders iemand anders vragen.'

'Best,' zegt ze.

'Oké. Mooi.' Ik loop weg, maar het is ondoenlijk om iemand te negeren die kennelijk een soort inzinking heeft recht voor je neus, al heb je nog zo de pest aan haar. Dus voor ik er erg in heb, vraag ik: 'Gaat het wel?'

'Als je nog eens aanklopt en je hoort me niet zeggen dat je binnen kunt komen, kom dan ook niet binnen.'

'Wat jij wilt, baas,' zeg ik sarcastisch. Dit was dus echt de laatste keer dat ik nog probeerde om aardig tegen haar te doen.

Als ik weer terugkom op de receptie, zie ik het lichtje van haar telefoonlijn uitgaan en weer aan. Ik weet dat ik het niet moet doen, maar ik pak mijn eigen telefoon op en luister mee met haar gesprek. Ik klem mijn hand stevig over de hoorn zodat ze me niet kan horen ademen. Iemand neemt op met de woorden 'Reddington Road' en Lorna vraagt naar een van de producenten bij naam.

'Kate,' zegt ze zodra ze is doorverbonden. 'Ik vind het zo vervelend, maar ik heb je nooit meer teruggebeld over Craig Connolly. Ik weet dat hij deze ochtend zijn eerste scriptbespreking had, en ik wilde alleen even bevestigen dat hij dat uiteraard voor het minimumhonorarium zal doen. Hij is dolblij met deze kans.'

'Geweldig,' zegt Kate. 'Ik was even bang dat er een probleem zou zijn. Vooral omdat hij de eerste bespreking van de verhaallijn al heeft gemist…'

'Hij was ziek,' onderbreekt Lorna haar. 'Maar hij weet zeker dat hij het goed in de vingers heeft en hij heeft er ontzettend veel zin in. En, nogmaals, mijn excuses,' zegt ze. 'De fout ligt bij ons. Om heel eerlijk te zijn heb ik jouw berichtje nooit gekregen, maar hoe dan ook…'

'Geen probleem,' zegt Kate vriendelijk. 'Ik zorg dat Emma het contract er vandaag uit doet en dan moet jij Craig maar even bellen dat hij aan de slag kan.'

Ik wacht tot Lorna ophangt voor ik mijn telefoon ook neerleg. Als haar lichtje weer aangaat, neem ik aan dat ze Craig belt met het goede nieuws, maar ik besluit hem toch zelf later nog eens te bellen. Voor de zekerheid.

Ik begrijp best dat ze aan mij niet wil toegeven dat ze er een potje van heeft gemaakt, maar haar gedrag is wel heel extreem. Ik weet dat haar promotie alles voor haar is, hoe lui ze soms ook kan zijn. Het geeft haar de status die ze altijd zo graag heeft willen hebben en ik kan niet geloven dat ze dat nu allemaal op het spel zet. Is dit dan allemaal nog steeds vanwege de verbroken relatie met Alex? Dacht ze dan echt dat ze zouden gaan trouwen en kindjes krijgen en nog lang en gelukkig zouden leven? Dat is toch wel heel vergezocht. Alex is een aantrekkelijke en geestige man. Hij beweerde al dat hij van haar hield toen ze elkaar zo ongeveer vijf minuten kenden. Waarom zou ze dat niet geloven? Waarom zou ze niet verliefd op hem zijn geworden? Dat ik nu toevallig weet dat hij haar gebruikte, wil nog niet zeggen dat het voor haar minder echt was.

19

IN ÉÉN KLAP IS ONS sociale leven, dat van Dan en mij, voorbij
– voor zover we al een sociaal leven hadden. Over. Uit. We hebben natuurlijk Isabel nog, maar die wil de meisjes niet vaker dan
nodig met een oppas opzadelen, omdat ze al genoeg onrust in hun
leven hebben gehad, de laatste tijd. En de avonden dat ze wel weggaat wil ze met Luke weg, en dat is ook heel begrijpelijk. We hebben
wel andere vrienden, hoewel dat meer kennissen zijn, stellen die we
via de kinderen kennen, of uit de kroeg, mensen van Dans kantoor,
maar dat zijn meer mensen die je met kerst een kaartje stuurt, en met
wie je een minuut of tien kletst op een feestje. Het zijn geen van allen
mensen met wie ik een hele avond door zou willen brengen.

Omdat ik Dan wanhopig graag het huis uit wil hebben en om voor
wat afleiding voor hem te zorgen, maak ik een lijstje van alle mensen
die in aanmerking komen om onze nieuwe beste vrienden te worden,
en ik probeer het enthousiasme op te brengen om een avond met de
uitverkorenen te organiseren.

'Anna en Kelvin?'

'Hm,' zegt hij vlak. 'Die zijn wel oké.'

'En Sharon en Patrick? Daar hebben we toch best lol mee gehad
op de schoolbarbecue?'

'Hij is een beetje een betweter.'

Hij heeft gelijk. 'Je hebt gelijk,' zeg ik en ik streep hun namen door.
'Die niet, dus.' Ik kijk het lijstje door. 'O, en Rose en Simon? Die zijn
leuk.'

Dan zucht. 'Moet het echt? Ze zijn best aardig, maar ik heb geen
zin om zoiets te forceren. Vriendschappen gebeuren gewoon; het is
iets organisch.'

'Dat weet ik ook wel. Maar je moet toch eerst interactie hebben voor het een kans kan krijgen. Ik zeg alleen maar, waarom vragen we Rose en Simon niet een keer te eten? Misschien hebben we best lol samen. Als we het verder niks vinden, dan is het toch ook geen big deal? Het is maar een avondje, Dan, meer niet.'

'Misschien over een paar weken,' zegt hij. 'Ik heb er nu niet zo'n zin in.'

'Maar het wordt nooit meer zoals het was.' Ik veeg het haar uit zijn gezicht, zoals ik dat ook altijd bij William doe. 'Geloof me, als dat zou kunnen, dan had ik dat veel liever.'

Hij haalt zijn schouders op. 'Wat eten we?' vraagt hij, en daarmee is de kous af.

Het is stil op kantoor. Ik lees een script dat ons is toegestuurd voor Gary McPherson. Het is een scène van twee minuten in een film. Gary zou het ongetwijfeld een 'cameo' noemen – als prominent acteur laat je je gezicht even zien en dat was dat – maar het is in feite gewoon een heel klein rolletje. Het is zo'n Britse gangsterfilm die speelt in de jaren vijftig maar dan met veel wapens en gevloek. Ik vind het een leuk verhaal, ook al weet ik zeker dat de film meteen uitkomt op dvd en de bioscoop nooit zal halen, omdat er niet genoeg budget is en de cast een soort parade is van mensen die beroemd waren in de jaren negentig. Maar goed, Gary heeft werk nodig, en ik weet zeker dat Joshua hem kan overhalen om het te doen.

Kay zit iets uit te typen op haar computer en Joshua, Melanie en Lorna hebben zich allemaal opgesloten in hun eigen kantoortjes voor hun respectievelijke taken, wat die ook mogen zijn. Mijn gedachten dwalen af, iets wat vaak gebeurt als ik scripts lees, en wat meestal pas tot me doordringt als ik dezelfde bladzijde voor de derde keer begin te lezen. Het is zo'n saaie dag waarop het voor je gevoel al om halfdrie 's middags donker wordt, dus dat helpt ook niet echt. Bovendien heb ik te veel gegeten bij de lunch, want ik had een gepofte aardappel met bonen en kaas gehaald om de hoek, en daarna heb ik ook nog een hele KitKat naar binnen gewerkt. Ik voel mijn ogen dichtvallen en moet mezelf geweld aandoen om ze open te houden.

'Jezus,' zeg ik tegen Kay. 'Ik val hier zowat in slaap.'

Ik heb de woorden nog niet gezegd of ik hoor de voordeur open-slaan. Kay en ik schrikken ons rot. Ik sta op en loop naar de gang om te zien wie ons komt bezoeken en zie een tamelijk wankele figuur op me af strompelen. Hij botst bijna tegen me op en ik wil me al verontschuldigen als ik zie dat het Alex is. Een stomdronken Alex.

'Ah, daar zal je d'r hebben,' schreeuwt hij. Het lijkt wel alsof hij een zaal vol toehoorders toespreekt, maar dan zonder microfoon.

'De vrouw van mijn hart. De liefde van mijn leven.'

Ik doe een stap naar achteren en zie dat Kay is opgestaan en angstig mijn kant op kijkt.

'Rebecca?' vraagt ze. 'Gaat het?'

'Ja, niks aan de hand.' Ik richt mijn aandacht weer op de figuur die in de deuropening hangt. 'Alex, wat doe je hier?'

'Ik kom voor jou. Mag ik mijn vriendin soms niet gedag komen zeggen op haar werk?'

'Je bent dronken,' zeg ik bij wijze van forse trap tegen een open deur.

'O, goed gezien!' Hij praat veel te hard en ik vraag me niet af 'wat doet Alex hier beschonken op mijn werk, midden op de dag?' – ik hou me vooral bezig met de vraag of Joshua en Melanie hem kunnen horen en straks hun kantoortje uit komen om te zien wat er aan de hand is.

'Het lijkt me goed als je nu weggaat, oké?' zeg ik, hoewel ik weet dat het geen enkele zin heeft. Alex is gekomen om een scène te maken, en hij gaat pas weer weg als hij daarin is geslaagd.

'Wat moet ik doen?' vraagt Kay. 'Zal ik Joshua halen?'

'Nee!' roep ik paniekerig.

'Ik ben Rebecca's vriend,' zegt Alex, en hij steekt zijn hand uit naar Kay. Ze neemt hem aan alsof het een handgranaat is waar het pinnetje al is uitgetrokken. 'Ze heeft het toch zeker wel over me gehad?'

'Ik weet niet… ik werk hier pas een paar dagen,' zegt Kay nerveus.

'Ik ben ook de beste vriend van Rebecca's man,' zegt hij, alsof dat iets verklaart. 'Tenminste, dat was ik. En ik heb verkering gehad met de mooie Lorna. O, en daarvoor hebben Bex en ik ook nog wat gehad, toch, Bex?'

'Nee,' zeg ik met klem, 'dat hebben we niet.'

'Rebecca is de reden waarom het nu uit is met Lorna en waarom Dan niet meer mijn beste vriend is. Dat klopt toch?' Hij kijkt me wazig aan. Mijn god, hij heeft echt flink zitten tanken.

'Let maar niet op wat hij zegt,' zeg ik. 'Hij is dronken en hij kletst uit zijn nek. Ik leg het later wel uit.'

'Ah, nee, toe, leg het nu allemaal maar uit aan haar. Ik zou het hele treurige verhaal ook zo graag eens willen horen vanuit jouw perspectief.'

Ik ben er klaar mee. 'O ja? Zou je echt zo graag mijn versie willen horen van wat er is gebeurd, Alex? Goed, daar komt-ie. Ben je er klaar voor?' Ik kijk hem aan en hij zwalkt nog wat. 'Let op, Kay, dan volgt hier het verhaal van mijn relatie met Alex. Wij zijn twintig jaar lang vrienden geweest. Wat hij zegt klopt, hij was de beste vriend van mijn man en zijn vrouw was mijn beste vriendin. Dat is ze trouwens nog steeds. Maar Alex is een poosje terug bij haar weggegaan. Zo maar ineens. En toen heeft hij mij gezegd dat hij verliefd was op mij. Dat hij nooit echt van zijn vrouw heeft gehouden, omdat hij altijd al van mij hield. Hij vroeg me zelfs om bij mijn man weg te gaan – zijn allerbeste vriend, weet je nog wel – en er met hem vandoor te gaan. Waarop ik nee zei. Uiteraard. Ik heb hem gezegd dat ik niet geïnteresseerd was, en dat ik dat ook nooit zou zijn. En toen heeft hij Lorna mee uit gevraagd. Hij heeft haar gebruikt, daar komt het op neer. Gelukkig is zij zo verstandig geweest om hem te dumpen.'

'Ja, omdat jij je ermee ging bemoeien en de boel hebt verziekt,' zegt Alex agressief.

'En hij en Dan zijn nu geen vrienden meer,' ga ik verder, zijn opmerking negerend. 'Dat zul je wel snappen. Dus het komt erop neer dat Alex zijn verdiende loon heeft gekregen. En nu is hij verbitterd – vooral vanwege het feit dat iedereen nu de waarheid kent, vermoed ik – maar het is allemaal zijn eigen schuld. Hij heeft zijn eigen graf gegraven en dat is wat hem nu zo kwelt.'

Ik zwijg en kijk of mijn woorden tot hem doordringen. Het valt lastig te zeggen. Hij legt een hand op de hoek van Kays bureau om in balans te blijven.

'Dat lijkt mij een vrij redelijke analyse, wat jij, Alex?'

'Weet jij waarom ik hier nu ben?' zegt hij.

'Nee, vertel.'

'Jij denkt dat jij mijn leven kunt ruïneren,' zegt hij. 'Nou, prima, maar dat mes snijdt aan twee kanten.'

Ik heb geen flauw idee wat hij daarmee bedoelt, maar ik laat niet zien dat ik ervan schrik, want dat plezier gun ik hem niet.

'Jij bent zo zelfingenomen,' zegt hij, 'en je bent er zo zeker van dat jouw relatie helemaal perfect is, dat je hele leventje helemaal perfect is.'

Ik zeg niks, vooral omdat ik niet weet wat ik zou moeten zeggen. Ik heb geen goed gevoel over wat er nu gaat komen.

'Denk jij soms dat Dan daar ook zo zeker van is? Denk jij soms dat hij nooit aan jullie twijfelt?' En komt een voorzichtige grijns op zijn gezicht. 'Denk jij niet dat hij jou ook wel eens helemaal zat is, en dat hij nooit naar andere vrouwen kijkt? Vraag hem maar eens wat er in Edinburgh is gebeurd. Vraag hem wat er is gebeurd toen wij samen dat weekend weg waren.'

Mijn hart staat praktisch stil. Waar heeft hij het over? Dan heeft toch voor mij geen geheimen? Hij is vier jaar geleden een keer een weekend met Alex in Schotland geweest. Ze hadden zin om daar te gaan wandelen, en toen gingen ze 's avonds naar van die oude pubs voor een borrel, en Isabel en ik gunden hun dat van harte. Ik probeer uit mijn geheugen op te diepen of er toen vege tekenen waren, dingen die erop konden duiden dat er iets mis was. Dat Dan ongelukkig was of anders, toen ze thuiskwamen, maar ik kan niks bedenken.

'Jij lult maar wat,' zeg ik en Alex trekt weer die ontstellend irritante grijns.

'Goed,' zegt hij. 'Dan geloof je me toch niet?'

Kay komt naast me staan alsof we er met zijn tweeën intimiderender uitzien.

'Oké,' zegt ze, en ik hoor haar weifelen. Zij weet niet dat Alex niet gewelddadig is. 'Je moest maar weer eens gaan.'

'Jeetje, wie is deze rottweiler?' zegt Alex tegen mij, en hij lacht, want hij vindt zichzelf enorm geestig.

'Zij is degene die hier de hele boel bij elkaar gaat gillen als jij nu niet meteen weggaat. En ze is ook degene die dan meteen de politie belt,' antwoordt zij, want ze denkt dat twee dreigementen meer zoden aan de dijk zetten dan een.

'Nou goed, hoor,' zegt hij. 'Ik ga al. Ik heb alles gezegd wat ik te zeggen had.' Hij maakt een terugtrekkende beweging en wendt zich dan weer tot Kay: 'Geloof jij nou dat ik ooit verliefd ben geweest op dat daar?' Hij monstert me theatraal. 'Ik bedoel, moet je dat nou zien. Wat een bitch.'

Hij begint weer te lopen en ik hoop zo ontzettend dat hij nu ook echt weggaat. Donder nou maar gewoon op. God mag weten wat Kay nu allemaal denkt. Hij is op weg naar de voordeur. Hij loopt achterstevoren om nog lekker lang naar me te kunnen grijnzen. Hij is er bijna als de deur opengaat en Lorna binnenkomt en regelrecht tegen haar ex opbotst. O god, ik was haar helemaal vergeten. Ze blijft stokstijf staan als ze zich realiseert dat hij het is.

'Alex…'

Alex draait zich een beetje wankelend om. 'O, hoi, Lorna.'

Ze trekt volkomen wit weg. Het lijkt zelfs wel of ze elk moment kan flauwvallen. Er klinkt iets van hoop door in haar stem en ze doet niet eens haar best om dat te verbergen. 'Kwam je voor mij?' Alex lijkt op te schrikken, alsof hij zich ineens weer herinnert dat zij hier inderdaad ook werkt.

'Nee, ik kwam voor Rebecca.'

Ik heb oprecht medelijden met haar. Ze kan hem zo weinig schelen dat hij niet eens meer doet alsof. Of hij gaat zo op in zijn eigen drama dat hij haar verdriet niet registreert, dat kan ook. Hoe het ook zij, Lorna staat overduidelijk niet boven aan zijn prioriteitenlijstje. Toch lijkt haar aanblik na deze klap hem ineens te ontnuchteren, en hij ziet nu pas hoe beroerd ze eruitziet.

'Ik bedoel, ik was heus wel van plan om even gedag te zeggen. Om te zien hoe het met je gaat. Hoe gaat het met je?'

'Heb je tijd voor een kop koffie?' vraagt ze, en het lukt haar niet de wanhoop uit haar stem te houden.

Alex gebaart naar Kay, die niet meer weet hoe ze het heeft. 'Nou, die Goebbels daar heeft gedreigd dat ze de politie zou bellen als ik niet wegging, dus…'

Lorna kijkt naar Kay. 'Alex is een vriend van me.'

'Ik vind het best,' zegt Kay. 'Maar het liep hier nogal uit de hand. Ik wist niet wat ik anders moest doen.'

'Je hebt het goed gedaan,' zeg ik. Ik wil niet dat Kay nog verder in deze ellende wordt meegesleurd. Lorna werpt me een blik toe die op zijn zachtst gezegd vijandelijk is.

'Alex mag altijd bij me langskomen,' zegt ze.

'Nou, ik kan eigenlijk niet,' roept Alex ineens. 'Ander keertje, goed, Lorna?'

Haar gezicht betrekt weer. 'Tien minuutjes maar. We moeten echt praten.'

Ik weet dat dit scenario al pijnlijk genoeg voor haar moet zijn, maar dat het zich voor mijn ogen afspeelt moet helemaal een kwelling zijn. Ik loop terug naar de receptie, en gebaar naar Kay dat ze mee moet komen.

'Wat gebeurt hier allemaal in godsnaam?' fluistert ze als we weer terug zijn.

'Sst,' sis ik. Ik wil weten hoe het verdergaat.

'Ik zei toch, ik kan niet, ja? Ik heb het druk. Ik moet weg.'

'Nee,' zegt Lorna met een gesmoorde kreet. 'Kom nou alsjeblieft even mee. Heel even maar. Dat we even rustig praten. Toe nou.'

Het is tragisch zoals ze hem smeekt. Het is wel duidelijk dat zij nooit heeft gedacht dat het echt voorbij was tussen haar en Alex. Ze dacht waarschijnlijk dat hij wel weer terug zou komen, met zijn staart tussen de benen, en dat ze het dan goed zouden maken. Dat ze er sterker uit zouden komen, met mij als hun gezamenlijke vijand. Ze heeft er duidelijk nooit rekening mee gehouden dat Alex niet genoeg om haar gaf. Hij heeft haar gebruikt. En hij vond haar inderdaad leuker dan hij oorspronkelijk had gedacht, dus dat maakte het wel makkelijker. Maar hij hield niet van haar. Hij had niet die gevoelens voor haar die hij haar op de mouw had gespeld. Gevoelens die zij wel voor hem had.

'Ik ga nu, oké?' Ik hoor de voordeur dichtslaan en dan hoor ik Lorna zeggen: 'Alex, alsjeblieft', maar er komt geen antwoord. Ik steek mijn hand op, om te voorkomen dat Kay iets zegt. Vanaf de gang klinkt nu keihard gesnik. De telefoon gaat, dus ik gebaar Kay dat ze moet opnemen. Ik moet naar Lorna voordat Joshua of Melanie uit hun kantoortje komen. Ze mogen haar zo niet zien, zo ontredderd.

Ik weet dat ik iets moet doen.

'Kom, Lorna,' zeg ik. 'Laten we even naar je kantoor gaan.'

Ze schudt de hand die ik op haar arm heb gelegd om haar voort te duwen van zich af.

'Blijf van me af,' zegt ze veel te hard. 'Laat me met rust. Dit is allemaal jouw schuld.' Ik probeer haar de deur door te krijgen, maar ze wil niet, en nu is het te laat, want daar heb je Joshua. Zijn gezicht staat op storm.

'Wat is hier in godsnaam aan de hand?' blaft hij. 'Ik kan mezelf niet eens meer horen denken.'

'Er is niks,' zeg ik. 'Lorna voelt zich niet zo lekker,' voeg ik er weinig overtuigend aan toe. Gelukkig komt Kay van de receptie en zegt: 'Joshua, ik heb Mike O'Reilly voor je aan de lijn.'

'Verbind maar door,' zegt hij grommend. 'En wat hier ook aan de hand is, jullie zorgen maar dat het wordt opgelost.'

Lorna, die weer bij haar positieven komt door Joshua's optreden, laat zich door mij haar kantoor in manoeuvreren. Ik doe de deur dicht. Geen idee wat ik nu tegen haar zou moeten zeggen, maar ik moet iets doen. Ik zet haar in haar stoel en ze gaat zitten. De tranen stromen nog altijd over haar gezicht en ze doet geen enkele moeite om ze weg te vegen. Ik geef haar een tissue uit een doos in haar boekenkast.

'Zal ik iets te drinken voor je halen of zo?'

'Nee, laat me met rust.'

Dat is verleidelijk. 'Lorna, hij is het niet waard. Alex. Hij gebruikt mensen. Hij heeft jou gebruikt.'

'Wat weet jij daar verdomme van?' schreeuwt ze, en ik denk: oké, misschien toch niet zo'n strak plan om hier binnen te komen. We staan op het punt om de ruzie uit te vechten die al maanden broeit. Zij is in elk geval niet meer te houden.

'Ik ken Alex. Ik ken hem al sinds mijn twintigste, weet je nog?' Ik praat zachtjes, in de hoop dat zij mijn toon overneemt. Helaas pindakaas.

'Nou, jij beweert dat hij al die tijd stapelverliefd op jou is geweest zonder dat je het wist, dus zo goed kun je hem niet kennen, of wel soms?'

Touché. 'Ik ken hem in elk geval een stuk beter dan jij. En hij is het niet waard dat jij je leven zo laat verpesten of je baan op het spel zet.'

'Hoe bedoel je, mijn baan op het spel zet?' Ze staart me beschuldigend aan. 'Hoe durf je?'

'Je bent de laatste tijd een beetje… laten we zeggen dat je er niet helemaal bij bent met je hoofd. Dat zeg ik niet om je te zieken, ik zeg het alleen omdat…'

'O, nee, ik snap het al,' zegt Lorna kwaad. 'Jij bent jaloers omdat ik promotie heb gemaakt en jij niet, dus nu probeer je me onderuit te halen. Wat denk je dan dat ze doen: mij ontslaan en jou mijn baan geven? Joshua en Melanie vinden jou helemaal niet geschikt.'

Ze denkt dat dit mij raakt, maar het kan me niet schelen. 'Ik wil jouw baan helemaal niet, zelfs al zouden ze hem me aanbieden. Ik wil dat soort verantwoordelijkheid niet. En jij bent hier heel goed in. Tenminste, meestal. Dat ben je echt. En jij zou anders nooit de boel op je werk zo laten verzieken door je privéleven, als je helder kon denken.'

'Dus die arme Lorna heeft zo'n leeg leven naast haar baan. Geen gezin, geen vriend, dus ja, ze moet wel carrière maken, want wat heeft ze verder nog? Niks!'

'Dat zeg ik helemaal niet. Ik probeer je duidelijk te maken dat je op een gegeven moment over Alex heen bent, en dan vraag je je af wat je ooit in hem hebt gezien, en als het zover is, dan wil je niet om je heen kijken en zien dat hij ook nog eens je carrière heeft verziekt. Dat kan je nu misschien niks schelen, maar straks wel.'

'Als ik loopbaanadvies van je had gewild, dan had ik daar wel om gevraagd. En aangezien ik dat niet heb gedaan, kun je er gerust van uitgaan dat het me niet boeit wat jij te zeggen hebt.'

'Dat is ook prima,' zeg ik. 'Ik heb gezegd wat ik te zeggen had. Hoe jij je leven wil leven is jouw probleem. Ik heb er verder ook niets mee te maken.'

'Ik had het zelf niet beter kunnen verwoorden,' zegt ze uit de hoogte. 'En ga nu maar weer aan je werk, voordat ik een klacht over je moet indienen.'

'O, alweer?' zeg ik sarcastisch.

'Ja,' antwoordt ze. 'Alweer.'

20

V OOR IK OP ME IN kan laten werken wat Alex net tegen me heeft gezegd, vind ik dat ik Kay uitleg verschuldigd ben. Dus ik zet de telefoons op de voicemail en neem haar mee naar de pub. Als het hen niet bevalt, jammer dan. Het kan mij allemaal geen moer meer schelen. Nou, dat is niet helemaal waar. Voor we gaan sluip ik bij Melanie naar binnen. Die zit aan de telefoon, dus ik doe een mimeact om haar duidelijk te maken dat Kay en ik naar buiten gaan, en of dat goed is. Ze glimlacht en knikt, dus dat interpreteer ik maar als een ja.

Kay is helemaal de kluts kwijt, en dan druk ik het nog zacht uit. Ik bestel een glas rode wijn voor haar en probeer haar dan in grote lijnen uit te leggen hoe onze complexe relaties in elkaar steken. Ik probeer me tot de feiten te beperken – althans, een verkorte versie van die feiten – en ik geef geen mening over Alex en Lorna. Ik ben bang dat ze me niet meer zo aardig zal vinden als ik haar vertel dat ik Lorna heb ingelicht over Alex' liefdesverklaring aan mij, maar ze knikt alleen maar en hoort het allemaal aan.

'Hij lijkt me verschrikkelijk. Het spijt me zeer, ik weet wel dat hij jouw vriend is en zo…'

'Hij is ook verschrikkelijk,' antwoord ik. 'Dat zie ik ook pas sinds kort. Ik kan niet geloven dat ik dacht hem te kennen.'

'En,' zegt Kay, 'ik weet best dat het mijn zaken niet zijn, maar wat vind jij dan van wat hij allemaal over jouw man zei?'

'Ik weet niet,' zeg ik, en dat meen ik ook. Ik kan niet geloven dat er dingen zijn in Dans verleden waar ik niet vanaf weet. 'Ik denk dat hij maar wat roept. Dat hij iets aandikt om mij ermee te kwetsen.'

'Dat denk ik ook. Niet dat ik Dan ken, maar dit komt Alex wel heel goed uit. Jij hebt hem pijn gedaan, en nu zal hij jou wel eens even pijn doen. Negeer hem. En begin er vooral niet over tegen Dan, want dat is precies wat Alex wil.'

Ik weet dat ze gelijk heeft, maar het zal niet meevallen.

Terug op kantoor lijkt het erop dat Lorna onze afwezigheid niet eens heeft opgemerkt.

'Zal ik even gaan kijken of het wel goed met haar gaat?' vraagt Kay licht nerveus.

'Ga maar gewoon naar binnen om te vragen of ze iets van koffie wil.'

Een paar minuten later komt Kay terug en schudt haar hoofd. 'Ze wil niks. Maar ze ziet er zo verschrikkelijk beroerd uit.'

'Laat haar dan maar,' zeg ik. 'Ze weet dat we hier zijn, mocht ze iets nodig hebben.'

De telefoon gaat en Kay neemt meteen op. 'Hoi, Heather,' zegt ze opgewekt, en dan: 'O nee, heeft ze dat niet gedaan?' Ze kijkt naar mij en trekt een gezicht. Ik kijk naar mijn telefoon. Lorna's lichtje brandt. 'Dan is ze het zeker vergeten. Ja… ja… dat begrijp ik. Goed, het spijt me verschrikkelijk. Ik zal haar meteen even helpen herinneren…' Ze zegt gedag en hangt op.

'Lorna heeft haar nog steeds niet gebeld,' zegt ze. 'Ze klonk op zijn zachtst gezegd geïrriteerd.'

'Dat kunnen we haar niet kwalijk nemen. Stuur Lorna een mailtje en zodra ze van de telefoon is, moet je maar naar binnen om het haar nog eens te zeggen. Bied anders aan dat jij Heather zelf belt en haar doorverbindt,' zeg ik.

Kay doet wat ik haar opdraag, maar als ze terugkomt uit Lorna's kantoortje zegt ze: 'Ze zei dat ze haar zo wel belt. Dat ze nu even ergens mee bezig was.'

'En was ze ook ergens mee bezig?'

'Nee. Ze zat daar maar wat voor zich uit te staren.'

'Godallemachtig. Ik zal wel zeggen dat het echt nu moet gebeuren. Heather gaat nog bij ons weg, als ze het gevoel heeft dat er niet genoeg aandacht voor haar is.'

Ik pak mijn telefoon op, maar op dat moment gaat haar lichtje weer aan. Misschien belt ze Heather nu wel.

'Even stil,' zeg ik tegen Kay, en ik pak de hoorn van de haak, en doe mijn oude truc met de hand over de hoorn.

'…zei het alleen maar omdat zij het was. Daar werd ik zo verdrietig van, maar ik meende er niks van, Alex. Ik wilde het niet echt uitmaken, dat weet je toch ook wel?'

O god. Er komt geen antwoord, dus ik neem aan dat ze tegen Alex' antwoordapparaat praat. Ik zit er verlamd bij. Ik zou nu op moeten hangen, want dit gaat mij niets aan, maar ik ben bang dat ze dan de klik hoort, en dat ze weet dat er iemand meeluisterde. Bovendien ben ik net een ramptoerist, ik zou eigenlijk door moeten rijden en niet zo gebiologeerd naar de wrakstukken moet kijken, maar ik ben in trance.

'…ik wilde je alleen straffen omdat ik zo gekwetst was. Ik weet ook wel dat ze overdreef. Ik weet dat je echt van me hield. En nu heb ik het stukgemaakt. Je moet me terugbellen. Alsjeblieft, Alex. Ik begrijp niet waarom je vandaag niet even wilde praten. Ik begrijp niet waarom je nooit terugbelt. Bel nou toch alsjeblieft. Toe nou. Ik hou van je. Dag.'

Ik wacht tot zij heeft opgehangen voor ik zelf de hoorn neerleg. Kay kijkt me vol verwachting aan.

'O,' zeg ik. 'Ze belde niet met Heather.'

Ik geef verder geen informatie en gelukkig vraagt ze niks. Dit lijkt me te persoonlijk om met haar te delen. Ik zou niet weten wat ik nu moet doen en ik probeer me op het meest acute probleem te richten. Lorna moet Heather spreken. Sterker nog, ze moet eerst maar eens praten met de Controller of Entertainment van de BBC en dan pas Heather terugbellen over de uitkomst van dat gesprek. Vandaag nog.

Ik zit even met mijn hoofd in mijn handen en probeer te beden- ken hoe ik een hysterische vrouw zover kan krijgen dat ze dat belletje pleegt. En zelfs al lukt me dat, dan ben ik bang dat ze halfgestoord overkomt op wie ze ook maar aan de lijn heeft. Als ik professioneel was, en volwassen, nam ik de zaak op met Joshua of Melanie, om hen om advies te vragen. Ik zou ze moeten zeggen dat Lorna een beetje raar doet en dat zij zich erin moeten mengen. Het is tenslotte hun reputatie die hier op het spel wordt gezet. Maar als ik dat doe, dan zeg ik in feite dat zij haar werk niet goed doet. Dan zou ik hun iets vertellen waar ze zelf duidelijk nog helemaal geen lucht van hebben. Dat Lorna voor hun ogen instort en dat ze niet meer in staat is zich professioneel op te stellen. Ik kan dat niet opbrengen. Ze heeft al genoeg klappen gehad, dus ik kan niet ook nog eens gaan zagen aan het enige wat ze normaal gesproken wel onder controle heeft. Het is de enige constante in de stroom van mannen die komen en gaan. Haar carrière.

Ik kan bijna niet geloven dat ik het zelfs maar denk, maar ze verdient dit niet. Ze is vals en gestoord en wraakzuchtig en onzeker, maar dat wil nog niet zeggen dat ze dit allemaal hoeft door te maken. Dus ik heb maar één keuze, en dat is om door te blijven zaniken tot ze die telefoontjes eindelijk heeft gepleegd, en dan maar hopen dat ze voldoende zelfbeheersing kan opbrengen en normaal overkomt. Tenminste, dat denk ik, totdat Kay haar aan de lijn krijgt.

'Vergeet je Heather niet?' zegt Kay tegen de telefoon. 'Ze klonk echt geïrriteerd.'

'Lorna gaat naar huis voor de rest van de dag; ze voelt zich niet goed,' zegt ze tegen mij als ze ophangt.

'En Heather dan?' vraag ik.

'Ze zei dat ze vandaag niet in de stemming is om met wie dan ook te praten. Ze belt haar morgen. Ze klonk echt heel erg beroerd.' Kay realiseert zich begrijpelijkerwijs niet hoe ernstig de situatie is. Cliënten als Heather Barclay gaan niet op hun agenten zitten wachten tot die zich een keertje goed genoeg voelen om voor hen aan de slag te gaan. Vooral niet als ze bij hun vorige impresariaat zijn weggelokt met beloftes over dynamiek en grootse veranderingen.

'Ze moet haar echt vandaag terugbellen. Al is het maar met een leugentje over hoe ze de Controller of Entertainment achter de vodden zit en hij maar niet terugbelt. Hoewel dat natuurlijk weer net klinkt alsof die Lorna niet belangrijk genoeg vindt of dat hij onvoldoende in Heather geïnteresseerd is om er iets mee te doen. Als ze hem echt had gebeld, dan zou hij toch zeker niet weten hoe snel hij moest terugbellen om een afspraak te regelen?'

Kay ziet er wat verhit uit, omdat ze niet weet wat ik verwacht dat zij hier nu aan doet, en eerlijk gezegd verwacht ik ook niets van haar. Ze kan niets doen. Ik zat gewoon maar hardop te denken. Lorna zou trouwens toch niet naar haar luisteren. Ze heeft überhaupt nog nauwelijks naar haar omgekeken sinds de dag dat Kay hier kwam werken.

Ik hoor de buitendeur zachtjes klikken, alsof iemand stilletjes wil weglopen, en ik realiseer me dat het Lorna moet zijn die haar jas pakt.

Ik spring op uit mijn stoel als een jachthond die achter een konijn aan wil.

'Lorna,' zeg ik, en ze schrikt van me, 'ik weet dat je je niet goed voelt, en het spijt me dat ik je zo klem zet, maar je moet echt vandaag nog met Heather praten. Ze is niet blij en ik ben bang dat ze gewoon ergens anders naartoe gaat als ze het idee heeft dat ze niet jouw prioriteit heeft.'

'Kay belt haar maar om te zeggen dat ik ziek ben,' zegt Lorna, en dan grist ze haar jas van de haak.

'En de BBC dan? Wat kunnen we haar daarover zeggen? Heeft ze nu een afspraak daar of niet? Hebben ze interesse?'

'Het boeit me niet wat je haar allemaal vertelt. Ik ga naar huis.' Ze vertrekt voor ik kan bedenken wat ik verder nog kan doen.

'Zal ik dat dan maar doen?' vraagt Kay. 'Zal ik Heather bellen en zeggen dat Lorna ziek naar huis is?'

'Dat verklaart niet waarom ze haar gisteren of vanochtend niet heeft gebeld. O god. Dit slaat echt nergens op.'

Ik ga mijn opties na. Die lijken me ernstig beperkt. Ik kan Joshua en Melanie inlichten, maar daarvan had ik al besloten dat het te riskant was. Ik kan Heather bellen en haar zeggen dat Lorna ziek is en dat we nog niks hebben gehoord van de BBC, maar dan weet ze nog steeds niet wat Lorna precies allemaal voor haar heeft gedaan, de afgelopen vierentwintig uur. Dus staat me eigenlijk nog maar één ding te doen, en aan dat ene ding kleven eindeloos veel bezwaren, maar toch zie ik geen andere uitweg.

'Ik ga even in Lorna's kantoortje zitten,' zeg ik tegen Kay. 'Een paar telefoontjes plegen. Bel jij Heather nog maar niet. Ik laat je zo wel weten waar ik mee bezig ben.'

Gelukkig is Kay nog altijd zo nieuw dat ze zich nog niet voor me durft te storten om me tegen te houden, wat misschien wel zo verstandig zou zijn. Ze weet nog niet dat wat ik op het punt sta te gaan doen ontzettend dom is en misschien ook wel gewoon professionele zelfmoord.

'Oké,' zegt ze.

Ik ga aan Lorna's bureau zitten en haal een keer diep adem. Ik ken het nummer van de BBC uit mijn hoofd – ik bel voortdurend allerlei mensen daar namens Joshua of Melanie. Als ik de hoorn opneem, bedenk ik dat ik geen idee heb hoe de Controller of Entertainment eigenlijk heet, dus moet ik een paar minuten in Lorna's computer op zoek. Ik heb niet de minste behoefte om haar e-mail te lezen. Hoe minder ik weet van Lorna's leven, des te beter, heb ik besloten.

Gewapend met de naam, kies ik het nummer.

'Het kantoor van Niall Johnson, graag,' zeg ik tegen degene die opneemt, en voor ik het weet zegt een dame met een aangename stem me dat ik daar inderdaad mee ben doorverbonden.

'Ik zou graag willen spreken met zijn assistent. U spreekt met Lorna Whittaker van Mortimer and Sheedy.' Ik gok dat Lorna nog nooit met Niall heeft gesproken, en aangezien ze pas sinds een paar weken als agent opereert lijkt me dat een redelijke gok. En als hij dan straks zelf opneemt met 'Hé, Lorna, lang niet gesproken!' dan kan ik altijd nog zeggen dat zijn assistente het verkeerd begrepen had, en dat ik belde namens Lorna. Maar als ik daar nu al mee begin, krijg ik hem zeker nooit aan de lijn.

'Mag ik vragen waar dit over gaat?' zegt ze, en ik antwoord: 'Heather Barclay. Ik vertegenwoordig haar sinds kort. Ze heeft me gevraagd om een afspraak te regelen met Niall zelf. Vertrouwelijk, uiteraard,' zeg ik erbij, in de veronderstelling dat dat zijn nieuwsgierigheid wel zal prikkelen.

'Moment graag,' zegt ze.

Ik voel me wee in mijn maag terwijl ik wacht tot ze de lijn weer oppakt. Dan hoor ik een klik. 'Lorna, ik verbind je door met Niall.'

'Hallo,' zegt hij, goddank niet op een toon waaruit blijkt dat ze elkaar al eens hebben ontmoet.

Ik probeer luchtig en vol zelfvertrouwen te klinken. Ik ben EEN AGENT! Ik heb een cliënt die hij wil hebben. Hij is banger voor mij dan ik voor hem. Of gold dat alleen voor spinnen?

'Niall, hallo! Je spreekt met Lorna Whittaker van Mortimer and Sheedy. Wij hebben sinds kort Heather Barclay onder onze hoede, en zij wil de dingen graag eens wat grootser aanpakken. Daar past haar contract met ITV niet meer bij! En wij hoopten eigenlijk dat we binnenkort eens kunnen komen praten over de toekomst!' Ik merk dat ik Lorna's hijgerige en van uitroeptekens vergeven manier van praten nadoe.

'Heather gaat weg bij ITV?' zegt hij. 'Dat is interessant.'

O god, is dat wel zo? Ik heb geen idee. 'Dit moet uiteraard nog even onder ons blijven. Ze wil eens rondkijken naar wat voor mogelijkheden er nog meer voor haar openliggen.' Dat klinkt wel als iets wat ik Joshua en Melanie tegen mensen hoor zeggen aan de telefoon.

'Oké,' zegt hij. 'Nou, laten we gaan lunchen, zou ik zeggen. Dat zal wel wat tongen losmaken, denk ik zo.'

'Super!' zeg ik en mijn stem slaat een octaaf over. 'Roep eens wat data, dan kan ik kijken wanneer zij vrij heeft.'

'Ik zal Colette, mijn assistente, laten bellen met jullie. Ik neem aan dat jij er zelf ook zult zijn?'

'O… eh.'

'Dat lijkt me nuttig,' zegt hij. 'Voor het geval we het over strategische dingen moeten hebben. Dan hoeven we hetzelfde gesprek bovendien niet twee keer te voeren, scheelt weer in misverstanden.'

Ach, wat kan mij het ook schelen, ik ben er nu toch al aan begonnen. 'Natuurlijk! Leuk! Laat Colette bellen met Rebecca bij ons op kantoor, als ik er zelf niet ben. En bedankt voor je tijd. Ik zie uit naar onze ontmoeting!'

'Jij ook bedankt,' zegt hij. 'Tot ziens, en zeg maar tegen Heather dat we haar geweldig vinden.'

Hij hangt op en ik zit een minuut of drie, vier te shaken in Lorna's stoel. Mijn benen lijken wel van pudding. Nu kan ik niet meer terug. Ik heb iets in beweging gezet, en zelfs al zou ik willen, ik kan nu niet meer stoppen. Laten we hopen dat Lorna zichzelf snel bij elkaar weet te rapen, in elk geval op tijd voor haar lunch met Niall Johnson.

Ik kom tot bedaren en ga dan door Lorna's Rolodex op zoek naar Heathers nummer.

'Nou, dat werd tijd,' zegt ze als ze opneemt. 'Waar hang jij uit?'

'O, hallo. Je spreekt niet met Lorna, maar met Rebecca. Haar… eh… ik ben een collega. We hebben elkaar wel eens ontmoet, maar dat weet je niet meer. Hoe dan ook, Lorna heeft me gevraagd je te bellen. Ze is flink ziek – dat is ze eigenlijk al een paar dagen – en we hebben haar naar huis moeten sturen, al protesteerde ze nog zo hevig.'

'O,' zegt ze, en het klinkt niet alsof ze erg begaan is met Lorna's welzijn. 'Ik vroeg me al af waarom ze me nog niet had teruggebeld. Gaat het wel met haar?' zegt ze er achteraan.

'Het komt wel goed,' zeg ik. 'Het duurde even voor ze toe wilde ge-

ven dat ze ziek was en echt haar bed in moest. Het is zo'n workaholic,'
voeg ik eraan toe en ik vraag me af of dat er niet wat te dik bovenop
ligt. 'Anyway, ze vroeg of ik aan je wilde doorgeven dat Niall Johnson
ontzettend blij is om iets voor je te mogen betekenen…' Je moet
celebrity's nooit het gevoel geven dat zij iets voor een ander moeten
betekenen; dat is een hoofdzonde. 'Hij wil graag met je lunchen. Ik
wacht nog op zijn agenda, maar Lorna vroeg of ik vast met jou wilde
kijken wanneer jij zou kunnen.'

'Op maandagen en dinsdagen. De andere dagen heb ik repetities
en opnames. Zei ze echt dat hij enthousiast klonk?'

'Ja, zeker. Hij heeft ook gezegd: "Zeg maar tegen Heather dat we
haar geweldig vinden."'

'Prima.' Al haar irritatie lijkt als sneeuw voor de zon verdwenen nu
ze weet dat ze gewild is.

'Dus dan prikken we een maandag of een dinsdag waarop Niall
ook kan, en dan bellen we je terug. Het kan zijn dat je even een paar
dagen niets van Lorna hoort, want we hebben gezegd dat ze echt in
bed moest blijven en dat ze haar telefoon uit moest zetten. Dus als je
in de tussentijd iets nodig hebt, moet je mij maar bellen. Rebecca. Ik
geef je mijn mobiele nummer wel even.'

Ik geef haar het nummer en als ze ophangt lijkt ze me dik tevreden.

Terug op de receptie zeg ik tegen Kay dat ze eventuele telefoontjes
van het kantoor van Niall Johnson aan mij moet doorspelen, ook al
vragen ze naar Lorna. Ik kan haar wel zoenen als ze alleen 'Oké' antwoordt en verder niet vraagt waarom. Ik zit de hele middag te hopen
dat Colette belt. Ik kan natuurlijk niet blijven doen of ik Lorna ben
als ze weer terug is en om de hoek in haar kantoortje zit.

Rond halfvijf meldt Kay me eindelijk hardop fluisterend dat ze het
kantoor van Niall Johnson aan de lijn heeft.

'Voor Lorna of voor Rebecca?' vraag ik.

'Lorna.'

Toen ik Colette eerder aan de lijn had was ik me er niet eens van
bewust dat ik Lorna nadeed, maar nu doe ik mijn best om net zo te
klinken als vanmiddag met Niall. Voor het geval ze Lorna ooit nog
eens ontmoet. Hoewel Lorna in dat geval zelf geen enkele herinnering
aan hun eerdere gesprekken zou hebben. Zodra de afspraak rond is,

hou ik mezelf voor, en zodra Lorna weer op kantoor is, zal ik haar uitleggen wat ik heb gedaan en ook waarom. Ik hoop natuurlijk dat ze het begrijpt, en dat ze me zelfs dankbaar is omdat ik haar heb beschermd. Maar ja, we hebben het natuurlijk wel over Lorna, hè?

Enfin, even bij de les blijven.

'Colette, hallo!' zeg ik, en ik heb de uitroeptekens weer paraat. 'Fijn dat je me zo snel al terugbelt!' Kay kijkt me verwonderd aan.

'Goed,' zegt Colette. 'Ik heb Nialls agenda voor me liggen. Aan welke data zaten jullie te denken?'

Dus ik leg uit dat het een maandag of een dinsdag moet zijn, en dat pakt goed uit, want Niall heeft pas over een paar weken een gaatje op een van die dagen. Dan zal Lorna toch wel weer zijn bijgetrokken. 'Ik zal mijn eigen agenda meteen ook even checken,' zeg ik. Ik noem de datum hardop en kijk Kay veelbetekenend aan. Ze snapt de hint en zoekt snel iets op in haar computer – hopelijk zoekt ze in Lorna's agenda, want dat probeerde ik haar duidelijk te maken. Een paar klikjes later knikt ze naar me, en ik neem aan dat ze daarmee bedoelt dat Lorna die dag kan.

'Waar wil Heather graag afspreken?' vraagt Colette. 'Niall wil haar de keuze laten.'

Hoe moet ik dat in godsnaam weten? 'Nou, laten we The Ivy doen,' zeg ik, want daar zou ik zelf zo graag eens naartoe willen. Ik kan me niet voorstellen dat Heather of Lorna daar een probleem mee heeft.

'Dan wordt het The Ivy,' zegt ze. 'Ik reserveer meteen, en dan bevestig ik de afspraak met jullie kantoor een paar dagen van tevoren.'

'Fantastisch!' zeg ik. 'Zeg maar tegen Niall dat we ons erop verheugen!'

'Rebecca,' zegt Kay als ik heb opgehangen, 'ik weet wel dat ik hier nieuw ben, maar ik neem aan dat wat er vandaag allemaal gebeurt niet normaal is.'

'Het spijt me zo, Kay,' zeg ik. 'Ik breng jou hiermee in een heel lastig parket. Maar ik wist niet hoe ik het anders moest oplossen. Je moet dit echt voor je houden. Dat is het enige wat ik vraag.'

'Dat zal ik ook doen, dat weet je wel,' zegt ze, en ik geloof haar. 'Maar het zit me absoluut niet lekker, om eerlijk te zijn.'

'Je moet geloven dat ik dit voor Lorna's eigen bestwil doe. En voor

Mortimer and Sheedy. Hopelijk is ze binnen een paar dagen weer de oude, en dan maakt het verder niet uit.'

'Oké,' zegt ze. 'Jezusmina, wat een dag.'

'Schei uit.' Ik knik en denk aan het drama van eerder op de dag; dat wat dit allemaal heeft veroorzaakt. In alle opwinding over Lorna en Heather en Niall ben ik Alex en zijn dronkenmanspraatjes helemaal vergeten.

Thuis merk ik dat ik naar Dan kijk en zoek naar, wat eigenlijk? Een geheim van vier jaar geleden dat op zijn gezicht te lezen zou moeten staan? Ik doe mijn best om hem er niet naar te vragen. Dat is precies was Alex beoogde: dat ik achterdochtig en jaloers zou zijn. Dat Dan en ik ruzie krijgen en elkaar wantrouwen. Ik wil die mij opgedrongen rol niet spelen, maar ik weet ook dat het risico bestaat dat het aan me gaat knagen als ik niets zeg, en dat kan nog veel meer schade tussen ons veroorzaken. Daarbij vind ik dat ik Dan moet vertellen dat Alex op kantoor is geweest. Geheimen voor hem hebben is absoluut geen goed idee, die les heb ik nou wel geleerd. En als ik het verhaal toch vertel, dan moet ik het ook helemaal vertellen. Ik win deze strijd met mezelf. Ik ben op zoek naar een argument om tegen Dan te kunnen zeggen wat Alex me heeft verteld, en dat heb ik nu gevonden. Dan vroeg me om eerlijk tegen hem te zijn als er weer iets met Alex was, dus dat zal ik zijn. En dan lijkt het ook niet of ik hem ergens van beschuldig, want ik rapporteer gewoon wat Alex zei, en dan wacht ik wel af wat Dan erover te zeggen heeft. Ik laat me niet op stang jagen. Ik zal hem niet laten blijken dat ik vanbinnen doodsbang ben dat er een kern van waarheid schuilt in Alex' beschuldiging. Ik gooi het er gewoon uit, en dan zien we wel.

Bij het eten probeer ik extra lief voor hem te zijn. William vertelt een verhaal over een experiment bij scheikunde waar maar geen eind aan komt. Iets over hoe ze moesten bewijzen dat bepaalde stoffen een vaste stof, een gas of een vloeibare stof zijn. Hij kletst over partikelvibratie en thermische energie en Joost mag weten wat nog meer. Ik kan mijn gedachten er bijna niet bij houden.

'Neem nou deze ketchup,' zegt hij, en hij zwaait naar ons met zijn in Heinz gedoopte mes. 'Wat denk je dat dit is?'

Ik weet niet naar wat voor antwoord hij zoekt, dus zeg ik niks, en

Dan antwoordt: 'Lekker,' want hij weet dat William daarvan uit zijn dak gaat.

'Nee-hee,' zegt William. 'Is het een vaste of een vloeibare stof?'

Ik waag een poging. 'Nou, een vloeibare stof natuurlijk, dat weet toch iedereen,' in de wetenschap dat hij de vraag alleen stelt omdat dit meest voor de hand liggende antwoord natuurlijk fout is.

Hij doet precies zo triomfantelijk als ik al gedacht. 'Dat hoeft niet per se,' zegt hij zelfingenomen. 'Het kan een emulsie zijn, omdat het een mengsel is van twee niet vermengbare vloeibare stoffen. Maar je kunt ook zeggen dat het een colloïde is, wat een chemisch mengsel is waarbij de ene substantie gelijkmatig door de andere is verspreid.'

'Wow,' zegt Dan, interesse veinzend. Ik vang Dans blik. Hij glimlacht alsof hij wil zeggen: 'Wat hebben we toch een geweldige zoon.' Ik glimlach terug, maar het moment wordt verpest door Zoe, die zegt: 'William, alsjeblieft, zeg. Ik snij straks echt mijn polsen door als je niet heel snel je snavel houdt.'

William, de goedzak – echt een zoon van zijn vader – zegt alleen: 'Sorry', en zwijgt.

Dan schiet in de lach. 'Nou, laten we dan je moeder maar eens vragen hoe haar dag was.' Zoe kreunt en ik doe bijna met haar mee. Ik heb echt geen trek om over mijn dag te praten bij het avondeten. Ik zoek iets om te rapporteren wat niet dramatisch klinkt, maar zo met Alex en Lorna is er niets wat niet dramatisch is.

'O, gewoon. Het ging wel,' is het enige wat ik kan verzinnen.

'Kom op,' zegt hij. 'Er is toch wel iets te vertellen over je leven vol met glitter en beroemde types?'

'Nou, ik heb Heather Barclay aan de lijn gehad.' Dit heeft gelukkig het beoogde effect, want Zoe komt ineens tot leven en zij en William willen weten hoe die precies is.

'Ik heb haar zelfs laatst in het echt ontmoet.'

'Niet! Is ze mager?' vraagt Zoe. 'Hoe mager is ze precies?'

'Te mager,' zeg ik. 'Dus haal je maar niks in je hoofd.'

'Is ze mooi?' wil William weten.

'Ja,' zeg ik. 'Op zo'n te magere manier.'

'Is ze aardig?'

'Ze is wel oké. Maar als je iets doet wat haar niet zint, denk ik dat ze ook een nachtmerrie kan zijn.'

'Wow, mam, dat is echt zo cool,' zegt Zoe. 'Op school heeft niemand een moeder die zoveel beroemde mensen ontmoet op haar werk.'

'Archie Samsons vader is zelf beroemd,' zegt William. Archie zit een klas hoger, en zijn vader is presentator van een actualiteitenprogramma.

'Nou en?' zegt Zoe. 'De vader van Archie Samson doet het nieuws. Maar dit is Heather Barclay. Kun je een handtekening voor me regelen?'

'Ik weet niet. Waarschijnlijk wel. Ik wacht liever tot ze wat langer bij ons zit.' Het voelt nu niet als het juiste moment om Heather Barclay naar een gesigneerde foto te vragen.

'En eentje voor Kerrie.'

'En eentje voor mij,' zegt William.

'En eentje voor mij. Met zoenen erop,' zegt Dan, waar ik ondanks mijn spanning toch om moet lachen.

Zodra de kinderen eindelijk naar bed zijn, of tenminste, in Zoe's geval, haar kamer, zeg ik tegen Dan: 'Wil je echt weten hoe mijn dag was?'

Hij weet meteen dat er iets mis is. 'Wat? Wat is er gebeurd?'

Dus ik vertel hem over Alex en zijn gezicht trekt wit weg. Ik bespaar hem geen enkel detail; het kan me niet meer schelen dat ik Alex in een kwaad daglicht zet. Ik overdrijf niets, maar ik wil wel dat Dan heel goed weet hoe verschrikkelijk hij zich heeft misdragen.

'En toen,' zeg ik, en ik probeer nonchalant te klinken, 'zei hij iets over Edinburgh. Dat ik jou moest vragen over Edinburgh. Hij zei dat ik zelf maar niet zo zeker moest zijn over mijn eigen huwelijk.'

Ik zwijg, zodat ik Dan goed kan bekijken. Ik hoop dat hij lacht of verward kijkt. Maar dat doet hij geen van beide. In plaats daarvan kijkt hij paniekerig, betrapt. Ik voel mijn hart in mijn keel bonzen. Ik bijt op mijn bovenlip om niets te zeggen, om niet tegen hem te schreeuwen dat hij me moet vertellen wat er dan gebeurd is. Maar de bal ligt nu bij hem.

Dan zucht hoorbaar en pakt mijn hand, wat nooit een goed teken is in dit soort situaties.

'Dan…' zeg ik, en ik ben nauwelijks tot meer in staat dan fluisteren. Ik moet het nu weten. Ik kan niet meer terug naar de onwetendheid. Ik kan mezelf nu niet meer wijsmaken dat Alex gelogen heeft. Ik kan deze doos niet meer dichtdoen zonder te kijken wat erin zit. Ik moet weten wat Dan me te zeggen heeft. Want ik weet nu wel heel zeker dat hij me iets op te biechten heeft.

'Vertel het me nou maar. Wat het ook is. Voor de draad ermee.'

'Het spijt me zo ontzettend, Rebecca.'

Met deze woorden voel ik de bodem onder mijn wereld vandaan zakken. Mijn veilige cocon, waaraan ik jarenlang heb gebouwd, valt voor mijn ogen uit elkaar. Ik wil mijn hand terugtrekken, maar Dan houdt hem veel te stevig vast. Ik wacht om te horen wat hij me te zeggen heeft.

'Toen Alex en ik in Edinburgh waren, was er een vrouw...'

'Nee, Dan...' Ik kan me niet meer inhouden.

'Er is niet echt iets gebeurd,' zegt hij snel. Nu snap ik het niet meer. 'Wat bedoel je?'

'Ze logeerde bij ons in het hotel, en we raakten met haar aan de praat in de bar. Zij was daar voor een of andere conferentie, met een hele zwik collega's. Ze was gewoon... Ze wond er geen doekjes om dat ze me wel leuk vond. En ik ben er bijna voor gegaan. Ik weet ook niet waarom. Ik heb zelfs nog nooit overwogen om zoiets te doen, maar we hadden toen een beetje een nare periode... ik weet niet, er is ook geen excuus. Nou, daar heb ik het toen met Alex over gehad. Ik zei dat ik had overwogen om.... Het zal mijn midlifecrisis wel zijn geweest.'

Hij stopt en kijkt me aan als een hond die wacht op een afstraffing.

'En dat was het? Dat was echt alles, dat je het hebt overwogen?'

Hij knikt.

'Dus er is verder niks gebeurd? Je hebt niet... gezoend... of zo?'

Hij kijkt naar de grond. 'Ja, dat wel. Maar het duurde nauwelijks een paar seconden. In de lift. Ze vroeg me om mee te gaan naar haar kamer, en toen ben ik meegegaan. Dat is waar ik me zo voor schaam. Maar zodra ik daar was, wist ik dat ik het niet wilde. Ik kon het niet. Dus toen ben ik weggegaan. Ik weet ook verder niks van haar, nog geen telefoonnummer, en de volgende dag zijn we vertrokken. Het spijt me. Ik had het je toen moeten vertellen, maar ik voelde me er zo beroerd onder en ik was bang dat het alles kapot zou maken...'

Ik kan me niet bedwingen. Ik schiet in de lach. Het is absoluut niet grappig, en ik weet dat ik mezelf op een kwade dag zal kwellen met de details. (Hoe zag ze eruit? Wat was er zo bijzonder aan haar dat hij het überhaupt heeft overwogen? Heeft hij het met haar over mij gehad? Waar hebben we die avond over gesproken aan de telefoon? Was alles normaal, alsof er niks was gebeurd? Heeft hij toen gezegd dat hij me miste? Dat hij van me hield?) Maar de waarheid is dat ik zo opgelucht ben dat ik wel kan huilen. En hij heeft gelijk, het liep toen ook niet zo lekker tussen ons. Niks ergs, het was ook niet eens tastbaar; het was gewoon zo'n fase waar je af en toe doorheen gaat en er meer spanning is dan dat je een band voelt. En dan, na een paar dagen, of zelfs weken merk je dat je ineens helemaal niet meer zo gestoord wordt van de gewoontes van de ander dat je steeds maar ruzie zoekt. Alle stellen gaan daar doorheen. Zulke periodes gaan vanzelf weer over, maar ik herinner me deze periode nog, omdat het allemaal begon toen we op vakantie waren. Met zijn tweetjes, zonder de kinderen, voor het eerst sinds jaren. Ineens waren we vierentwintig uur per dag samen, maar het was net alsof we ons niet meer konden herinneren hoe dat ook alweer moest. Alles voelde verkeerd. Het was zelfs een van de redenen waarom ik zo blij was dat meteen daarna Dan met Alex naar Schotland ging. Ik had het gevoel dat we even een paar dagen uit elkaars buurt moesten blijven. Hij heeft gelijk, het is zeker geen excuus, maar het had zoveel erger kunnen zijn. En ik besluit om nooit meer tegen Dan te zeuren. Nooit meer.

'Dus dat was echt alles?' vraag ik, en hij kijkt me recht in mijn ogen en zegt dat dit echt alles was, maar dat het toch al erg genoeg is, of niet?

'Dan, het geeft niet. Ik bedoel, het geeft wel, maar het is oké. Ik zou liegen als ik nu beweer dat het me niet raakt dat jij mee bent gegaan naar haar kamer en… Maar goed, als je bedenkt wat er allemaal nog meer had kunnen gebeuren, is dit niks. Dit is maar heel klein. En je hebt gelijk. Het liep toen ook niet zo soepel.'

'Toch had ik het nooit zover moeten laten komen.'

'Je hebt een fout gemaakt. En dat niet alleen: je hebt jezelf ook weerhouden van een nog veel grotere fout. We mogen toch allemaal wel eens een keertje wankelen. We mogen toch best vragen stellen bij onze relatie.'

'Alleen jij doet dat nooit. Toch?'

'Ik heb ook wel eens momenten gehad, hoor,' zeg ik, ook al kan ik me niet herinneren dat zulke momenten er ooit zijn geweest. 'We laten het gewoon rusten en we kijken vooruit. Het is niet erg, Dan. Echt niet.'

'Meen je dat?' zegt hij, en hij kijkt zo opgelucht dat het lijkt of hij in huilen uit kan barsten.

'Ja, dat meen ik.'

Misschien had ik dit niet zo opgevat als Dan me dit op enig ander moment zou hebben opgebiecht. Sterker nog, dat weet ik wel zeker. Dan had ik het als een enorm bedrog opgevat. Dan zou ik totaal van slag zijn geweest omdat Dan gedrag had vertoond dat helemaal niet past bij de Dan die ik meende te kennen. (Dan en flirten? Daar kan ik me niets bij voorstellen. Niet aan denken, zeg ik bij mezelf. Maak het niet groter dan het eigenlijk is.) Mijn onzekerheid zou flink gestegen zijn (was ze dunner/jonger/mooier/grappiger dan ik?) en ik zou er waarschijnlijk eindeloos over hebben zitten zeuren en malen, totdat Dan er helemaal dol van was geworden. Maar nu ben ik er vrij zeker van dat ik het kan wegstoppen en vergeten. Bijna. Ik gun mezelf nog een momentje van zwakte.

'Dan? En sindsdien... ik bedoel, het is toch nu oké met ons, hè?'

'Jezus, nou,' zegt hij, en hij knuffelt me zo stevig dat ik bijna geen lucht krijg. 'Ik ben toen goed wakker geschud en zag wat ik bijna kwijt was geweest. Jezus, Rebecca, als ik eraan denk dat ik jou en de kinderen zou verliezen. Je gelooft me toch wel echt, hè?' Hij houdt me van zich af zodat hij me aan kan kijken en ik zeg ja, ik geloof hem, natuurlijk geloof ik hem, en ik meen het ook. Ik kan aan zijn reactie, zijn schuldbewustzijn en zijn schaamte over wat in feite niets voorstelde, zien dat er geen risico op herhaling is.

'Ik ben alleen nieuwsgierig,' zeg ik een paar minuten later. 'Wat zei Alex daar precies over?'

'Die zei dat ik ervoor moest gaan,' zegt Dan en hij kijkt nog schuldiger nu hij weer een nagel in de doodskist moet slaan waarin mijn vriendschap met Alex is gestopt. 'Sterker nog,' geeft hij schoorvoetend toe, 'hij zei dat hij absoluut werk van haar had gemaakt als ze niet al achter mij aan zat.'

Ik val hem in de rede: 'Dus toen al?'

Dan knikt. 'Hij zei dat het hem benauwde om al zo lang dezelfde relatie te hebben. Dat het geen kwaad kon om eens wat om je heen te kijken.'

'Jezusmina, Dan, echt waar?'

'Ja, nu snap ik wel dat hij hoopte dat wij uit elkaar zouden gaan, want dan kon hij achter jou aan. Maar daarvoor had hij ook al met andere vrouwen gescharreld.'

Alex? Echt waar? 'En jij wist dat?'

'Hij wist heel goed dat ik dat afkeurde.'

'En je hebt het mij nooit verteld?'

Hij haalt mistroostig zijn schouders op. 'Hij vroeg of ik dat niet wilde doen. En eerlijk gezegd was ik ook bang dat jij hem zou vermoorden of het idee had dat je het aan Isabel moest vertellen.'

'Daar kun je wel op rekenen, ja. En denk je niet dat het voor haar misschien beter was geweest als zij al eerder had geweten dat haar huwelijk niet zo perfect was? Toen ze nog jonger was en het misschien minder angstaanjagend was geweest om alleen te komen staan?' Ik voel nu toch dat ik kwaad word. Dat stomme ouwe-jongens-krentenbroodgedoe. Het idee dat vriendschappen tussen mannen belangrijker zijn dan wat dan ook.

'Misschien. Ik vertel alleen hoe het was,' zegt hij, want hij voelt wel dat ik nu mijn geduld verlies en hij is ongetwijfeld bang dat ik dan ook niet meer zo gemakkelijk ben over Edinburgh. Dat kan ook wel eens de reden zijn waarom ik zo kwaad ben op Alex. Ik was zo vastbesloten om niet tekeer te gaan tegen Dan, dat ik al mijn pijn en woede heb onderdrukt over wat hij heeft gedaan. Maar ik moet voor ogen houden waar het hier nu echt om gaat. Alex probeert mijn huwelijk de grond in te boren, en dat wil ik niet laten gebeuren. En bovendien, Dan en Alex zullen elkaar in de toekomst nooit meer indekken.

'Ik weet het,' zeg ik. 'Ik word alleen zo kwaad om Isabel.'

'En terecht.'

'We gaan haar nooit iets vertellen, hoor, van die… je weet wel… die andere vrouwen. Goed?'

Hij knikt.

'Wat een puinhoop,' zeg ik, en Dan zegt nog eens: 'Het spijt me heel erg. Alles.'

21

D E VOLGENDE DAG OP KANTOOR is er geen spoor van
Lorna te bekennen. Ze belt ook niet om te zeggen dat ze
niet komt. Ik vraag of Kay een excuus weet om haar te bellen – 'ze moet niet het gevoel krijgen dat je haar controleert'. Kay
belt, en Lorna scheldt haar de huid vol. We zeggen tegen Joshua en
Melanie dat Lorna zich ziek heeft gemeld en dan ga ik aan de slag
om de schade wat te beperken. Goddank heeft Lorna maar weinig
cliënten, maar toch heb ik van de helft al geen idee waar ze mee bezig
zijn en wat voor belangrijke afspraken of audities er lopen die ze nu
misschien kunnen missen. Ik besluit om hen allemaal op te bellen
om te zeggen dat Lorna de komende dagen is uitgeschakeld en om te
vragen of ik iets voor hen kan doen. Ze zullen me wel overgedienstig
vinden, maar dat kan mij niets schelen. Voor ik dat doe, bespreek ik
met Kay eerst alle telefoontjes die ze heeft aangenomen voor Lorna
sinds ze hier is begonnen, voor het geval er iets urgents bij zat waar
op gereageerd moet worden. Dat is niet waarschijnlijk, dat weet ik
ook wel, maar voordat Lorna instortte was ze lekker bezig om zelfs
de meest comateuze carrières nieuw leven in te blazen.

Naast de mensen die ze zelf heeft aangetrokken sinds ze AGENT is
geworden – Mary, Craig en Heather – heeft Lorna het lijdzame lot
van nog vier anderen in handen. Allemaal mensen bij wie Joshua en
Melanie de moed in de schoenen was gezakt, maar die ze ook niet
aan de dijk konden zetten. Toneelschrijfster Joy Wright Phillips, die
ooit een prijs voor jong schrijftalent heeft gewonnen en van wie in
het kader daarvan een toneelstuk in productie was genomen, maar
die sindsdien aan een writer's block lijkt te lijden. Dan heb je nog
de acteurs Samuel Sweeney en Kathryn Greyson, die dapper en met
wisselend succes doorploeteren in theatertjes en heel soms op televisie,

en 'personality' Jasmine Howard, die eigenlijk als journaliste voor een roddelblad werkt, maar die haar niche heeft gevonden als 'deskundige' en als zodanig komt opdraven om haar mening te geven over van alles en nog wat: van vrouwenbesnijdenis tot waarom ze zo gek is op de jaren tachtig. Als het maar betaalt.

Ik bel Samuel als eerste, omdat een van de boodschappen die Kay een paar dagen geleden heeft genoteerd er eentje was van een casting director die hem uitnodigde auditie te doen voor een kleine rol in *Nottingham General*. Daar wist hij nog helemaal niet van, maar hij blijft er kalm onder. De auditie is overmorgen, hij is vrij en dat hij het op zo'n korte termijn hoort kan hem niet schelen. Hij krijgt de scènes die hij moet voorspelen toch pas ter plekke. Hij weet niet beter.

'O, mooi,' zegt hij oprecht. 'Mijn auto moet op voor de apk, dus ik kan het geld wel gebruiken.'

Daarna kies ik Jasmine, die volgens mij de enige is die momenteel echt ergens mee bezig is.

'Heeft ze Phil nog gebeld?' vraagt ze.

'Phil…?'

'Phil Masterson, de producent van *London at Six*,' verklaart ze op een toon die suggereert dat ik een beetje dom ben omdat ik niet weet over welke Phil ze het heeft.

'O, ik heb eerlijk gezegd geen idee. Was het dringend?'

'Ze zou hem elke week bellen om te zien wat voor onderwerpen ze daar op de agenda hebben. Het was haar eigen idee, maar ik heb er niets meer van gehoord. Het heeft geen zin om goede ideeën te hebben als je er vervolgens toch niets mee doet. Ik heb tegen Joshua gezegd dat ik er geen probleem mee had om over te stappen naar Lorna, maar dan wil ik wel iets aan haar hebben…'

'Ik zal het voor je nagaan,' onderbreek ik haar. 'Waarschijnlijk heeft ze hem gebeld vlak voordat ze ziek werd, en heeft ze nog niet de kans gehad om ons op de hoogte te brengen. Ze is vrij onverwacht ziek geworden.'

'Wat is er dan met haar aan de hand?'

'Eh… dat weten ze nog niet precies. Ze is ingestort. Er worden nu tests gedaan.'

'Ze moet eens wat meer eten, dat zal het zijn,' zegt Jasmine, een vrouw naar mijn hart. 'Ze is veel te mager. Vind je ook niet?'

'Nou, maar ze had wel allerlei klachten: koorts, misselijkheid, hoofdpijn. Koude rillingen.' Oké, Rebecca, en nu je mond houden, dit is wel erg overdreven. 'Moet je horen,' zeg ik, 'ik zal zien wat ik aan de weet kan komen en dan bel ik je terug, oké?'

Ik geef Kay de opdracht om Lorna's boek van de afgelopen twee weken door te lopen om te zien of ze Phils naam ergens tegenkomt. Lorna, Joshua en Melanie hebben allemaal een boek waar ze al hun telefoontjes in opschrijven en wat er allemaal is besproken. Dat is om zichzelf in te dekken, en het werkt.

Joshua had een keer ruzie met een televisieproducent over de details van een ontzettend complex contract waarover ze in onderhandeling waren voor een van onze actrices. Toen moest ik het boek doorlopen en alle gesprekken die ze over dit onderwerp hadden gehad markeren. Ben ik uren mee bezig geweest. Later hoorde ik hem aan de telefoon zeggen: 'Op vierentwintig mei heb jij ermee ingestemd dat mijn cliënt als tweede genoemd zou worden in de titelrol, en dat ze met niet meer dan twee anderen tegelijk in de aftiteling zou worden genoemd. Waarom zou ik anders hebben ingestemd met een korting van vijf procent op het honorarium per aflevering?'

Hij heeft die strijd uiteindelijk gewonnen en de producent moest inbinden. Hij zei achteraf dat hij nooit voldoende munitie had gehad als hij niet zulke minutieuze – en vooral direct genoteerde – aantekeningen had. Als je achteraf uit je geheugen moet werken, weet je het nooit meer zo precies.

Het voelt alsof we indringers zijn nu we forensisch onderzoek plegen op Lorna's boek zonder haar toestemming, maar we hebben denk ik geen keus. Eigenlijk doet Kay het – en ik verzeker haar nogmaals dat ik alle schuld op me zal nemen als dat nodig blijkt – terwijl ik Kathryn Greyson bel, die heel lief is en me vertelt dat er niet veel loopt, maar dat ze me zal bellen als ze iets nodig heeft. Ik bereik haar bij de bloemist waar ze drie ochtenden per week werkt. Ik kan me niet herinneren wanneer ze voor het laatst een acteurklus heeft gehad.

Tot slot bel ik met Joy Wright Phillips, de toneelschrijfster. Het duurt een eeuwigheid voor ze opneemt, en als dat eenmaal is gebeurd, hoor ik aan de verwarring in haar stem dat ze nog sliep.

'Hoe laat is het?' vraagt ze, duidelijk geïrriteerd dat ik haar stoor. Ik kijk op mijn horloge. 'Kwart over elf.'

'O,' luidt het antwoord. 'Het was laat, gisteren. Ik zat te schrijven,' voegt ze er weinig overtuigend aan toe.

Ik vertel haar van Lorna en ze zegt dat ze nergens op zat te wachten. Ze zou pas weer contact hebben als ze iets af had.

Ik weet alles over Joys writer's block, ook al doet ze zelf net of er niets aan de hand is, en zeg: 'Ik snap niet hoe je het voor elkaar krijgt. Ik zou er de discipline niet voor hebben. Ik denk zelf dat ik dan beter vroeg in de ochtend zou schrijven. Nog voor ik aangekleed was en er allerlei afleiding op me af zou komen.' Niet dat ik er verstand van heb, maar ik heb het gevoel dat ik iets moet zeggen om Joy te helpen er weer in te komen. 'En dan heb je het ook maar gedaan. Dan hangt het niet de rest van de dag zo boven je hoofd. En ik zou ook werken op een computer zonder internet, want dan kom ik ook niet in de verleiding om elke vijf minuten mijn e-mail te checken of de hele dag op Facebook te hangen. Maar goed…' Ik heb verder geen wijze woorden meer voor haar, dus ik hou verder mijn mond.

Joy reageert niet echt, dus hang ik op. Ik weet waar Craig en Heather mee bezig zijn, dus dan hoef ik alleen Mary nog maar te bellen. Volgens mij heb ik nu wel even tijd voor een korte koffiepauze. Ik heb het gevoel dat ik al een hele hoop heb gedaan deze ochtend – los van mijn eigen werk natuurlijk, want dat stapelt zich maar op op mijn bureau. Kay is klaar met het bestuderen van Lorna's boek als ik al mijn telefoontjes heb afgerond.

'Nou, het goede nieuws is dat er verder niet echt iets in staat wat we niet al hebben opgepakt,' zegt ze terwijl ze met het boek in mijn richting zwaait. 'Het slechte nieuws is dat er niet echt iets in staat. Ze heeft de afgelopen weken nauwelijks aantekeningen gemaakt.'

'Dus niks over Phil Masterson?'

'Geen woord.'

Phil Masterson lijkt me niet echt urgent en hij en Jasmine kunnen nog wel een paar dagen wachten. Als Lorna dan terugkomt en van plan is om ook echt weer eens iets te gaan doen, kan ze hem zelf bellen en dat is voor iedereen een stuk eenvoudiger.

Kay en ik drinken onze koffie in stilte en staren voor ons uit als twee soldaten met een shellshock. Ik ben best trots op mezelf. Alles is onder controle, al Lorna's klanten zijn tevreden en iedereen zit waar hij moet zitten en niemand heeft door wat er aan de hand is. Dit gevoel houdt een kleine twintig seconden aan, want dan neem ik de telefoon op en hoor een huilende Mary. Ik vertel haar dat Lorna ziek is, bla bla bla, en vraag haar wat er mis is.

'Ik kwam Marilyn Carson vanochtend tegen. Ze doet de casting voor die nieuwe productie van *A Doll's House* met Elizabeth O'Mara in de hoofdrol – en ze vroeg me waarom ik gisteren niet naar de auditie ben gekomen. Dus ik zei dat ik helemaal niet wist dat er een auditie was, en toen zei zij dat dat mooi jammer was, omdat er zeker een rolletje in had gezeten voor me, en dat ze me zelfs in gedachten had als understudy voor de rol van Nora. Als understudy van Elizabeth O'Mara! Dat geloof je toch niet? En ik vroeg of ze me dan misschien vandaag of in het weekend wilde zien. Ik had alles zo laten vallen. Maar ze zei dat ze de rol al hadden vergeven omdat de repetities volgende week beginnen en dat ze het wel jammer vond omdat ze me goed vond in onze afstudeerproductie. En dat mijn rol maar weinig tekst had, dus de regisseur was bereid om een risico te nemen met een nieuwkomer. En dat heeft hij trouwens ook gedaan, want het meisje dat ze nu hebben uitgekozen heeft nauwelijks ervaring. Het is een grote tournee, die vrijwel zeker ook naar het West End komt. Een echte betaalde baan was het, Rebecca. En iedereen weet dat de ster altijd expres een paar matinees overslaat om de understudy een kans te geven. Een geweldige rol was het. Dat is toch vreselijk?'

O shit.

'Rustig nou maar, Mary,' zeg ik. 'Wil je dat ik Marilyn Carson voor je bel?'

'Het heeft geen zin. Ik zei toch, de rol is al naar iemand anders gegaan.'

Ik heb nu echt geen idee wat ik moet doen. Ik verzin nog een ingewikkeld excuus voor Lorna, maar Mary heeft geen zin om het allemaal te horen. Voor een door de wol geverfde professional als Samuel zou dit een onbeduidend foutje zijn. Een van de duizend rollen die hem om wat voor reden dan ook door de vingers zijn geglipt. Maar voor Mary is dit een enorm drama. Marilyn is zelfs de enige casting director die ze in haar korte carrière heeft ontmoet.

Ik weet precies hoe ze zich voelt. In mijn korte loopbaan als actrice-serveerster-televerkoopster zag ik elke auditie als het mogelijke keerpunt, de kans die ik nodig had om in elk geval twee van mijn baantjes te kunnen laten vallen. Elke teleurstelling kwam keihard aan, en ik fixeerde me steeds maar op wie de rol wel had gekregen en waarom. Iedere triomf van een andere actrice was voor mij een gemiste kans.

Mary weet dat die paar regeltjes tekst in *A Doll's House* en heel misschien, als ze heel veel mazzel had, een keer de hoofdrol in een matinee voor een diepteleurgesteld publiek dat eigenlijk kwam voor de actrice die kennelijk ziek was, haar leven niet echt zouden hebben veranderd. Maar het zou wel een bevestiging zijn geweest van haar beslissing om zichzelf actrice te noemen en in dit prille stadium van haar carrière moet het belang van zoiets niet worden onderschat.

'Mary, moet je horen,' zeg ik, 'je moet dit maar vergeten, want dit was botte pech. Ik bel Marilyn toch op, zodat ze weet dat wij de fout hebben gemaakt, en niet jij. En dan moet je je richten op je volgende auditie.'

Ik zou niet weten wat ik anders tegen haar moest zeggen.

'Er is geen volgende auditie,' zegt ze. 'Marilyn is de enige casting director die me ooit heeft willen zien. Waarom zou iemand me ook willen zien, ik heb nul ervaring.'

'Dan regelen wij een andere auditie voor je, goed? Ik beloof dat ik je in contact breng met een andere casting director, al moet ik ervoor op mijn kop gaan staan.' Kay kijkt me aan met opgetrokken wenkbrauwen. Ik haal mijn schouders op.

'Laat het maar aan mij over,' zeg ik tegen Mary.

'Je hoeft je niet zo uit te sloven,' zegt Kay zodra ik de telefoon neerleg. 'Je dekt alleen Lorna in, weet je nog? Je hoeft niet haar hele baan over te nemen.'

'Wat had ik dan moeten zegen?' Goddomme, Lorna.

Dit is de eerste keer vandaag dat mijn recente medeleven met Lorna aan het wankelen slaat. Ik moet mezelf eraan herinneren dat dit in feite allemaal de schuld van Alex is, en die gedachte geeft me weer moed.

'Nou,' zeg ik tegen Kay, 'wat staan er voor castings op het programma binnenkort? We moeten Mary ergens binnen zien te krijgen. Hoe moeilijk kan het zijn?'

Ik kan in elk geval met Marilyn bellen, want die heb ik in de loop der jaren al honderd keer gesproken.

'O hoi, Rebecca,' zegt ze vriendelijk. 'Hoe gaat het?'

'Prima,' zeg ik zwakjes, 'maar ik bel om te verontschuldigen vanwege Mary Fitzmaurice.' Ik draai mijn hele arme-zieke-Lorna-riedel nog maar eens af, en Marilyn vindt het natuurlijk allemaal wel best. Waarom ook niet? Zij is geen klus misgelopen.

'Het punt is, Marilyn, dat ik een andere casting voor Mary moet regelen. Dit heeft haar zelfvertrouwen geen goedgedaan. Heb je toevallig nog iets anders in het verschiet?'

'Niet echt. Mijn volgende project is *Journey's End*, maar daar zitten alleen maar mannen in... maar ze hoeft zich geen zorgen te maken, zeg dat maar. Ik laat haar de volgende keer als ik iets relevants heb wel weer komen. Ze hoeft niet in paniek te raken.'

'Dat weet ik wel, maar je weet hoe dat gaat. Toch bedankt.'

Na Marilyn bel ik nog vijf andere casting directors. Niemand heeft interesse in een actrice die nog geen staat van dienst heeft en die ze nog nooit hebben ontmoet. Ik zeg tegen iedereen dat ik hen op de hoogte zal houden als er iets is waarin ze haar kunnen zien, en ze beloven allemaal dat ze haar dan voor een algemeen gesprek zullen uitnodigen als ze goed blijkt te zijn. Ik zeg ook dat ze ontzettend goed is, ook al heb ik haar zelf nog nooit zien spelen, en dan laat ik het er verder bij. Dit is in elk geval iets.

Als ik met een van hen aan de lijn hang, Paul Seeborne, komt Joshua de receptie binnen lopen en hij blijft bij de archiefkasten hangen, kennelijk op zoek naar iets. Ik zit midden in mijn verhaal: 'We denken dat ze enorm veel potentieel heeft als karakteractrice. Ze heeft wel iets van Samantha Morton weg, diezelfde scherpte...' Dan pas zie ik dat hij er is, en ik zwijg abrupt en zeg: 'Enfin, Lorna zal je er wel over bellen als ze er weer is', wat Pauls verbazing wekt, want hij hoeft Lorna verder nergens over te spreken. 'Nou, fijn, bedankt. Tot ziens,' zeg ik, en ik hang op nog voor hij kan reageren. Joshua vindt het schijnbaar niet onoorbaar, wat hij zojuist heeft gehoord, dus ik kom er voorlopig mee weg. Als ik nog meer van dit soort telefoontjes moet afhandelen, moet ik me toch echt in Lorna's kantoortje opsluiten.

'Al een beetje gewend?' vraagt Joshua aan Kay, ook al interesseert het antwoord hem niet echt.

'Ja. De schellen vallen me hier van de ogen,' zegt ze met een glimlach. 'Ik leer veel.'

'Mooi zo, mooi zo,' antwoordt hij en dan loopt hij snel weer weg, en hij heeft goddank geen idee waar ze het over heeft.

Tegen het einde van de dag ben ik uitgeput. Ik heb het gevoel dat ze me op een brancard naar huis moeten dragen en meteen in bed moeten stoppen, maar in plaats daarvan ga ik naar Isabel omdat we dagen geleden al een meidenavond hadden afgesproken en ik het hart niet heb om die af te zeggen.

Nu William er niet is om te kwellen, zijn de meisjes een toonbeeld van schattigheid en goed gedrag. Ze helpen met de groenten voor het eten en als we klaar zijn met het avondmaal dat we aan de grote keukentafel hebben genuttigd, bieden ze aan om te helpen bij de afwas. Ik vertel Izz over mijn dag terwijl zij afruimen en glazen wijn komen brengen als twee miniserveersters. Natuurlijk ben ik veel benieuwder naar haar nieuws, maar ik zal moeten wachten tot de tweeling naar hun kamer vertrekt, boven in het huis, en ik het onderwerp Luke kan aansnijden.

Isabel woont in een echt huis – drie verdiepingen en een kelder, die weliswaar niet enorm is, maar waar ons kleine appartement met gemak drie keer in past. Desondanks wilden de meisjes per se een kamer delen, dus heeft Alex de muur tussen twee kleine zolderkamertjes weggehaald, zodat zij daar nu de boel bestieren als twee ontzettend luidruchtige muizen. Als ze naar boven gaan beloven ze dat ze niet lang tv zullen kijken en dat ze precies om halfnegen naar beneden zullen komen voor een nachtzoen, en Isabel en ik verdwijnen naar de gerieflijke zitkamer en nemen de fles wijn met ons mee.

'Ik begrijp niet zo goed waarom je haar helpt,' zegt ze als ik mijn verhaal over de gebeurtenissen op kantoor heb gedaan, inclusief een gekuiste versie van het verhaal over de dronken Alex. 'Ze doet altijd zo afschuwelijk tegen jou.'

'Ik weet het zelf eigenlijk ook niet. Maar ze ligt echt helemaal in de puinpoeier en als ze dan ook nog haar baan kwijtraakt, heeft ze helemaal niets meer. Ze mag dan af en toe een vals kreng zijn, maar niemand verdient hoe zij is behandeld door Alex. Ze is er echt helemaal kapot van. En ik voel me toch ergens verantwoordelijk. Als ik hen niet aan elkaar had voorgesteld...'

'Nou, laten we hopen dat ze je dankbaar is.'

Ik lach. 'Dat lijkt me niet waarschijnlijk.'

'Steek je nek nou maar niet al te veel uit, goed?' zegt Isabel plotseling ernstig. 'Het is mooi, hoor, dat je haar rotzooi probeert op te ruimen, maar als ze over een paar dagen nog niet terug is, zul je toch echt naar Joshua en Melanie moeten gaan.'

'Dat doe ik ook.'

'Beloofd?'

'Ja,' zeg ik. 'En ze zal er morgen wel weer gewoon zijn,' voeg ik daaraan toe, hoewel ik het zelf niet geloof. Ik kan me niet voorstellen dat Lorna zich nu ineens weer bij de kladden pakt en gewoon weer binnen komt waaien.

'Dus…' zeg ik tegen haar als we uitgepraat zijn over Lorna. 'Hoe is het met de jonge liefde?'

Ze glimlacht. 'Goed. Ik heb er wel lol in.'

Sinds de laatste keer dat ik haar zag, is ze nog een keer uit eten geweest met Luke, naar een kleine bistro in de buurt dit keer. Daarna zijn ze weer naar haar huis gegaan, alleen dit keer had Luke al voor ze uit het restaurant vertrokken duidelijk gemaakt dat hij niet kon blijven.

'Hij moest de volgende ochtend heel vroeg met de Eurostar mee,' vertelt ze, 'dus hij moest nog naar huis om te pakken.'

'Waar woont hij eigenlijk?'

'Heel ver van hier. Hij heeft een appartement in Teddington genomen in afwachting van de scheiding en wat ze dan gaan doen met het huis. Hij vroeg wel of ik met hem mee wilde, maar dat leek me zo'n onzin, want we zaten hier om de hoek. En trouwens, ik zou dan ook weer eerst naar huis moeten, de volgende ochtend, voor ik naar kantoor kon.'

'Lijkt me logisch. Maar het was dus leuk? Je had het naar je zin?'

'Absoluut. Hij geeft me het gevoel dat ik… ik weet niet… begeerlijk ben en zo. Dat heb ik nodig na Alex. Die gaf me nooit echt het idee dat ik aantrekkelijk ben.'

Ik knik. 'Maar dat ben je wel.' Hoe meer ik hoor over Isabels huwelijk met Alex, hoe meer het me verbluft dat ik zo blind ben geweest.

'Ik hoop dat het allemaal goed komt met Alex,' verandert ze van onderwerp, 'ik bedoel, het is niks voor hem om overdag dronken te zijn en zo agressief te worden. Ik maak me zorgen over hem, nu hij niemand meer heeft…'

Isabel ziet er vaak zo gepijnigd en bezorgd uit als het over Alex gaat, en dat is nogal belachelijk nu ik weet hoe hij haar heeft behandeld.

'Vertel eens wat meer over Luke,' zeg ik, want ik wil dat ze ophoudt over Alex. Ik voel me er niet gemakkelijk onder. Ze moet verder met haar leven en Luke lijkt me een prima middel om mee vooruit te komen.

'Zijn zoon heet Charlie. Hij is tien. Ik heb hem nog niet ontmoet maar ik heb al wel een foto van hem gezien en hij ziet er schattig uit. Hij woont met zijn moeder in Highgate. Ze woonden eerst hier in de buurt, maar ze zijn vorig jaar verhuisd, en de school vond het goed dat Charlie bleef. Hij heeft ADHD, dus het zou voor hem ook lastig zijn om weer ergens helemaal opnieuw te wennen, en bovendien moet hij volgend jaar toch naar de middelbare school. Luke is vierenveertig. Hij heeft bruin haar. Heel veel haar, zelfs. En bruine ogen en altijd een heel lieve glimlach, alsof hij steeds een binnenpretje heeft. Hij houdt van muziek en films en zo, en auto's. Hoewel ik daar zelf geen bal om geef, dus daar heeft hij het niet vaak over. Hij is grappig en slim en ik vind hem een superlekker ding.'

'Hij klinkt perfect.'

'Dat is hij ook. Hij is perfect voor wat ik nu nodig heb. Hij is geweldig, en door hem voel ik me beter over mezelf, maar ik heb absoluut geen haast om te gaan samenwonen of zo.'

'Je kent hem ook nog maar drieënhalve week.'

'Je begrijpt me wel. Ik denk niet dat hij de liefde van mijn leven is, maar ik vind het hartstikke leuk om bij hem te zijn en hij is ongelofelijk goed voor mijn ego.'

'Nou, je kunt nooit weten,' zeg ik. Grappig, slim, knap, aardig – dat klinkt precies als een man met wie Isabel iets zou moeten krijgen. 'Ik ben echt heel blij voor je.'

'O, en raad eens?' Ze leunt achterover en schenkt me een triomfantelijke glimlach. 'Hij heeft gevraagd of ik een paar dagen met hem mee naar München wil.'

'Echt? En, ga je?'

'Zeker weten. Hij heeft overdag vergaderingen, maar dan slenter ik wel wat rond. Ik vermaak me wel. En de avonden hebben we voor ons samen. En de nachten.'

'Geweldig. Ik durf te wedden dat hij als jullie terugkomen toch ineens de liefde van je leven blijkt te zijn.'

'Misschien.' Ze lacht. 'Ik weet niet wat ik tegen Alex ga zeggen. Ik zal toch moeten vragen of hij die paar dagen bij de kinderen wil zijn.'

'De waarheid,' zeg ik. 'Ik zou zijn gezicht wel eens willen zien als je hem vertelt dat je met een andere man op stap gaat.'

'Hm,' zegt ze. 'Misschien.'

'Laat hem maar eens lekker voelen dat jij doorgaat met je leven terwijl hij er nog steeds een puinhoop van maakt.'

'Ja, dat is wel waar.'

'En als hij moeilijk doet, dan kunnen de meisjes gewoon bij ons komen, dat weet je wel. Wij passen graag op.'

'Dankjewel.' Ze geeft me even een knuffel.

'Dus, wanneer krijg ik hem te zien? Luke?'

'Als we terug zijn uit München. Dan weet ik wel of we doorgaan of niet. Als we elkaar nog steeds leuk vinden na wat nachten gesnurk en de slechte adem 's ochtends vroeg, en de winderigheid en zo, dan kunnen we wel zeggen of we een stel zijn of niet.'

'En dat zijn dan alleen nog maar jouw tekortkomingen,' zeg ik lachend. 'Ik ben benieuwd naar de zijne.'

'Geestig,' zegt ze. 'Je bent reuze geestig.'

Ik vertel haar niet over Dan en de vrouw in Edinburgh. Als ik dat doe, dan wordt het ineens echt. Iets wat tegen het licht moet worden gehouden. Iets waarover moet worden gepraat. Ik heb de laatste tijd wel veel geheimen voor haar.

22

H ET IS VIER DAGEN LATER en Lorna is nog steeds niet
terug op kantoor. Ze heeft ook nog niet gebeld en we weten
alleen dat ze nog leeft doordat ik Kay haar elke dag laat bellen om dat te controleren. Ze kijkt op de nummerinfo wie haar belt,
maar Kay blijft gewoon aan de lijn als hij op het antwoordapparaat
springt en dan zegt ze dingen als: 'Ik blijf net zo lang praten tot je
opneemt,' of, zoals vandaag: 'Als je niet opneemt bel ik een ambulance
en dan laat ik ze je deur intrappen', waarna Lorna opnam en gilde:
'Jij bent echt zo ontzettend ontslagen.'

Kay, die met de dag meer lef krijgt, is daar totaal niet van onder
de indruk. 'Ik hoop dat het snel weer beter gaat,' zegt ze. 'Als je er
morgen nog niet bent, bel ik weer om te kijken hoe het gaat.'

Joshua en Melanie worden nu toch wel wat bezorgd, maar Kay en
ik zetten alle zeilen bij om hen te verzekeren dat alles onder controle
is. Lorna belt ons iedere dag met hele waslijsten aan instructies, maken
we hen wijs. Al haar cliënten zijn tevreden.

Geen idee hoelang we dit nog vol kunnen houden. Eén week niet
naar je werk gaan, dat kan nog. Dan denken de mensen dat je een
virusje hebt waarvan de dokter heeft gezegd dat het superbesmet-
telijk is. Maar blijf je langer weg, dan denkt iedereen dat er echt iets
ernstigs met je aan de hand is. Tot nu toe heb ik Joshua en Melanie
zoet gehouden door ze wijs te maken dat Lorna met een flinke
buikgriep kampt, die haar helemaal gevloerd heeft en waardoor ze
steeds maar moet overgeven en eigenlijk niet ver bij de wc-pot weg
kan. Ik heb de symptomen zo dik aangezet dat ze me er maar niet
meer naar vragen en me duidelijk maakten dat ze de details liever
niet willen horen.

Het is echt zo, trouwens, al Lorna's cliënten lijken redelijk tevreden, alleen voor hoelang nog. Samuel heeft het rolletje in *Nottingham General* gekregen. (Als een man die een auto-ongeluk heeft gehad door zijn eigen onoplettendheid, waarbij een jonge vrouw om het leven is gekomen. Die man komt heel even in contact met een van de vaste artsen wiens zusje pas onder soortgelijke omstandigheden om het leven is gekomen. Kortom: veel schuldgevoelens en heftige emoties.) Als de casting director ons belt met het goede nieuws geeft ze meteen de details van het aanbod door – aantal draaidagen, honorarium, facturering en reiskostenvergoeding – en ik zeg dat ik alles met Lorna en Samuel zal bespreken en dat ik haar dan terugbel.

Het lijkt mij allemaal vrij redelijk, maar voor de zekerheid bel ik naar Lorna in de hoop dat ze er haar licht over wil laten schijnen. Per slot van rekening is Samuel haar cliënt. Ze neemt niet op, dus spreek ik een boodschap in, ook al weet ik dat ze me toch niet terugbelt. Ik doorzoek het archief en zie dat andere cliënten soortgelijke bedragen hebben ontvangen voor hetzelfde soort werk – maar toch weet ik dat ik zo'n beslissing niet in mijn eentje kan nemen. Melanie zit in haar kantoor in een script te bladeren, dus ik loop naar binnen en wacht tot ze me ziet staan. Ik laat haar het aanbod zien.

'Ik wil Lorna niet storen, dus misschien wil jij even kijken. Het lijkt mij wel oké, maar…'

Ze bekijkt het aanbod. 'Het honorarium lijkt me in orde,' zegt ze.

'Dat dacht ik ook.'

'En de rest is ook prima. Ze zeggen alleen niet of ze ook zijn overnachtingen betalen voor het geval de draaidagen aaneengesloten zijn. Dus dat moeten ze nog even ophelderen.'

Kennelijk ziet ze de angst op mijn gezicht, want ze vraagt: 'Moet ik het even doen?'

Ja. Graag. Ja, doe jij het maar. Maar ik ben bang dat Lorna toch wordt ontmaskerd als ik Melanie en Joshua haar cliënten laat helpen. Zij moeten denken dat alles onder controle is. Maar de gedachte dat ik over iets moet onderhandelen, al is het nog zoiets kleins, maakt me misselijk. 'Nee. Het is prima. Ik doe het wel, als jij dat goedvindt.'

Ze glimlacht, opgelucht dat ze niet nog meer werk op haar bordje geschoven krijgt. 'Ik zou zeggen dat het goed is zo, op dat ene puntje na en onder voorwaarde dat Samuel er ook mee akkoord gaat. En zeg het maar als je verder nog iets nodig hebt,' zegt ze met een stem waarin eigenlijk doorklinkt: 'Ik heb het druk, val me hier alsjeblieft niet mee lastig.'

Ik bel Samuel met het nieuws en hij is blij, wat mijn leven een stuk aangenamer maakt. Als ik om meer geld had moeten vragen was ik net als Lorna mijn bed in gekropen.

Dan haal ik diep adem en bel de casting director terug. 'We maken ons alleen een beetje zorgen over de overnachtingen,' zeg ik. 'Mochten de draaidagen toch aaneengesloten zijn, wordt zijn hotel dan ook vergoed?'

'Ik zal het even controleren,' zegt ze, en ik wacht nerveus tot ze terugbelt. Als ze nee zegt, weet ik niet wat ik moet doen. Moet ik de klus dan weigeren? Of moet ik dan maar inbinden en zeggen dat het geen probleem is? Of moet ik juist op mijn strepen staan met het risico dat zij zeggen: 'Dan casten we wel iemand anders?' Goddank belt ze me vijf minuten later op om te zeggen dat het prima is, omdat het bij hen sowieso gebruikelijk is om de overnachtingen te vergoeden, maar dat ze dat ook best expliciet in het contract wil opnemen als Samuel dat graag wil.

'Geweldig,' zeg ik. 'Laten we dat doen.'

En dat was dat. Zo eenvoudig gaat dat dus. Ik heb helemaal zelf een deal gesloten voor een cliënt. Nou ja, bijna. Zes jaar nadat ik hier ben komen werken heb ik eindelijk eens iets gedaan dat meer behelst dan een boodschap doorgeven of een tijd afspreken voor een auditie. Ik ben helemaal in mijn nopjes en trots op mezelf. Dan verbindt Kay me door met Marilyn Carson, en gaat mijn stemming er nog veel meer op vooruit.

'Ik heb net even gesproken met Kate van *Reddington Road*,' zegt ze, 'en daar komt een nieuw gezin in de verhaallijn – vader, moeder en twee kindjes. Begin twintig. Nu zijn ze op zoek naar onbekend talent, maar ze hebben geen zin om dat breed bekend te maken, want dan worden ze overstroomd door iedereen die een grote soapster in zichzelf ziet. Ik heb ze over Mary verteld, en gezegd dat jij ze vanmiddag iets van haar zou toesturen, per fietskoerier.'

'Marilyn, dat is helemaal geweldig,' zeg ik, 'maar het punt is, ze heeft niks op video staan.'

'O,' zegt Marilyn, en ze klinkt teleurgesteld. 'Echt helemaal niks? Enfin, dat zal ik ze dan moeten vertellen, maar ze gaan haar echt niet langs laten komen als ze haar niet eerst aan het werk hebben gezien…'

Ik weet dat Mary geen schijn van kans heeft op de rol, maar als ik er in elk geval voor kan zorgen dat ze haar willen zien, dan is haar dag toch weer goed.

'Wacht,' zeg ik. 'Als we haar nu vanochtend op kantoor laten komen en haar een stukje script laten lezen. Dan zetten we dat gewoon op tape. Kun je daar iets mee?'

'Goed idee,' zegt Marilyn. 'Zoek maar een scène voor haar uit, maakt niet uit wat.'

Ik laat haar iets meer vertellen over de rol – een kwetsbare moeder uit een lagere sociale klasse, later in de serie komen we erachter dat ze het slachtoffer is van huiselijk geweld, lief en zorgzaam ondanks allerlei tegenslag, ze lijkt zacht, maar staat desondanks haar mannetje.

'Het klinkt helemaal als Mary,' zeg ik. 'Op die mishandeling na dan.'

'Dat dacht ik ook,' zegt ze.

Ik beloof Marilyn dat ik haar op de hoogte hou en bel Mary op. Ze is in het restaurant aan het werk, maar gelukkig bestaat zo'n beetje het voltallige personeel daar uit acteurs, en samen hebben ze afgesproken dat ze voor elkaar inspringen in noodgevallen zoals dit. Dus zegt ze dat ze er binnen een uur kan zijn. In de tussentijd zoeken Kay en ik in de scripts die we hier op kantoor hebben liggen naar een geschikte scène. We vinden er eentje in Gary's gangsterfilm, waarin een jonge moeder ruziemaakt met haar criminele vriendje. Perfect. Ik bel Isabel, want die werkt vandaag thuis, en zeg dat ik een fietskoerier langs stuur voor haar dvd-camera.

Als Mary er is, zetten we haar in Lorna's kantoortje en richten we de camera op haar. Kay leest de stukjes van de criminele vriend. Ik heb letterlijk geen idee waar ik mee bezig ben, maar ach nou ja, wat is het ergste dat er kan gebeuren? Mary mag auditie doen, of niet. We schieten de scène drie keer, en ik vind dat Mary het prima doet, maar goed, wat weet ik ervan?

Ik laat Kay snel ergens een kopietje van de dvd maken en stuur hem per fietskoerier regelrecht naar de studio's van *Reddington Road* in Streatham. Pas als dat allemaal achter de rug is, bedenk ik dat we misschien Joshua of Melanie om advies hadden moeten vragen voor ik dit allemaal ging regelen, maar nu is het te laat, en Kay zegt dat het dus geen zin heeft om me er verder druk over te maken. We wachten gespannen af of er nog iets van komt.

Maar er gebeurt niets. Tenminste, vandaag niet. Kate heeft ongetwijfeld honderden dvd's om af te kijken, hou ik mezelf voor. Toch ben ik helemaal hyper, en aan het eind van de dag heb ik geen zin om meteen naar huis te gaan. Dus vraag ik Kay of ze zin heeft om snel even een borrel te drinken in de pub. Als ze ja zegt, bel ik Dan om te vragen of hij het erg vindt om de kinderen vast eten te geven, waar hij natuurlijk geen bezwaar tegen maakt. Hij doet tegenwoordig nog meer zijn best om lief voor me te zijn dan anders.

Kay en ik lopen naar de Crown and Two Chairmen en ik haal voor haar een wodka-tonic en voor mezelf een groot glas witte wijn. Ook al werken we in dezelfde ruimte, dit is de eerste keer dat we echt eens kunnen kletsen over persoonlijke zaken, omdat het steeds zo'n gekkenhuis is geweest sinds ze bij ons is begonnen.

Kay woont alleen in een klein huis in Shepherd's Bush. Haar man is bij haar weggegaan toen haar jongste zoon – die nu achttien is – nog maar drie was, en de oudste zoon zeven. Ik vind het onvoorstelbaar dat ze haar jongens voor het grootste deel in haar eentje heeft grootgebracht. De vader maakt maar zeer sporadisch deel uit van hun leven. Ik vraag me af of ze zich eenzaam voelt, maar het lijkt me zo onbeleefd om dat te vragen. Ze is wel heel open over het feit dat ze weer is gaan werken omdat ze zich thuis niet meer nodig voelde. Ze wist niet wat ze met haar tijd aan moest, nu ze geen sportkleding meer te wassen had, en alleen nog maar één bed hoefde op te maken. Ze heeft de neiging om nogal veel over haar jongens te praten, maar dat is niet irritant, dat is juist wel schattig. Ze is duidelijk trots op hen en op de opvoeding die ze hen heeft gegeven. Ik heb zo het gevoel dat ze niet vaak iets van zich laten horen, en dat is hartverscheurend, maar zo is het nu eenmaal met studerende kinderen. De ene minuut ben je nog betrokken bij de kleinste details van hun leven, je geeft hen te eten, je ruimt hun spullen achter hun kont op, en ruziet over welk televisieprogramma ze mogen kijken, en het volgende moment – niks meer. Dan mag je van geluk spreken als ze je eens in de week even bellen.

Ik mag Kay echt heel graag. Ze is zo heerlijk nuchter. Het is verleidelijk om haar over al mijn problemen te vertellen, maar ik ben bang dat ze me dan een *drama queen* vindt, of een soort magneet voor emotioneel trauma. Ik ken haar trouwens ook nog niet goed genoeg, maar ik heb wel het gevoel, of in elk geval de hoop, dat we vriendinnen kunnen worden. En ik ben er inmiddels wel achter dat ik meer vriendinnen nodig heb.

We weerstaan de verleiding van een tweede drankje.

'Ik heb morgen weer belangrijke deals te sluiten,' zeg ik en zij moet lachen.

Op weg naar huis weet ik dat ik ergens stiekem hoop dat Lorna morgen nog niet op kantoor komt.

Dan heeft het eten en een glas rode wijn voor me klaarstaan als ik thuiskom. Hij slaat zijn armen om me heen. 'Vertel eens, hoe was het vandaag?' zegt hij, en hij kust me boven op mijn hoofd en dit keer heb ik voor de verandering eens iets interessants te melden.

Isabel zit in de stress, want ze weet niet wat ze allemaal mee moet nemen naar München.

'Wat nu als we allebei de avonden chic uit eten gaan? Dan moet ik dus twee verschillende nette setjes meenemen,' zegt ze als ze me voor de derde keer belt.

'Denk je dat het hem iets kan schelen wat jij aanhebt? Ik denk niet dat hij je daarom heeft uitgenodigd.'

'En een jasje? Heb ik een jasje nodig *en* een mantel?'

Zo kwettert ze de hele avond door. Ik twijfel er niet aan dat deze kledingstress eigenlijk een veel dieper liggende spanning over het aanstaande tripje moet maskeren. Dit is een enorme stap voor Isabel en Luke. Een test waaruit zal blijken hoe goed ze het met elkaar kunnen vinden als ze zijn afgesneden van hun gewone leven. Luke is er natuurlijk overdag niet, dus het is niet echt de klok rond, maar ze zullen toch wel een goed idee krijgen of ze elkaars gewoontes en irritante kleine dingetjes kunnen slikken. Het idee dat ik dat allemaal nog eens zou moeten doormaken geeft me kippenvel, en ik pak vlug Dans arm en trek een verontschuldigend gezicht omdat ik nu alweer aan de telefoon hang.

Toch klinkt Luke wel goed. Hij heeft een auto met chauffeur geregeld om Isabel naar het vliegveld te brengen, zodat ze de metro niet in hoeft. Hij heeft twee reisgidsen voor haar gekocht, en hij heeft ezelsoren gemaakt aan de bladzijden waar dingen staan waarvan hij dacht dat ze die misschien wel zou willen bezoeken terwijl hij aan het werk is.

'Het zijn maar suggesties,' zei hij kennelijk toen ze daar iets over opmerkte. 'Je moet niet denken dat ik je opdraag wat je allemaal moet doen.' Plus, hij heeft gezegd dat hij een hotel heeft geboekt met een spa, voor het geval ze liever wil relaxen. Hij maakt zich zorgen dat ze zich verveeld in haar eentje.

'Hij klinkt heel lief,' zeg ik tegen haar. 'Hij klinkt als een goeie vent. Ik zou hem maar houden.'

'Ik weet het,' zegt ze. 'Ik begin hem echt leuk te vinden.'

Ze vertelt me dat Alex nogal uit het veld geslagen leek toen ze hem van haar plannen vertelde. 'Hij leek overstuur. Oprecht.'

Ik maak een honend geluid. 'Ik mag hopen dat hij overstuur is, na hoe hij zich heeft gedragen.'

'Dat is misschien wel zo, maar ik wil niet dat hij ongelukkig is. Ik bedoel, dat is ook niet goed voor de meisjes, om maar eens wat te noemen.'

'Hij manipuleert je. Je weet toch hoe hij is. Luke klinkt echt als een veel leukere man. Dus laat Alex nu niet je pret bederven.'

'Gaat ook niet gebeuren,' zegt ze.

Ik druk haar op het hart dat ze plezier moet hebben, dat ze niet zo op haar hoede hoeft te zijn en dat ze het maar gewoon over zich heen moet laten komen. Allemaal advies dat ik zelf onmiddellijk in de wind zou slaan. Ze belooft me te bellen zodra Luke naar zijn eerste vergadering is, en ik zeg dat ze in haar oren moet knopen dat ze dit heeft verdiend.

Ik krijg bijna een rolberoerte als de wekker om halfzeven gaat, maar dan herinner ik me dat ik had besloten om vandaag extra vroeg naar mijn werk te gaan, om van alles in te halen wat ik de afgelopen week voor Joshua en Melanie had moeten doen. Het heeft geen zin om mijn eigen baan op het spel te zetten om die van Lorna te redden.

'Sorry, sorry,' zeg ik tegen Dan terwijl ik driftig op zoek ga naar de wekker om hem uit te kunnen zetten. Om vijf over acht ben ik op kantoor. Niet te geloven hoeveel werk je gedaan kunt krijgen als je verder geen afleiding hebt, en tegen de tijd dat Melanie binnen komt zeilen, om vijf voor halftien, ben ik bij met alle essentiële zaken, en heb ik ook nog eens een castingvoorstel gelezen dat per mail was binnengekomen en heb ik een aantekening gemaakt om Kathryn voor te stellen voor een van de rollen.

Melanie trekt haar jas uit en komt dan in Kays stoel zitten, waar ik een beetje nerveus van word.

'Alles goed?' vraag ik, en ik doe alsof alles normaal is.

'Rebecca, wat is er nu echt aan de hand met Lorna?' vraagt ze. Ik was al bang dat dit gesprek er aan zat te komen, omdat ik niet overtuigend kan liegen. Ik heb sterk de drang om het hele verhaal eruit te gooien, wat een hele opluchting zou zijn, maar ik weet niet wat dat voor Lorna zou betekenen, en dus besluit ik het op de halve waarheid te houden. Daar had ik al op geoefend.

'Ze heeft niet echt een virus,' zeg ik en ik probeer Melanie tijdens dit gedeelte, de waarheid dus, in de ogen te kijken. 'Ik heb je toch verteld van haar breuk met Alex?' Melanie knikt. 'Nou, dat is hard aangekomen, dat is het eigenlijk.'

'Ik dacht dat zij hem had gedumpt?'

'Dat is ook zo, maar ik geloof dat ze had verwacht dat hij weer bij haar terugkwam. En dat is hij niet. Sterker nog, hij doet ontzettend gemeen tegen haar. Ze kan nu niet onder de mensen zijn, want ze barst steeds maar in tranen uit…'

'Ach god, die arme Lorna,' zegt Melanie, die best een lief mens is, ergens. 'Waarom heeft ze me dat niet gewoon verteld? Dat had ik toch best begrepen.'

'Eh… ik denk dat ze bang is dat het niet professioneel staat – je weet hoe ze is. En ze dacht dat Joshua het niet zou begrijpen…'

'Maar gaat het wel goed, nu? Hoe is ze als je haar aan de lijn hebt?'

Oké, en dan slaan we nu aan het liegen. 'Het komt wel goed, uiteindelijk. Ze vindt het verschrikkelijk om niet te werken, maar ze dacht dat het haar wat tijd zou geven om alles op een rijtje te krijgen als al haar cliënten denken dat ze ziek is. Maar ze zit overal bovenop, hoor… Ze werkt in feite gewoon thuis. Alleen nu gaat alles via mij in plaats van direct.'

Melanie knikt. 'Ik dacht al dat het zoiets moest zijn. Denk je dat ik haar even moet bellen?'

'Nee!' zeg ik veel te hard voor ik me kan inhouden. 'Ik heb haar beloofd dat ik het voor me zou houden. Als zij denkt dat jij of Joshua het weet, dan heeft ze het gevoel dat ze terug moet komen en ik denk dat ze nog een paar dagen nodig heeft. Sorry, Melanie. Het spijt me dat ik… nou ja, dat ik een leugentje om bestwil heb moeten ophangen.'

'Geeft niks. Als alles maar weer goed komt met haar en zolang alles hier maar onder controle is. Hoe gaat het met Kay?'

'Geweldig,' zeg ik oprecht enthousiast en opgelucht dat het ergens anders over gaat. 'Ze is een hele steun.'

Mary heeft een auditie. Er belde iemand van *Reddington Road* om haar in te roosteren en ik geloof dat ze nogal schrok van hoe blij ik daarmee was. Het is per slot van rekening maar een auditie. Ik was waarschijnlijk de vijftigste die ze belden voor die ene rol. Het kan me niks schelen dat ze nauwelijks kans maakt op de rol, maar ze heeft in elk geval een auditie. Ik had haar beloofd dat ik er eentje voor haar zou regelen, en dat is me ook gelukt. Mary is al even in de wolken als ik – en dat is een opluchting, want ik besef ineens dat ik eerst even aan haar had moeten vragen of ze wel zin heeft in een soap, voor ik de afspraak voor maandagochtend voor haar boekte. Ze moet om tien over elf op, dus waarschijnlijk komt er elke tien minuten iemand langs. Zes mensen per uur. Mary heeft nog nooit een casting voor tv gedaan, dus vraagt ze me wat ze kan verwachten en gelukkig weet ik dat wel, want we hebben cliënten die niet anders doen.

'Ze leggen je auditie waarschijnlijk vast. Dan geven ze je een paar scènes als je daar aankomt, dus kom minstens twintig minuten te vroeg, zodat je die vast kunt bekijken.'

'Bedankt, Rebecca,' zegt Mary opgewonden. 'En wil je Lorna ook voor me bedanken?'

'Zal ik doen.'

Ik heb Isabel aan de lijn. Het valt niet mee me te concentreren als Kay zo hard zit te praten op de achtergrond. ('Lorna, neem op, neem op, neem op. Ik blijf net zo lang hangen tot je opneemt.') Izz is aan het ratelen, helemaal opgewonden over haar eerste hele nacht met Luke.

'We zijn naar een waanzinnig restaurant geweest. Ik denk dat het al vijfhonderd jaar oud is. Het gebouw, bedoel ik. En toen hebben we een fles champagne besteld, en oesters, en al dat soort clichéromantiek, maar het *was* ook echt romantisch. En hij had een boek voor me gekocht – *De graaf van Montecristo* – omdat we het daarover hebben gehad. Het is zijn lievelingsboek, en ik had het nog nooit gelezen. En toen gingen we terug naar het hotel en het was… nou ja. Ik dacht dat ik nooit zou kunnen slapen omdat ik me niet genoeg op mijn gemak zou voelen met iemand anders, maar het was juist zo relaxed met hem. Niet dat we veel geslapen hebben…'

'Oké,' onderbreek ik haar, 'genoeg daarover. Geen details. Je weet hoe preuts ik ben.'

'Nou goed, dan zeg ik alleen dat het fantastisch was. En vanmorgen hebben we op de kamer ontbeten voor hij naar zijn vergadering ging. En hij had ze gevraagd om bloemen op het dienblad te zetten…'

'Wat schattig.'

'Ik heb besloten dat ik hem echt heel leuk vind. Hij is lief en attent en hij heeft verantwoordelijkheidsgevoel. Allemaal dingen die Alex niet is en heeft.'

'Hij klinkt inderdaad als een volwassen vent,' zeg ik, 'en Alex is nog steeds een kind.'

'Precies.'

'Wat ga je vandaag allemaal doen?' Ze vertelt me over een paar dingen die ze graag wil bezoeken. Het is daar klaarblijkelijk ijskoud, maar de kerstmarkten zijn in volle gang, dus ze gaat toch maar de sneeuw trotseren en wat rondslenteren op zoek naar cadeautjes voor de meiden. Het dringt tot me door dat ik haar al in geen jaren meer zo ronduit gelukkig heb meegemaakt.

'Geniet ervan,' zeg ik. Uit mijn ooghoek zie ik Kay paniekerig met haar armen zwaaien en ik zeg: 'Ik moet nu hangen.'

Isabel belooft dat ze me meteen zal bellen als ze morgen thuis is, en dat ze me dan het hele verhaal zal vertellen.

'Wat is er?' vraag ik aan Kay zodra ik heb opgehangen.

'Ze neemt niet op,' zegt ze. 'Zelfs niet nadat ik ging dreigen dat ik de politie en de brandweer zou bellen en dat ik Joshua langs zou sturen.'

'In vredesnaam,' zeg ik. 'Dit is toch te gek voor woorden. Wat moeten we nou?'

'Jij kent haar beter dan ik, maar… ach, het zal toch wel goed zijn met haar? Ze is het waarschijnlijk zat dat ik haar steeds maar bel.'

'Ik weet niet eens waar ze woont,' zeg ik. Jemig, dat is toch ook vreemd? Ik werk al zes jaar met Lorna, en het enige wat ik weet is dat ze ergens in Maida Vale woont. Ik weet niet eens in welke straat. Gezien het feit dat Lorna non-stop over zichzelf praat, is dat wel vrij eigenaardig.

'Dat hebben we vast wel ergens staan,' zegt Kay. 'Of misschien heeft Melanie het wel. Dan zeggen we dat we haar bloemen willen sturen. Wat wil je doen, wil je erlangs?'

'Ik weet niet, wat vind jij?'

'We wachten nog een poosje, en dan bellen we haar straks nog eens. Ze is waarschijnlijk gewoon even boodschappen doen. Ze is immers niet echt ziek, weet je nog wel?'

Gelukkig is Kay zo kalm, daar ben ik heel blij mee. Rationeel weet ik ook wel dat er waarschijnlijk niets met Lorna aan de hand is. Ze zal haar antwoordapparaat wel aan hebben en zich doodlachen dat wij ons zo druk om haar maken. Maar ergens diep vanbinnen, daar waar ik mijn fantasieën over tragedies en grote rampen altijd uit de hand laat lopen, kom ik toch met steeds minder geruststellende verklaringen.

'Heeft ze eigenlijk familie?' zegt Kay, en ik realiseer me dat ik dat ook al niet weet.

'Misschien heeft ze nog wel ergens een zus,' is het enige wat ik kan verzinnen, hoewel ik me dat niet met zekerheid herinner.

Ik besluit dat ik iets moet doen om me af te leiden, dus bel ik Phil Masterson, en als ik vertel waar ik voor bel, word ik direct met hem doorverbonden.

'Nou,' zegt hij voor ik ook maar de kans krijg om uit te leggen waar ik voor bel. 'Jij bent zeker helderziend. Een van onze gasten heeft afgezegd voor het programma van vanavond, en we zijn net bezig met een lijstje van mogelijke vervangers. Ik had helemaal niet aan Jasmine gedacht. Ze is hier perfect voor. Is ze vrij? Dan laten we haar rond kwart over vier ophalen.'

Ik kijk op mijn horloge. Het is nu halfdrie. 'Jeetje, dat weet ik zo niet. Ik ga het snel voor je checken. Wat is het onderwerp?'

'Het gebruik van mitochondriaal DNA als bewijs in rechtszaken. Denk je dat Jasmine daar een uitgesproken mening over heeft?'

'Jasmine heeft overal een uitgesproken mening over. Ik ga even bellen of ze beschikbaar is en dan bel ik je meteen terug.'

'Fantastisch,' zegt Jasmine als ik haar laat weten dat ze haar willen boeken. Ik vertel haar over het onderwerp en ze zegt: 'Wat is dat in godsnaam?' Dat is het probleem met Jasmine. Ze wil graag intellectueel overkomen, maar ze heeft eigenlijk nooit een idee waar ze over praat. Zelf vindt ze dat geen punt, als ze maar op tv komt. Ook als ze zichzelf voor schut zet is ze nog tevreden.

'Is dat niet alleen dat wat je van je moeder hebt? Zoiets?'

Toevallig weet ik hier iets van, omdat ik heel veel tijd doorbreng met kijken naar dubieuze misdaaddocumentaires. Dus ik weet dat je heel kleine bloedsporen kunt vinden in vloerbedekking of op meubels met iets dat ze Luminol noemen, zelfs al hebben ze flink op die plekken lopen schrobben. Je weet nooit wanneer dit soort informatie van pas kan komen. 'Luister, als je het wil doen, kan ik wat research voor je doen op het internet, en dan e-mail ik wel wat ik allemaal kan vinden.'

'Super,' zegt ze. 'Doe je dat dan?'

'Kijk over een halfuur maar in je mailbox.'

'O, en Rebecca,' zegt ze als ik net wil ophangen, 'wat schuift het?'

'Dat weet ik nog niet. Wat krijg je meestal?'

'Ze proberen je met driehonderdvijfentwintig af te schepen, maar dat mag je niet laten gebeuren. Ik ben een naam en wie krijgen ze verder nog op zo'n korte termijn?'

'Oké,' zeg ik wat nerveus, hoewel zij daar gelukkig niets van merkt. Waarom kan het nou nooit eens van een leien dakje gaan? Waarom komt niemand ooit met een bod dat meteen in alle opzichten acceptabel is? 'Ik zal mijn best doen.'

Ik spreek de plichtmatige boodschap in op Lorna's antwoordapparaat. Ze heeft me ook nog steeds niet teruggebeld over Samuels deal voor *Nottingham General*, dus ik heb niet veel hoop. Voor ik Phil terugbel, controleer ik eerst even Jasmines dossier, en daar zie ik dat ze de laatste keer dat ze in het programma kwam – een jaar geleden – maar driehonderd pond kreeg.

'Je kunt het allicht proberen,' zegt Kay. 'Als ze nee zeggen, dan is het aan haar of ze ermee akkoord gaat of niet.'

Ze heeft gelijk, maar toch voelt mijn mond droog als ik Phil weer aan de lijn heb. Het lijkt ineens ontzettend belangrijk dat ik dit toch eens leer. Ik wil Jasmine straks kunnen terugbellen met de mededeling dat ik, Rebecca Morrison, persoonlijk heb geregeld dat ze vierhonderd pond krijgt voor een klus waarvoor ze haar best vijfenzeventig pond minder hadden mogen betalen.

Phil is dolblij dat hij iemand heeft – wie dan ook, lijkt het – om het gat in zijn rijtje gasten te dichten.

'Goed,' zegt hij, 'het standaardhonorarium is tegenwoordig driehonderdvijfentwintig, dus dan zal ik de…'

Ik onderbreek hem. 'Weet je wat het is, Phil, Jasmine moet hier een andere afspraak voor afzeggen. Dat kan alleen als jullie haar vierhonderd pond bieden.'

Phil klinkt geschrokken. 'Niemand krijgt vierhonderd.'

'Nou ja, ze zegt dat jullie dat toch echt moeten bieden, anders loont het voor haar niet de moeite.'

Ik heb geen idee hoe hooghartig ik nu moet doen, en hoever ik dit moet doordrukken.

Phil zucht. 'Driehonderdvijfenzeventig is echt ons absolute maximum. Dat is dus ons tophonorarium. Dat is wat we mensen betalen zoals Jonathan Miller of Stephen Hawking…'

'Dat kan ik haar misschien nog wel even voorhouden,' zeg ik. 'Als dat echt jullie plafond is, misschien dat ze dan wel akkoord kan gaan.'

Ik weet zeker dat Phil nu liever zou zeggen dat Jasmine fijn de pot op kan, maar hij is een man in nood met een liveprogramma dat om zes uur de lucht in moet waarvoor hij nog een gast mist.

'Bel me zo snel mogelijk terug,' zegt hij, ineens helemaal niet meer zo kameraadschappelijk.

'Jemig, wat geweldig,' zegt Jasmine als ik haar voorzichtig vertel hoe de vork in de steel zit. 'Dat is hun tophonorarium.' Ik moet me inhouden om niet te zeggen: 'Waarom laat je me dan verdomme om meer vragen?'

'Niet vergeten om die dingen even voor me op te zoeken, hè?' zegt ze. 'Ik wil wel graag dat ze daar denken dat ik weet waar ik het over heb.'

Dat is dan ook voor het eerst. Ik rond de zaken af met Phil, en dan storten Kay en ik ons twintig minuten lang op een onderzoek naar mitochondriaal DNA op het internet. Ik e-mail Jasmine alle saillante details en dan realiseer ik me dat er al een halfuur voorbij is en ik nog geen seconde de tijd heb gehad om me zorgen te maken over Lorna.

Kay doet nog een keer het spelletje met haar antwoordapparaat, en smeekt en slijmt of Lorna wil opnemen, maar zonder resultaat.

Om vier uur besluit ik dat ik vroeg wegga en bij Lorna langsga om eens uit te vinden wat er nu allemaal aan de hand is, als we tenminste haar adres kunnen vinden. Op vrijdagmiddag gebeurt er hier toch nooit wat. De meeste mensen zijn dan naar hun tweede huis op het platteland of waar ze ook maar naartoe gaan. En ik heb mijn mobieltje; ik mis dus niets. Ik vind alleen wel dat ik Melanies goedkeuring nodig heb.

'Ik zit erover te denken om zo even bij Lorna langs te gaan,' zeg ik. 'Dan kan ik haar wat spullen brengen, zodat ze zich betrokken blijft voelen.'

'Goed plan,' zegt Melanie.

'Ik bedacht alleen dat ik haar adres niet heb, en ik wil haar niet weer storen met een telefoontje, dus heb jij dat misschien voor me?'

Ze heeft het en schrijft het voor me op en zegt dat het prima is als ik nu wegga – het is tenslotte voor het werk. Ze zegt zelfs dat ik een taxi moet nemen op hun kosten, vanwege de spullen die ik moet meeslepen. Ik bedank haar, en baal omdat ik zoveel voor haar achterhou. Maar dat aanbod van een taxi sla ik niet af. Het is al erg genoeg dat ik naar Lorna toe moet – dus ik heb geen zin om ook nog mijn vrije vrijdagavond daaraan op te offeren.

23

LORNA HEEFT EEN APPARTEMENT IN zo'n roodstenen
herenhuis uit de victoriaanse tijd, in de buurt van metrostation Maida Vale. Er is een intercom bij de voordeur, maar ik
weet zeker dat ze me niet binnenlaat als ik aanbel en zeg dat ik op
de stoep sta. Een deel van mij – een vrij groot deel zelfs – denkt dat
ik heel hard weg zou moeten lopen zonder iets te zeggen als ze wel
opendoet. Dan heb ik immers bereikt waar ik hier voor naartoe ben
gekomen, namelijk uitvinden of ze nog leeft, en zij hoeft verder niet
te weten dat ik hier ben geweest. Hoe verleidelijk dat ook is, ik weet
wel dat het laf is.

Ik wacht tot er iemand anders komt en maak dan verontschul-
digende geluiden over vergeten sleutels. Ze laten me binnen zonder
iets te vragen en ik ga naar de eerste verdieping, tot ik voor nummer
132 sta. Ik hoor dat binnen de televisie aan staat. Ik klop heel hard
op de deur en ga opzij staan, zodat ze me niet door het kijkgaatje kan
zien. Ik heb me nog niet eens afgevraagd wat ik moet zeggen als ze
opendoet – o, fijn, je leeft nog, nou, tot ziens dan maar weer – zoiets
misschien.

Het is duidelijk nooit bij Lorna opgekomen dat ik zou weten waar
ze woont, laat staan dat ik bij haar op de stoep zou staan, want ze doet
bijna meteen open. Ze hoopt waarschijnlijk dat het Alex is die komt
verklaren dat hij toch van gedachten is veranderd en dat hij eigenlijk
al die tijd al van haar hield. Ze ziet er niet uit. Om te beginnen heeft
ze haar badjas nog aan, wat nooit een goed teken is om kwart voor
vijf 's middags. Ze ziet er uitgemergeld uit, en haar haar is ongekamd
en piekt alle kanten op, alsof ze net uit bed komt. Vanuit haar appartement komt me een bedompte geur tegemoet, alsof ze al in geen
dagen een raam open heeft gehad en ook geen vuilnis buiten heeft

gezet. Ze doet geen moeite om haar teleurstelling, om niet te zeggen haar walging, te verbergen als ze mij daar ziet staan.

'Wat moet je hier?' vraagt ze vlak, en ik zeg: 'Ik wilde alleen controleren of het allemaal wel goed gaat. Omdat je niet reageert op Kays telefoontjes.'

'Nou, dat weet je nu dus. Wat nou? Dacht je soms dat die sneue Lorna zich van kant had gemaakt omdat ze geen leven heeft? Dan heb je pech, sorry.'

'Ik heb tegen iedereen gezegd dat je een virus hebt,' zeg ik. 'Alles is onder controle. Al je cliënten zijn tevreden – Jasmine is zelfs op *London at Six* – maar misschien zou je toch na het weekend weer terug willen komen, want het wordt anders wel heel lastig om te verklaren waar je uithangt, oké?' Ik overweeg haar te vertellen wat er met Heather en Mary speelt, maar dat vergt nu te veel uitleg, en het lijkt er niet op alsof ze me met bedankjes zal overstelpen.

Ik loop achteruit. Ze wil me hier duidelijk niet hebben en ik wil hier ook niet zijn, dus weggaan lijkt me nu het beste.

'Als er nog iets moet gebeuren, laat dat dan even weten aan Kay of aan mij.' Ik draai me om en wil weglopen.

Ik kan me heel goed voorstellen hoe dit haar kwelt, maar dan klinkt het vragend: 'Rebecca?'

Ik stop en draai me weer om.

'Hoe gaat het met Alex? Heb je hem nog gezien?'

'Nee,' zeg ik. 'Je moet Alex echt uit je hoofd zetten, Lorna. Hij komt echt niet ineens op andere gedachten en hij is dit ook allemaal niet waard. Ik zei toch…'

Ze slaat de deur dicht in mijn gezicht. Prima, denk ik. Dat ging lekker. Buiten hou ik een taxi aan, en als we wegrijden bel ik Kay.

'Ze leeft nog,' zeg ik. 'Ze ziet eruit als een anorexiapatiënte, en ze is vals en gestoord, maar ze leeft nog wel.'

Kay moet lachen. 'Dus ze is eigenlijk weer bijna de oude, bedoel je?'

'Zoiets, ja.'

'Denk je dat ze er binnenkort weer is?'

'Ik heb geen idee,' zeg ik, en dat heb ik ook werkelijk niet.

Dan en ik brengen onze kostbare vrijdagavond door met Rose en

Simon, we gaan samen uit eten. Ik heb hem er eindelijk van kunnen overtuigen dat we toch echt ook eens andere mensen moeten zien als we de komende vijftig jaar nog eens iemand anders willen spreken dan Isabel en de kinderen. Eerlijk gezegd zie ik er zelf nogal tegenop. Het zijn best aardige lui, voor zover ik dat kan zeggen na die paar keer dat ik ze heb gezien. Ze zijn in elk geval de beste kandidaat-beste-vrienden van alle mensen die we kennen. Het punt is alleen, we kennen ze niet zo goed, dus dat levert vanavond waarschijnlijk wat ongemakkelijke momenten op. We moeten op eieren lopen om te ontdekken wat we eventueel gemeen hebben, en misschien, heel misschien, is dat wel genoeg voor ons alle vier om nog een keertje af te spreken. Het is van belang dat we hen allebei even aardig vinden. We willen niet zo'n relatie waarin we ons verplicht voelen om iemand te zien, en elke keer iets moeten zeggen als: 'Zij is zo'n schat, maar wat is het toch jammer dat hij zo'n lul-de-behanger is.' Verder mag er ook absoluut geen enkele sprake zijn van aantrekkingskracht tussen twee van de vier. Als Rose gaat flirten met Dan als ze een paar glazen achter de kiezen heeft, of als Simon me te lang in de ogen staart vanaf de andere kant van de tafel, dan zijn ze zeker geen mensen die we in ons leven willen toelaten. Het is een complexe zaak, deze stellenvriendschappen. Tenminste, voor ons, nu, want het voelt alsof er zoveel van afhangt. Voor Rose en Simon is het waarschijnlijk een mooi excuus om een avond weg te kunnen en lekker te eten. Ze hebben geen idee dat ze auditie komen doen voor de Nieuwe Beste Vrienden 2010.

Het duurt uren om me aan te kleden en op te maken. Ik wil er leuk uitzien maar ook weer niet overdreven opgedirkt. Ik trek twee keer iets anders aan en op een gegeven moment haal ik alle make-up weer van mijn gezicht en begin helemaal opnieuw. Ik probeer me te herinneren wat Rose en Simon ook alweer doen voor de kost. Hij zit in de recruitment, meen ik, iets saais dat wel heel goed betaald. Rose werkt voor een goed doel, maar ik weet niet meer welk. Iets voor een of andere obscure ziekte. Ze zullen wat ik doe wel verschrikkelijk onbeduidend vinden. Ze hebben een dochter bij William in de klas, Lily, en dat lijkt me wel een leuk meisje. Ze zat trouwens ook op dezelfde basisschool als hij. Zo kennen we hen ook. Aan het begin van de zomer zijn alle kinderen die samen doorgingen naar Barnsbury Road een dag naar hun nieuwe school geweest als kennismaking, en de ouders mochten daar het eerste uur ook bij zijn. Rose en ik hadden meteen een klik, herinner ik me, omdat we allebei zo bang waren dat onze kinderen het niet zouden trekken. Lily is niet excentriek, zoals William, maar ze is wel een stil en gespannen meisje, en Rose was bang dat ze dit erg overweldigend zou vinden.

'Hoe gaat het met Lily Freshney op school, is die al een beetje gewend?' vraagt ik aan William als ik hem op zijn kamer gedag kom zeggen nadat ik de oppas de strikte opdracht heb gegeven dat hij niet aan wat voor keukenapparaat dan ook mag komen als zij er niet bij is.

'Ze had een tien voor het wiskundeproefwerk,' zegt hij, en daar moet ik het mee doen, want meer info heeft hij niet, ook al zit hij al vijf jaar lang ruim zesenhalf uur per dag met haar in één klaslokaal.

'Dus ze is slim?' vraag ik, en hij haalt zijn schouders op. Voor hem betekent een tien voor wiskunde dat je normaal bent.

Ik geloof dat ze nog twee jongere kinderen hebben. Harry en Fabia, zoiets. In elk geval zijn het een jongen en een meisje.

Ik dwing mezelf om weerstand te bieden aan de drang die ik voel om tegen Dan te zeggen: 'Kom, we bellen op en zeggen dat een van ons ziek is. Dan bestellen we iets te eten en gaan we lekker samen op de bank zitten met zijn tweetjes.' Ik moet goed voor ogen houden waarom ik dit ook weer doe. Dan zit nu al wekenlang thuis met zijn ziel onder de arm. Ook kun je niet verwachten dat Simon zomaar een-twee-drie als vervanger voor Alex kan optreden, ik wil in elk geval dat hij weer iemand heeft om een biertje mee te kunnen drinken of te kunnen bellen over het voetbal – iets waar ik zelf niet zo goed in ben, en bovendien geen bal zin in heb.

'Nou, kom op,' zegt Dan. 'Hoe eerder we er zijn, hoe sneller het weer achter de rug is.' En dan moet hij goddank lachen.

We hebben afgesproken in een nieuw Marokkaans restaurant in Upper Street, dat aangekleed is met een hoop paars fluweel en lage bankjes. Er klinkt harde jengelmuziek – dat moet waarschijnlijk voor Noord-Afrikaans doorgaan – typisch van die muziek waar ik knettergek van word. Iedereen van de bediening is verkleed, alsof ze in een Arabisch pretpark werken.

'Jezus,' zeg ik tegen Dan. 'Wiens idee was het om hier af te spreken?'

'Het jouwe,' zegt hij doodleuk.

Rose en Simon zijn er al. Ze zitten op de lage bankjes als twee tuinkabouters op een paddenstoel.

'Ik wil best opstaan,' zegt Rose als we bij het tafeltje aankomen, 'maar dat kost me een halfuur, en ik denk niet dat het me dan ooit nog lukt om weer te gaan zitten. Dat kunnen mijn knieën niet aan.'

Dan en ik manoeuvreren ons op onze stoeltjes, maar dan moeten we eerst in een soort trog stappen. Ik val bijna over de tafel, wat ik zelf gelukkig al even grappig vind als de andere drie.

'Sorry,' zeg ik. 'We zijn hier zelf nog nooit geweest.'

'Het is wel boeiend, hoor,' zegt Rose, die duidelijk iets aardigs wil zeggen, wat schattig van haar is, maar het lukt haar niet om ook maar iets positiefs te noemen.

'Het is echt heel erg, dit,' zeg ik. 'Dat wil ik wel toegeven.'

Precies op dat moment komt onze serveerster – als de geest uit de fles in *Aladdin*. Ze zegt: 'Bonjour', maar dan met een gekwelde uitdrukking waaruit blijkt dat zij ook wel weet dat dit een belachelijke vertoning is.

'Weet je wat,' zegt Simon, 'waarom gaan we niet gewoon naar de pub. Daar kunnen we ook wel iets te eten krijgen.' Wij prijzen hem alsof dit het meest geniale idee is dat iemand ooit heeft gehad.

Ik moet onthouden om voortaan altijd een idioot restaurant te boeken als we weer eens met mensen uit eten gaan die we niet kennen, want dit is absoluut een geweldige ijsbreker. Het wordt een heel leuke avond. We blijven tot sluitingstijd en drinken te veel. We hebben dezelfde humor. Rose en ik delen onze interesse in het theater en ze stelt me allerlei vragen over mijn werk en onze cliënten en wie volgens mij de nieuwe toneelschrijvers zijn die ze in de gaten moet houden. We spreken af om eens samen naar de Royal Court te gaan, hoewel we niet echt een datum bepalen.

Het goede doel waar ze voor werkt heeft iets te maken met de inenting van kinderen in derdewereldlanden (ik weet niet hoe ik bij die obscure ziekte kwam, hoewel sommige van de ziektes waar ze die kinderen voor inenten wel behoorlijk obscuur zijn, dus misschien was dat het), dus ze reist veel en dat levert ook flink wat gespreksstof op.

Ik hou Dan en Simon in de gaten, en die lijken ook gezellig aan de praat en ze lachen veel. Dus alles bij elkaar is het een geslaagde avond.

Natuurlijk niet zo relaxed en gewoon als met Isabel en Alex vroeger – want die waren net familie. Bij hen kon je uren achter elkaar geen woord zeggen en dan was niemand beledigd. Maar het was toch wel zo leuk dat we afspreken om het nog een keer te doen. Ik denk er zelfs over om hen voor het eten uit te nodigen, samen met Isabel en Luke. Dan staat Luke niet zo onder druk omdat hij onder het vergrootglas ligt van Isabels beste vrienden.

'Dat was leuk,' zeg ik tegen Dan als we in de taxi naar huis zitten, lichtelijk uitgeteld.

'Zeker,' zegt hij. 'Leuke lui, vind ik.'

'Vind ik ook.'

Rebecca en Daniel, Rose en Simon. We zullen zien.

24

O P DE TERUGWEG VAN HET vliegveld komt Isabel bij
ons langs. Alex heeft de meisjes nu naar ballet gebracht, als
het goed is, en dus heeft zij nog een uurtje over voor ze hen
moet ophalen. Als je ooit van iemand kon zeggen dat ze er stralend
uitziet, dan is het Isabel wel, momenteel. Zelfs Dan ziet het, en dat
zegt wat, want Dan heeft zo goed als geen opmerkingsgave. Hij zou
nooit ergens als getuige kunnen optreden. Zelfs als een inbreker recht
op hem af zou lopen, zijn bivakmuts af zou zetten en zich netjes aan
hem zou voorstellen, dan nog zou Dan hem er niet uit kunnen pikken
als die in een rijtje achter zo'n spiegel stond.

Ze vertelt me de gekuiste hoogtepunten van de afgelopen vierentwintig uur, waaronder wat winkelen, een zestiende-eeuws kasteel en
de volledige verhaallijn van een boekje uit de Bouquetreeks. Luke
blijkt uiterst romantisch, en onverzadigbaar, nog los van zijn vele
andere voortreffelijke kwaliteiten. Ik vraag haar wel vriendelijk om
zoiets nooit meer te zeggen. Maar Isabel is dusdanig euforisch dat
het niet uitmaakt wat ik zeg om haar duidelijk te maken dat ik geen
details wil horen over haar seksleven. Ze is mijn vriendin. Ik wil geen
beelden opgedrongen krijgen van haar terwijl ze... enfin, je weet wel.

Ik leg Isabel mijn plan voor het etentje met Rose en Simon voor, en
ze is helemaal in de wolken. Ze wil graag pronken met Luke. Ze heeft
hem alles over mij en Dan verteld, en, hopelijk vind ik het niet erg,
zegt ze, ook over de ruzie tussen Dan en Alex. Luke heeft nogal veel
vrienden verloren na de scheiding van zijn vrouw, omdat het grootste
deel van hun vriendenkring bestond uit stellen die ze nog kenden van
voor hun huwelijk. Hij zei tegen Izz dat ze vooral met haar vrienden
omgingen, omdat zijn eigen makkers verspreid door het land woonden
terwijl de vriendinnenkring van zijn vrouw toevallig bijna helemaal

in Londen terecht was gekomen. Mooi zo, dan kan hij dus ook bij ons nieuwe kringetje komen. Ik hoop maar dat ik hem leuk vind. Ik moet er niet aan denken dat dat niet het geval zou zijn, en als ik kijk naar het effect dat hij heeft op Isabel kan ik me dat ook nauwelijks voorstellen.

Later die dag belt Isabel me op, maar ze klinkt helemaal niet meer zo gelukkig.

'Het is Alex,' zegt ze als ik haar vraag wat er aan de hand is. 'Hij was er toen ik de meisjes ophaalde en… dit ga je echt heel idioot vinden… maar hij heeft me gevraagd of hij met ons mee naar huis mocht, en toen de meisjes naar hun kamer gingen, begon hij me te smeken om hem terug te nemen.'

'Dat meen je niet.'

'Hij zei dat hij nu eindelijk inzag dat hij een enorme fout had gemaakt en dat hij ons zo mist…'

'En dan hebben we het nog niet eens over het feit dat jij net een paar dagen weg bent geweest met een andere man. Dit is een reflex. Uit het boekje.'

'Ik weet het niet. Ik weet niet wat ik ervan moet vinden. Hij heeft me gevraagd om er in elk geval over na te denken. Om niet meteen nee te zeggen, wat ik natuurlijk nooit zou doen, want hij is nog altijd de vader van mijn kinderen, dus…'

O nee.

'Je moet bedenken wat je echt wilt. Je hebt me zelf verteld dat je nooit echt gelukkig met hem bent geweest, weet je nog?' En dan weet ze de helft nog niet, natuurlijk, want wij wilden haar beschermen tegen de volle omvang van de ellende; van zijn liefdesverklaring aan mij en, niet te vergeten, van al die andere vrouwen.

'Maak je geen zorgen. Ik ben niet van plan hem nog terug te nemen.'

Ze zegt de juiste woorden, maar ik vind haar niet echt overtuigend klinken. Enfin, dit is in elk geval iets. Ik zou het niet aan kunnen zien dat Alex Isabels leven nu alweer in puin gooit, alleen omdat hij het in zijn eentje niet trekt en hij is afgewezen door de vrouw van wie hij zogenaamd houdt en door zijn beste vriend. En aan de nachtmerrie die het zou zijn als hij weer in ons leven komt na alles wat er is gebeurd, wil ik al helemaal niet denken. Hoewel, wat is het alternatief als ze hem wel terugneemt? Dat we Isabel en de meisjes ook nog kwijtraken?

'Isabel, hij manipuleert je. Hij werkt op je schuldgevoel naar de meisjes en dat hij nu zo alleen is en god mag weten wat nog meer.'

'Ik weet het. Dat weet ik allemaal ook wel. En zoals ik zei, ik ben absoluut niet van plan om hem weer terug te nemen. Ik maak me alleen zoveel zorgen om hem. Ik heb gezegd dat hij wel vaker bij de meisjes mag zijn, want hij mist ze waanzinnig. Weet je,' zegt ze, 'ik had gedacht dat jij er juist helemaal voor zou zijn dat ik hem weer terugnam, en dat we dan ons kleine clubje weer terug zouden hebben. Maar het feit dat hij heeft geprobeerd jou te versieren en de ruzie met Dan hebben kennelijk jouw gevoelens voor hem veranderd.'

'Dat kun je wel zeggen. Laat hem je nu maar niet verleiden. Natuurlijk moet hij meer tijd met Natalie en Nicola kunnen zijn, want dat is goed voor hen. Maar dat mag je hem niet laten gebruiken zodat hij ook weer meer bij jou is.'

'Dat doe ik ook niet. Ik maak me alleen zorgen om hem. Je moet niet zo hard voor hem zijn.'

'Hij is een volwassen kerel, hij redt zich heus wel. En moet je zien hoever jij bent gekomen…'

'Rebecca, luister. Ik zei dat ik niet van plan ben om hem terug te nemen, dus hou daar nu maar over op. Was ik er maar nooit over begonnen.'

Ze heeft gelijk. Ik ben aan het preken, maar ik wil per se dat ze op haar hoede blijft. Alex is een sluwe vos. Als hij het in zijn kop heeft dat hij haar terug wil dan zal hij haar net zo lang bewerken tot ze zwicht.

'Sorry, ik ga te ver. Ik wil je alleen beschermen, dat weet je ook wel.'

'En los van dat alles,' zegt ze, 'ik heb Luke.'

'Zo is dat. En vergeleken met Alex klinkt hij als een prins.'

'Dat is hij ook. Voor ik het vergeet. Kunnen we dinsdag komen eten? Hij wil jullie heel graag ontmoeten, hoewel hij volgens mij ook als de dood is.'

'Het komt wel goed. Ik ga hem alleen wel even vragen wat zijn intenties zijn…'

Isabel moet lachen. 'Je moet wel aardig doen, hoor. Dat je hem niet afschrikt.'

'Wie, ik? Alsof ik ooit iemand afschrik…'

Gelukkig hebben Rose en Simon ook wel zin om dinsdag te komen, dus ben ik het grootste deel van het weekend bezig met plannen wat ik zal koken, en met tripjes naar de supermarkt omdat ik steeds weer iets anders verzin. Ik heb hen wel gewaarschuwd dat mijn kookkunsten niet bepaald hoogstaand zijn – het moet iets worden dat ik van tevoren kan klaarmaken in het beetje tijd dat ik heb als ik uit mijn werk kom. Ik kies voor zeeduivel gemarineerd in citroen en rozemarijn. Dan maakt het toetje – een cheesecake – en William heeft aangeboden voor het voorgerecht iets mee te nemen uit zijn voedseltechnologieles, want die heeft hij altijd op dinsdagmiddag, hoewel ik niet helemaal zeker weet of dat wel zo'n goed plan is. Zoe wordt verscheurd tussen haar natuurlijke verlangen om de hele avond vol afgrijzen te verwerpen en hem derhalve in haar kamer door te brengen, en een schijnbaar overweldigend verlangen om de nieuwe vriend van tante Isabel eens goed te bekijken. Ze kiest voor een strategie waarbij ze alleen de eerste paar minuten, als ze er net zijn, een kijkje komt nemen, zodat ze in elk geval weet hoe hij eruitziet.

'Geen rare gezichten trekken als hij je niet aanstaat,' zegt ik, en ze rolt met haar ogen.

Ik moet maandag en dinsdag nog door zien te komen op kantoor, en op maandagochtend voel ik iets van opwinding als ik bedenk dat Mary vanochtend haar auditie heeft. Ik geef haar een belletje om te checken of ze er klaar voor is, en of ze weet waar ze moet zijn.

Tegen tienen is er nog steeds geen teken van leven van Lorna, dus we nemen aan dat ze zich nog steeds in haar huis heeft verschanst. Ik zeg tegen Kay dat ze niet meer hoeft te bellen. 'Er is niks aan de hand,' zeg ik. 'Ze komt wel weer als ze daar zin in heeft.'

Joshua en Melanie worden nu toch wel wat onrustig en vragen zich af wanneer ze eindelijk terugkomt. Dat is ook zo gek. Dus ik vertel hen over mijn bezoekje aan haar huis, afgelopen vrijdag, en geef daar een eigen draai aan: ze wil zo vreselijk graag weer aan het werk, maar de dokter zegt dat ze nog een paar dagen nodig heeft. Ze is wel keihard aan het werk en ontspant nauwelijks, dus daarom duurt het waarschijnlijk allemaal wat langer dan nodig.

Dan vertel ik Melanie een iets andere, en nog niet volledig waarheidsgetrouwe versie: dat ze nog steeds verschrikkelijk depressief is. Dat het nog even duurt voor de medicijnen zullen aanslaan, en dat ze dan weer de oude zal zijn. Maar dat het wel klopt wat ik Joshua heb verteld, dat ze keihard werkt.

Ik ben zelf wel wat bezorgd dat ze er nog steeds niet is. Ik word knettergek van al die leugens, en ik weet dat als Joshua me dadelijk recht in mijn gezicht vraagt wat er nou echt aan de hand is, ik het hem allemaal zou vertellen. De ene leugen brengt de andere met zich mee, zei mijn moeder altijd, en daar had ze gelijk in. Het gaat een eigen leven leiden en je moet inderdaad allerlei andere onwaarheden erbij slepen om het verhaal plausibel te houden. Daarbij ben ik zelf bang dat als ik dit niet kan volhouden, iedereen doorheeft dat ik de kluit gruwelijk heb belazerd, de afgelopen week. Ik heb de reputatie van het bedrijf op het spel gezet door Lorna's afwezigheid te verzwijgen en door zelf haar werk proberen te doen. En ook al heb ik meer lol in dat werk dan ik ooit had gedacht, Lorna moet terugkomen voor alles uitkomt.

We komen de dag redelijk kalm door. Heather belt me om te vragen waar Lorna goddomme uithangt. Ze is niet bij haar laatste bureau weggegaan – een van de topimpresariaten van het land, dat ik dat wel even weet – om vervolgens geen aandacht meer te krijgen. Ik sus haar zo goed en zo kwaad als het gaat, en herinner haar aan de aanstaande lunch met Niall Johnson. Ik vraag of ik misschien nog iets anders voor haar kan betekenen, en ze zegt honend van niet. Uit haar toon blijkt dat ze zichzelf veel te belangrijk vindt om door iemands assistente te worden geholpen, maar ze weet zich in te houden en zegt dat nog net niet. Hoe meer ik met Heather te maken heb, des te minder ik haar mag. Ze is zo hooghartig en met haar maniertjes geeft ze jou altijd het gevoel dat je heel onbeduidend bent. Ze is een paar jaar geleden vanuit het niets op de buis verschenen, nadat een of andere producent haar in een bar had ontdekt, en ik vraag me af of ze soms bang is dat ze zonder pardon weer terug belandt in dat wereldje als ze te familiair is tegen het klootjesvolk. Alsof onbelangrijk zijn besmettelijk is.

In alle opwinding van vrijdag ben ik vergeten om naar Jasmine te kijken op *London at Six*, maar gelukkig had Kay de tegenwoordigheid van geest om de dvd-recorder aan te zetten voor ze wegging, dus kunnen we er nu samen naar kijken. Jasmine heeft helemaal niets te melden over het eigenlijke onderwerp, maar wat ze wel kan verzinnen, weet ze met zo veel verve te brengen dat het niemand opvalt dat ze zichzelf voortdurend tegenspreekt. Haar enthousiasme is juist een verademing tussen de zure waardigheid van de andere gasten, en ik zie waarom het werkt als zij erbij zit. Ik bel haar op om haar te complimenteren en ik beloof dat ik Phil achter zijn vodden blijf zitten over toekomstige programma's. 'Je kunt misschien wel vaste gast worden,' zeg ik. 'Ze weten nu dat je overal over mee kunt praten.'

'Dat is een bril-jant plan,' roept Jasmine uit. 'Stel het maar voor.'

Ik beloof dat ik Phil zal peilen, en laat mijn riedeltje over dat ik het eerst met Lorna zal overleggen achterwege. Dit kan ik prima in mijn eentje aan.

Uiteindelijk heb ik geen tijd om Phil te bellen, want het is veel te druk, en de dag gaat als een flits voorbij. Voor ik het weet loop ik de puinhoop binnen die ik vroeger kende als mijn keuken, waar Dan en William alle keukengerei gebruiken voor het bakken van een citroen-cheesecake. Ik laat ze lekker hun gang gaan en bel de Chinees om eten te laten bezorgen.

Dinsdag verloopt min of meer hetzelfde. Ik zit goed in mijn ritme en vraag me niet eens af of Lorna wel of niet terugkomt. Ik bel de cliënten van wie ik denk dat ze aandacht nodig hebben, lees castinginstructies, en, aangemoedigd door Mary's auditie, maak ik lijsten van alle grote, langlopende producties – de soaps, de politie- en ziekenhuisseries. Die ben ik allemaal aan het bellen om te vragen of ze nog nieuwe – en nog niet gecaste – rollen op touw aan het zetten zijn. Ik maak vrienden met alle productiesecretaresses en ze zijn allemaal even behulpzaam, en beloven dat ze me zullen terugbellen als ze iets hebben.

Er wordt gebeld met de mededeling dat Mary de rol bij *Reddington Road* niet heeft gekregen, maar dat ze haar wel geweldig vinden en dat ze haar zeker in gedachten houden voor een rol in de toekomst. Aan de ene kant is ze heel verdrietig, maar ze is ook bemoedigd door hun positieve commentaar. 'Het was een topidee om die dvd te maken,' zegt ze, en ik doe al niet meer net of het Lorna's idee was. Ik verdien best een schouderklopje.

Ik praat met Phil, die eigenlijk wel interesse heeft in het idee van Jasmine als vaste gast – maar dan niet vaker dan eens per week, zegt hij vlug. Niet elke dag. Hij zegt dat hij er nog even over na wil denken, en dat hij me dan terugbelt.

Tegen halfvijf realiseer ik me dat ik nauwelijks heb gemerkt hoe de dag voorbij is gegleden en dan weet ik ineens ook weer dat ik eigenlijk vroeg weg had willen gaan omdat ik nog dingen moet doen voor het etentje. Ze komen allemaal rond halfzeven, dus als ik thuiskom heb ik nog net tijd om de vis in de marinade te leggen en de groente te snijden voor ik het bad in duik. Ik wil een goede indruk maken op Luke. Niet in de zin dat hij me een lekker ding moet vinden, alsjeblieft niet. Nee, ik wil alleen dat hij vindt dat de vrienden van Isabel mensen zijn die hij zelf ook leuk vindt. Ik knijp citroen uit over de gerookte zalm voor het (uitermate simpele) voorgerecht, want ik laat mijn gasten liever geen botulisme oplopen door ze voor te zetten wat William heeft gebrouwen ('eieren au gratin' noemde hij het). Dan bedenk ik ineens dat ik niet heb gevraagd of er iemand soms geen vis eet. Ik weet zeker dat Rose fish-and-chips at, toen in de pub, maar wat Simon en Luke betreft heb ik geen idee. Maar het is nu te laat om me daar nog druk om te maken.

Ik dwing Zoe om samen met William de salade te bereiden en dan ga ik naar mijn slaapkamer om me te verkleden. Ik verheug me op vanavond. Ik denk wel dat we het als groepje allemaal met elkaar kunnen vinden, maar ik vind het nog het leukst dat ik de man te zien krijg die Isabel nieuw leven heeft ingeblazen. Konden we maar even een paar weken vooruitspoelen zodat deze eerste, wat ongemakkelijke avondjes achter de rug waren, en we meteen in het stadium waren beland dat niemand enige druk voelde en we het gewoon gezellig vonden om bij elkaar te zijn. Maar goed, toch heb ik zin in wat er komen gaat.

Rose en Simon arriveren al eersten, en we geven ze een drankje, en Dan slaat met hen aan het kletsen in de zitkamer terwijl ik nog even de keuken in ga. Zoe komt haar kamer uit en ik schud mijn hoofd om aan te geven dat het niet Luke en Isabel zijn en ze loopt teleurgesteld terug.

Isabel en Luke komen vijf minuten later. Zij ziet er schitterend uit, maar mijn blik blijft maar heel even op haar rusten, want hij gaat naar Luke, om die eens goed op te nemen.

'Dit is Luke,' zegt Isabel. 'En dit zijn Rebecca, en Dan, natuurlijk.'

Luke schudt ons allebei de hand. Hij is absoluut een knappe vent – knapper dan Alex, en dat doet me deugd. Hij is lang, breed en hij heeft heel dik haar, zie ik. Maar wat me nog het meest opvalt, is dat hij er zo… aardig uitziet. Hij heeft diepe rimpels rondom zijn ogen, dus hij lacht veel. Hij lijkt me een man die je vriendelijk behandelt, een man die je kunt vertrouwen.

'Leuk om jullie te ontmoeten,' zegt hij, 'en ook een tikkeltje angstaanjagend.'

'Ik heb gezegd dat hij op proef is,' zegt Isabel. 'Dus hij gaat zich van zijn allerbeste kant laten zien.'

'Als je denkt dat ze maar een grapje maakt, vergeet het,' zegt hij, en ik mag hem nu al.

Het etentje is heel gezellig. De sfeer is ontspannen en we zitten nooit zonder gespreksstof. Dat dreigt wel een paar keer te gebeuren, maar we krijgen het dan toch weer snel op de rit. Luke is attent voor Isabel. Hij is precies extravert genoeg, maar zonder dominant te zijn. Hij probeert ons uit te leggen wat hij doet voor de kost, maar ik begrijp het nog steeds niet helemaal. Hij zelf ook niet echt, geloof ik. Iets in de financiële sector, met virtueel geld dat hij van de ene plek naar de andere laat verhuizen. Dat is allemaal wel wat moeizaam geworden sinds de economische crisis inzette, maar hij heeft het vol weten te houden en momenteel loopt het aardig. Hij is altijd op reis, om met andere financiële mensen te praten over onbegrijpelijke financiële dingen, en vóór Isabel, zegt hij, en hij kijkt haar adorerend aan, waren die reisjes behoorlijk vervelend. Allemaal vergaderingen en saaie diners met andere mannen in pakken. Soms wilden ze hem dan nog wel eens meenemen om de stad te laten zien, en dat, zegt hij, was nog wel het allerergst.

'Ik weet niet meer in hoeveel talen ik al heb moeten leren zeggen: "Nee, ik wil echt niet mee naar een stripclub",' zegt hij, waar we allemaal hard om moeten lachen, en wat tegelijkertijd iets liefs over hem laat zien.

Hij hoopt dat Izz, als ze maar even tijd heeft, mee kan op reis. 'Als ze dat wil, natuurlijk,' voegt hij er vlug aan toe.

'Hou me maar eens tegen,' zegt Isabel en leunt naar hem toe voor een snelle kus.

Het is zo vreemd om haar zo intiem te zien zijn met een andere man, dat mijn adem bijna hoorbaar stokt. Ze zijn echt heel erg op hun gemak bij elkaar. Wisselen veel blikken en raken elkaar steeds even aan. Ik kijk naar Dan en hij kijkt mij aan. We trekken onze wenkbrauwen naar elkaar op en ik weet dat dat betekent dat we Luke allebei leuk vinden en dat we dolblij zijn om Isabel zo gelukkig te zien. Verbijsterend wat je allemaal in zo'n opgetrokken wenkbrauw kunt leggen als je iemand al twintig jaar kent. Ik probeer me te herinneren wanneer hij voor het laatst spontaan zijn hand op mijn knie legde, of mijn hand pakte als we op straat liepen. Ik zou het niet meer weten.

'Waar woon je?' vraagt Rose aan Luke, en hij vertelt over Teddington.

'O,' zegt ze. 'Want ik weet zeker dat ik je wel eens heb gezien... je gezicht komt me zo bekend voor.'

'Waarschijnlijk omdat hij Charlie wel eens ophaalt van school,' zegt Isabel.

Ik ben bang dat Luke misschien geen zin heeft in een heel gesprek over Charlie en zijn ADHD en het feit dat de school daarom heeft besloten dat hij mocht blijven, dus verander ik onhandig van onderwerp door te zeggen: 'Rose moet ook vaak op reis voor haar werk', en haar aan Isabel en Luke te laten vertellen over haar laatste tripje naar Kenia.

'Hoe gaat het bij jou op je werk?' vraagt Rose later, en ik geef haar een update en vertel Luke een verkorte versie van de hele geschiedenis.

'Mijn god,' zegt hij. 'Hoe kom je daar allemaal mee weg?'

'Eh... nou, ik neem aan dat ze snel weer op kantoor is, en dan is het alleen nog maar een kwestie van haar aan het verstand krijgen dat ik het alleen deed voor haar bestwil...' Mijn stem sterft weg. Het klinkt ook niet als een waterdicht plan.

'Wat nou als ze niet meer terugkomt?'

Ik lach nerveus. 'Joh, natuurlijk komt ze terug. Ze is gek op haar werk.'

'Ik help het je hopen. Dit is echt een van de krankzinnigste verhalen die ik ooit heb gehoord. Goed van je dat je probeert haar te beschermen. Ik weet niet of ik wel zo genereus zou zijn.'

Ik begin de borden en schalen van het hoofdgerecht af te ruimen als Zoe binnenkomt om me te helpen. Aangezien Rose en Isabel allebei geen tienerdochter hebben, vinden zij dit misschien niet zo vreemd, maar ik weet heel goed waarom dit gebeurt. Ze bekijkt Luke en Simon om te bepalen wie wie is.

'Hoi, tante Isabel,' zegt ze, en ze geeft Isabel een knuffel. Rose gaat staan en stelt zich aan haar voor, en zegt dat de (uitwasbare) blauwe lok in haar haar cool staat. Luke en Simon zwaaien zo'n beetje, dus moet ik ingrijpen en haar een handje helpen.

'Dit is Zoe, mijn oudste,' zeg ik. 'En dit is de man van Rose, Simon.' Er kan nog net een 'hallo' voor Simon af, maar ze kan haar desinteresse nauwelijks verhullen.

'En dit is Luke, de vriend van tante Izz,' zeg ik, en die arme Luke krijgt de volle laag van haar dertienjarige nieuwsgierigheid.

'Leuk om je te zien, Zoe,' zegt hij allercharmantst.

'Hallo Luke,' zegt ze met een glimlach, maar ze wacht niet lang genoeg, dus hij heeft zich nog niet helemaal omgedraaid als zij twee duimen opsteekt naar Isabel. We weten ons in te houden en barsten pas in lachen uit als Zoe naar de keuken is met een grote stapel borden en ons niet meer kan horen.

'Ik geloof dat je geslaagd bent,' zeg ik tegen hem, en loop dan achter mijn dochter aan.

'Hij is superleuk,' zegt ze. 'Tenminste, vergeleken met die andere,' voegt ze eraan toe, met wie ze Simon bedoelt, die kampt met een terugtrekkende haargrens en behept is met een rood uitgeslagen huid en heel licht haar.

'Nou ja, tante Isabel is heel blij met hem, en daar gaat het maar om.'

'Hij is ook knap om te zien,' zegt ze zonder dollen. 'Hij maakt haar blij *en* hij is knap. Het zou niet veel zin hebben als hij haar blij maakte maar niet knap was, of wel soms?'

Daar ga ik maar niet eens op in.

Vijf minuten later, als Zoe weer naar haar kamer is, komt William binnen.

'Bent u de nieuwe vriend van tante Isabel?' zegt hij nog voor ik hem kan voorstellen. Gelukkig vraagt hij het aan de juiste man – Zoe zal hem wel hebben beschreven – en de juiste man antwoordt: 'Ja, ik denk het wel, en jij bent zeker William. Aangenaam.' Hij schudt William de hand, wat William, zo weet ik, zeer op prijs stelt.

'Bedtijd,' zeg ik tegen hem. Hij kijkt me hooghartig aan: 'Dat weet ik heus wel.'

Terwijl ik in de keuken de cheesecake in stukken snij, komt Isabel binnen, zogenaamd om de wijnglazen nog eens vol te schenken, maar ik weet dat ze eigenlijk even alleen met me wil praten.

'En?' zegt ze terwijl ze deur naar de zitkamer in de gaten houdt.

'En wat?' Ik ga verder met het zorgvuldig snijden van ons dessert.

Ze lacht. 'Dat weet je best.'

Ik leg mijn mes neer, veeg mijn handen af aan een theedoek en neem de tijd.

'Rebecca…'

'Ik vind hem echt heel leuk,' zeg ik, en ik glimlach. 'Dan ook, dat zie ik zo.'

'Echt?'

'Echt.'

'En hij heeft het duidelijk naar zijn zin.'

'Misschien kunnen we in het weekend eens wat leuks doen. Met zijn vieren?'

'Misschien,' zegt ze. 'Ik zal het hem vragen, maar de weekends zijn lastig. Dan heeft hij Charlie.'

'Kan hij dan geen oppas regelen?'

'Ik geloof niet dat hij dat prettig vindt. Hij ziet hem alleen in het weekend, en hij wil niet dat zijn vrouw denkt dat hij niet goed voor hem zorgt…'

'Weet zij eigenlijk al van jou, zijn vrouw?'

'Nee,' zegt Isabel. 'Luke wil wachten tot de scheiding helemaal rond is.'

'Dat lijkt me logisch,' zeg ik, en ik geef haar wat bordjes om naar binnen te brengen.

'Bex…' zegt ze als ze net naar de zitkamer wil lopen. 'Alex heeft weer gebeld.' Ik weet dat ze daarmee niet bedoelt dat hij belde om te vragen wanneer hij de meisjes kon komen halen.

'Nee, Isabel,' zeg ik. 'Je mag hem de kans niet meer geven. Kijk dan hoe gelukkig je nu bent. Bovendien durf ik er wat om te verwedden dat hij dit alleen maar doet omdat je met iemand anders bent.'

'Ik weet het,' zegt ze. 'Maar ik kan moeilijk niet meer met hem praten, vanwege de meisjes.'

'Dan moet je maar wat strikte regels opstellen. Dan zeg je dat je niet meer opneemt als hij niet eerst belooft om niet meer met zulke praatjes te komen. Dan bindt hij wel in.'

'Zal ik doen,' zegt ze, en ik hoop maar dat ze het meent.

'Laat hem jouw relatie met Luke nou niet verpesten.'

'Maak je geen zorgen,' antwoordt ze. 'Dat gaat niemand lukken.'

Ik val in slaap met de gedachte aan een leuke avond, want het ging allemaal heel goed. Iedereen vond het gezellig met elkaar, en niemand was irritant of verlegen en niemand drong zich steeds op de voorgrond. Rose en Simon hebben ons allemaal bij hen thuis uitgenodigd, en Luke beloofde om te proberen het weekend af te spreken, hoewel hij betwijfelde of het zou lukken. Maar hij wilde wel volgende week nog een avond afspreken, dus het leek me niet dat hij zich er met een smoesje vanaf maakte. Alles bij elkaar was het een zeer geslaagde avond. Beter dan ik had durven hopen.

25

O P WOENSDAG, ONDANKS MIJN MILDE kater, weet
ik nog een paar bescheiden succesjes te boeken voor mijn
troepje surrogaatcliënten. Na mijn belrondje heb ik Kathryn
haar eerste auditie sinds ik weet niet hoeveel maanden bezorgd. De
dagsoap *Nurses* is op zoek naar een nieuwe hoofdverpleegkundige.
Ze waren Kathryn helemaal vergeten, zegt de castingassistente die
me terugbelt, tot ik hen aan haar herinnerde. Ik schrijf de gegevens
op en bel Kathryn bij de bloemist. Ze is belachelijk dankbaar en dan
moet ik haar paniek aanhoren omdat ze niet weet wat ze aan moet,
en wat ze met haar haar zal doen. Dan bellen ze van *Marlborough
Murder Mysteries* om te vertellen dat ze Mary's stukje op dvd hebben
gezien en dat ze haar graag een auditie willen laten doen voor de rol
van Effie, zus van de knappe maar afstandelijke en angstaanjagend
slimme detective Marlborough. De rol is semivast, en zal regelmatig
opduiken gedurende de serie. Kay en ik doen een klein vreugdedansje
door het kantoor als ik Mary het nieuws heb doorgegeven, totdat
Joshua zijn hoofd om de deur steekt en schreeuwt dat we verdomme
stil moet zijn. O, en Samuel krijgt nog een paar dagen aangeboden bij
Nottingham General. Dit keer als man die ervan wordt verdacht zijn
terminaal zieke vrouw te hebben geholpen bij een zelfmoordpoging.
Ik wil niet dat hij de klus misloopt, maar ik vraag me toch af of het
niet vreemd is als hij zo snel alweer in de serie meedoet.

'O, nee, dat doen we zo vaak,' legt de boeker uit. 'Dat maakt ons
publiek niet uit. Sterker nog, ik denk dat ze het juist wel prettig vinden.'

Samuel, dat zie ik nu, redt het altijd wel. Hij is degelijk en betrouwbaar. Hij is een goede acteur en mensen werken graag met hem.
Hij zal nooit een hoofdrol krijgen, maar hij doet het keurig, met hier

twee dagen en daar drie dagen werk, en dat zal de rest van zijn leven wel zo doorgaan, zolang wij iedereen maar af en toe aan zijn bestaan herinneren. En daar is hij tevreden mee. Waarom ook niet? Hij krijgt uitstekend betaald en heeft verder ruim de tijd om in zijn volkstuin rond te scharrelen. Hij zal nooit een fortuin voor ons binnenslepen, maar voor hem zorgen kost nauwelijks tijd, dus zo is iedereen tevreden.

Om het te vieren drinken Kay en ik een borrel in de pub aan de overkant, en proosten we op mijn 'pas ontdekte impresariokwaliteiten'. Als ik naar huis ga ben ik belachelijk trots op mezelf, en blij en vervuld en betrokken en nog een hele zwik andere bijvoeglijke naamwoorden.

Ik word klam van het zweet wakker. Morgen is het donderdag. Wat nu als Luke gelijk heeft en Lorna niet meer terugkomt? Maandag is haar lunch met Heather en Niall Johnson en ze weet nog altijd niet dat die gepland staat. Ik heb mijn ogen gesloten voor de werkelijke gevolgen van Lorna's afwezigheid. Ik heb mezelf laten geloven dat ik het wel kon uitzingen tot ze er weer was, en dat het dan allemaal weer bij het oude zou worden. Maar de laatste tijd heb ik het veel te veel naar mijn zin op het werk om er überhaupt nog bij stil te staan. En nu ik dat wel doe, weet ik eigenlijk niet wat ik me in mijn hoofd heb gehaald. Niet zo veel, kennelijk. Het duurt nu niet lang meer of het hele kaartenhuis stort in, tenzij ik ervoor kan zorgen dat Lorna weer aan de slag gaat en maandag tenminste de indruk wekt dat ze een normaal mens is.

Ik probeer me in te houden, maar dat lukt niet, dus maak ik Dan wakker.

'Wat?' zegt hij. 'Wat is er?'

Ik vertel hem wat me dwarszit, en het enige wat hij zegt is: 'Ik dacht dat je het juist zo naar je zin had op je werk.'

'Dat is ook zo,' zeg ik. 'Dat was ook zo.'

'Wat is dan het probleem?'

Volgens mij houdt hij zich expres van de domme. Het lijkt mij duidelijk wat hier het probleem is, of niet soms?

'Ze verwachten dat Lorna bij die lunch aanwezig is.'

'Dan zeg je toch dat ze nog ziek is. Dat heeft tot nu toe prima gewerkt.'

'Maar geen mens gelooft nog dat ze echt alleen maar een of ander virusje heeft na ruim twee weken. En trouwens, Niall en Heather willen dat ze erbij is.'

'Dan ga jij toch voor haar in de plaats,' zegt Dan en hij rolt op zijn zij, en trekt het dekbed over zijn schouders.

'Doe niet zo stom,' zeg ik geïrriteerd. 'Natuurlijk kan ik niet voor haar in de plaats gaan. Als ik zeg dat zij er niet is, denk je dan echt dat Heather nog bij Mortimer and Sheedy wil blijven? Ze is nu al zo gefrustreerd.'

'Zeg dan maar vlug wat je me te vertellen hebt, dan kunnen we weer slapen,' zegt Dan.

'Ach, laat ook maar. Je begrijpt het toch niet,' zeg ik mokkend, en dan voel ik me meteen lullig. Het is Dans schuld toch niet dat ik mezelf zo in de nesten heb gewerkt? Ik wrijf over de arm die hij over het dekbed heeft geslagen

'Sorry. Ik had je niet wakker moeten maken.'

Hij draait zich om en kruipt lekker tegen me aan. 'Geeft niks. Morgenochtend voel je je heus wel weer beter.'

Maar dat is niet zo. Ik ben paniekerig, alsof ik ineens heb ontdekt dat ik in een achtbaan zit die boven op een gigantische helling hangt terwijl ik niet weet hoe ik eruit moet. Ik kan niet wachten tot ik op mijn werk ben om het met Kay te kunnen bespreken. Zij is de enige die echt begrijpt in wat voor hachelijke situatie ik me bevind.

Ik ben dan ook al om kwart over negen op kantoor en tel de minuten af tot zij er ook is. Ze is nog geen seconde binnen of ik steek van wal.

'O hemel, we moeten echt zorgen dat Lorna weer terug is voor maandag, dan is Heathers lunch en Lorna moet er dan echt zijn, want ik heb tegen hen gezegd dat ze er zou zijn en sterker nog, zij dachten dat ik Lorna was, weet je nog wel, en…'

Kay valt me in de rede. 'Doe eens rustig. Even terug naar het begin. Wat is er allemaal aan de hand?'

Dus begin ik opnieuw, dit keer met af en toe een pauze tussen de woorden, zodat ze begrijpt waar ik het over heb.

'Ja,' zegt ze behulpzaam als ik zwijg om op adem te komen. 'Ik vroeg me al af hoe je je daaruit dacht te gaan redden.'

'Ik had gedacht dat ze nu wel weer terug zou zijn,' jammer ik. 'Hoe kon ik nou weten dat ze in haar bed zou gaan liggen en er niet meer uit komt.'

'Oké,' zegt Kay kalm. 'Laten we eens even kijken wat de opties zijn.' Ze telt ze af op haar vingers. 'Eén: Lorna komt een dezer dagen terug en er is niks meer aan de hand en ze wil graag naar die lunch en ze is dankbaar voor de manier waarop jij haar hebt gered en we leven allemaal nog lang en gelukkig.'

'Dat gaat niet gebeuren, denk ik.'

'Dat denk ik ook niet, nee. Twee: Lorna komt niet terug, jij zegt tegen Heather en Niall dat ze zonder haar moeten lunchen. Heather is pissig omdat ze niet wordt behandeld met de mate van respect die haar toekomt en verhuist weer naar een ander impresariaat en het wordt bekend dat Lorna aan iets vreselijks lijdt en misschien wel nooit meer aan de slag gaat, dus al haar andere cliënten nemen ook de benen.'

'O god,' zeg ik.

'Drie: we gaan samen aanstaande maandag naar Lorna's huis, sleuren haar de deur uit en leveren haar af in het restaurant waar ze erbij zit als een kwijlende idioot, maar ze is er in elk geval.'

'Dat is net zo erg,' zeg ik.

Kay is nog niet klaar: 'Vier: we vertellen Joshua en Melanie precies hoe de vork in de steel zit, en dan neemt een van hen de zorg voor Heather over.'

'En ik raak mijn baan kwijt.'

'O ja? Terwijl je alleen maar hebt willen helpen?'

'Ja, zeker. Ik heb tegen ze gelogen, me voorgedaan als Lorna, de cliënten misleid... O god, ik word al gek als ik eraan denk.'

'Nou, in dat geval hebben we alleen nog optie vijf.'

'Weglopen?'

Kay lacht. 'Nee. We... ik zeg we, maar ik bedoel jij... zorgt dat Lorna uit bed stapt en weer op kantoor komt, je brengt haar aan het verstand dat je alles voor haar bestwil hebt gedaan en dat ze Joshua, Melanie of de cliënten nooit iets mag vertellen van wat er is gebeurd. En dan moet zij maar weer haar oude dynamische zelf zien te worden en gewoon maandag naar die lunch gaan.'

Ze kijkt me triomfantelijk aan. 'En hoe ga ik dat voor elkaar krijgen?' vraag ik.

'Ik heb geen idee.'

Ze heeft natuurlijk gelijk. Het enige wat me nu nog kan redden is dat alles weer bij het oude wordt zonder dat iemand ooit door heeft gehad dat er iets goed mis was, maar ik zie niet hoe dat zou kunnen.

Kay, praktisch als altijd, zegt: 'Hoe sneller je met haar praat, des te meer tijd zij heeft om zichzelf voor maandag weer op de rit te krijgen.'

'Wat zal ik doen? Moet ik er weer langs? Ik denk niet dat ze dit keer de deur nog opendoet.'

We besluiten dat Kay aan Joshua en Melanie zal zeggen dat Lorna me heeft gevraagd bij haar langs te gaan om nog wat spullen voor het werk te brengen. Joshua reageert hierop door te zeggen: 'O, mooi, ik wilde Lorna vandaag al bellen om te vragen wanneer ze weer aan de slag denkt te gaan,' waarop Kay antwoordt: 'Nou, dat kan Rebecca je dan straks dus vertellen', en ze hoopt dat hij daaruit opmaakt dat hij zich de moeite net zo goed kan besparen.

In de tussentijd ga ik naar Lorna's huis, al weet ik niet wat ik daar moet doen. Op weg naar de metro neem ik een telefoontje van Phil aan, die heeft besloten dat hij Jasmine elke donderdag als vaste gast wil, want dat vond hij een heel goed idee. Hoewel ik weet dat ik moet wachten tot ik Lorna heb gesproken, aangezien ik naar haar op weg ben, vertel ik hem dat Jasmine dan wel een hoger honorarium moet krijgen, aangezien ze elke donderdag voor hem vrij zal moeten houden. Tot mijn verbazing vindt hij dat meteen prima. Hij vindt het wel logisch dat een vaste gast meer betaald krijgt dan mensen die maar af en toe langskomen. Ik hang op en vraag me af of ik soms nog meer had moeten vragen, maar als ik het Jasmine meld is ze dolblij.

'Dankjewel. En bedank Lorna ook voor me,' zegt ze.

'Natuurlijk,' zeg ik. 'Ik zie haar over een paar minuten.'

Ik doe het trucje met voor de deur hangen nog een keer, maar niemand gaat naar binnen of naar buiten, dus uiteindelijk druk ik op een paar willekeurige deurbellen, en als iemand eindelijk antwoordt zeg ik: 'Ik kom de meterstand opnemen.' De man vraagt niet eens voor welke meter ik kom en doet de deur voor me open.

Ik klop aan bij Lorna en wacht af. Ik hoor haar binnen rondlopen, dus ik weet dat ze er is, maar ze lijkt niet van zins om open te doen en me binnen te laten.

'Lorna,' zeg ik luid. 'Ik ben het, Rebecca. Ik weet dat je me niet wilt zien, maar dit gaat over het werk. Het is heel belangrijk en ik ga niet weg. Ik weet dat je nu denkt dat het je allemaal niets kan schelen, maar als ik straks niet kan vertellen dat ik je heb gesproken, gaat Joshua je zelf bellen…'

De deur van de buren gaat open, en een vrouw van middelbare leeftijd gluurt naar me, en vraagt zich duidelijk af wat er hier aan de hand is. Ik schenk haar een glimlach en probeer er niet-bedreigend en vriendelijk uit te zien, maar ze kijkt me boos aan en gaat weer naar binnen zonder een woord te zeggen. Ik weet dat Lorna het heel belangrijk vindt wat anderen van haar denken; haar image van de succesvolle zakenvrouw die alles onder controle heeft, is alles voor haar, dus ik denk: wat kan mij het ook schelen? Ik ga nog wat harder praten.

'…En je weet dat hij gek op je is. Hij doet net of het allemaal om het werk gaat, maar jij weet ook heel goed dat hij je gewoon wil. In feite wil hij niks anders dan jou eens een flinke beurt…'

Ik hoef mijn zin niet af te maken, want Lorna's deur, waar ik inmiddels tegenaan geleund sta, gaat open, en ik val zo'n beetje haar gang in.

'Godallejezus, hou je mond, mens!' zegt ze. 'Wat moeten mijn buren niet denken?'

'Ik heb er net nog eentje ontmoet,' zeg ik, en ik probeer waardig overeind te komen. 'Ze leek me reuze aardig.'

Lorna kijkt naar me als ik haar gang doorloop naar haar zitkamer. Het is een leuk appartement, wel een beetje over de top ingericht, maar toch smaakvoller dan ik had gedacht, met veel crème en bruine tinten en gezellig nepbont. Ik zou hier alleen niet twee weken achter elkaar opgesloten willen zitten.

'Wat moet je nu weer van me?' zegt ze. Ik ga op de bank zitten en zij blijft staan, alsof ik dan sneller wegga.

'Lorna, ik ben hier niet gekomen om ruzie te maken. Ik ben hier gekomen voor een heel specifiek doel.' Ik heb besloten om er geen doekjes om te winden. Mijn prioriteit is ervoor te zorgen dat zij maandag bij die lunch aanschuift. De rest kan nog wel even wachten. 'Heather heeft maandag een afspraak met Niall Johnson, en ze willen dat jij erbij bent. Ik wil zeker weten dat je ook echt gaat.'

Ik kijk haar aan en hoewel ze net doet alsof het haar niets kan schelen, zie ik dat ik haar interesse wel degelijk heb gewekt. Ze zegt alleen niets.

'Het is een lunchafspraak. In The Ivy. Niall wil Heather graag naar de BBC halen…'

Dan kan ze zich eindelijk niet meer inhouden. 'Wie heeft dit geregeld? Joshua?'

Daar gaan we. 'Nee, ik. Ik… ik dacht dat je maar een paar dagen weg zou blijven en Heather begon echt heel erg te zeiken over dat jij nog niks voor haar had geregeld en ik kreeg je maar niet te pakken… We hebben eindeloos geprobeerd om je te bellen, weet je nog wel?'

'Dus toen dacht je dat jij wel eens even lekker kon scoren? Joshua en Melanie zullen wel enorm onder de indruk zijn van je.'

'Die weten dat helemaal niet. Ja, ze weten wel van die lunch, maar ze denken dat jij dat zelf hebt geregeld…'

Daar gaat ze niet op in. Wel zegt ze: 'Nou, dan moet je het maar verzetten, want ik denk niet dat ik me maandag al goed genoeg voel om te gaan.'

Er is overduidelijk helemaal niets mis met haar. Fysiek, althans.

'Het probleem is dat dit de komende weken de enige dag is waarop zij allebei kunnen en… en ik denk dat Heather zich nogal slecht bediend voelt. Ik heb het idee dat ze weggaat als dit nu niet doorgaat…'

'Dan zeg je maar dat ze zonder mij moeten lunchen.'

'Dit is een waanzinnige kans, Lorna. Denk nou toch even na. Zo krijg je een voet tussen de deur bij Niall. Hoeveel agenten zouden geen moord plegen voor de kans om aan te schuiven bij de Controller of Entertainment van de BBC? Ik denk dat Joshua zelfs nooit verder is gekomen dan een praatje van vijf minuten tijdens een borrel. En misschien weet Heather er een enorm contract uit te slepen. Dat zou toch fantastisch zijn voor Mortimer and Sheedy? We hebben die inkomsten ook hard nodig. Bovendien heeft Niall gezegd dat hij je er heel graag bij wil…'

Ze zucht. 'Hoe laat is het?'

Ik kijk op mijn horloge. 'Tien voor halfelf.'

'Nee, niet nu,' zegt ze ongeduldig. 'Hoe laat is die lunch?'

'O. Om één uur. Dus je gaat?'

'Misschien. Ik zal wel zien hoe ik me voel.'

Dat is in elk geval iets. Hoewel, als ze maandagochtend wakker wordt met het gevoel dat ze het niet trekt, is dat dan niet veel erger dan dat we het nu afzeggen? Ik weet dat ik nu niet verder moet aandringen. Er is nog één ding dat ik haar moet vertellen.

'Eh…' zeg ik en dan weet ik niet goed hoe ik verder moet. Doe het nou maar gewoon, zeg ik tegen mezelf. 'Niall… nou ja, Niall denkt dat hij jou al aan de lijn heeft gehad…'

Ze kijkt me ijzig aan. 'Wat denkt hij?'

'Eh… Toen ik belde zei ik dat ik jou was, omdat hij mijn telefoontje anders niet wilde aannemen…'

'Dus jij hebt je voorgedaan als mij?'

'Nee… nou ja, zoiets… ja. Maar het was maar een telefoontje.'

Ze gaat op de armleuning van een stoel zitten, alsof ze dit allemaal niet kan bevatten.

'En dat vonden Joshua en Melanie goed?'

Ik hoor mezelf slikken. 'Die weten het niet. Ze denken dat je al die tijd gewoon aan het werk bent geweest, maar dat je alleen niet… op kantoor was. Het leek mij beter zo… voor jou.'

'Dus jij hebt achter hun rug om van alles uitgespookt? Je hebt de Entertainment Controller gebeld?'

Ik knik met tegenzin. 'Ik moest wel. Ik vond het zo rot voor je. Ik vond dat jij was gebruikt door mijn vriend – mijn voormalige vriend – en dus, ja, ik heb geprobeerd om je te helpen.'

Ze gaat staan, en het vuur staat weer in haar ogen te lezen. 'Nou, laten we dan maar eens zien of zij echt vinden dat je hebt geholpen, of dat ze vinden dat je je volkomen onprofessioneel hebt opgesteld. Jij hebt geprobeerd om zelf hogerop te komen, en daarbij heb je hun reputatie en de mijne op het spel gezet. Nou, dan snappen zij natuurlijk heus wel dat je het allemaal voor een hoger doel hebt gedaan. Ze zullen echt niet denken dat je het alleen maar hebt gedaan omdat je het wel lekker vond om eens zoveel macht te hebben.'

De oude Lorna herrijst voor mijn ogen uit de as. Dat slappe arme-ik type is aan de kant geschoven en het valse kreng is weer helemaal terug. Maar ik ben niet van plan om me door haar een oor aan te laten naaien.

'Hoe bedoel je, was het lekker om zoveel macht te hebben. Ik zeg toch dat ik deed alsof ik jou was? En ik heb ook tegen niemand gedaan alsof ik jouw cliënten vertegenwoordigde, dus ik zou niet weten hoe ik hier zelf beter van had kunnen worden. Ik heb steeds tegen iedereen gezegd dat ik eerst met jou ging overleggen, terwijl jij ondertussen al mijn pogingen om met je in contact te komen negeerde omdat je zo opging in jezelf en je eigen problemen.'

'Iedereen? Wie is iedereen? Wat heb je tegen iedereen gezegd?'

Oké, dus nu moet ik haar ook de rest opbiechten, al die dingen die ik eigenlijk had willen bewaren voor als ze weer op kantoor was, waar ik haar misschien nog in de waan had kunnen laten dat zij het zelf allemaal had geregeld, voor ze ziek werd.

'Jasmine wordt vaste gast op een vaste avond bij *London at Six*, Samuel heeft een rolletje in *Nottingham General*, zijn tweede zelfs, Kathryn heeft een auditie voor *Nurses*, en Mary heeft auditie gedaan bij *Reddington Road*. Die rol heeft ze niet gekregen, maar nu mag ze ook op voor *Marlborough Murder Mysteries*, en dat is nog veel beter. Ik kon je niet bereiken, dus ik heb het zelf allemaal moeten regelen, ja.'

Ze kijkt me ongelovig aan. 'Jij hebt deals voor hen gesloten? Voor Jasmine en Samuel?'

'Ik moest wel. Als ik steeds maar om advies zou hebben gevraagd, dan zouden Joshua en Melanie doorhebben dat ik geen contact met jou had. Godsamme, Lorna, ik dacht dat ik het goed deed.'

Ze staat op. 'Oké, ga nu maar weg. Zeg maar tegen Joshua en Melanie dat ik vanmiddag weer terug ben. Ik moet naar kantoor om deze puinhoop recht te trekken.'

Het heeft geen zin om ruzie te maken. Ik ben hier gekomen om te proberen haar weer aan het werk te krijgen, en daar ben ik in geslaagd. Ik heb haar precies datgene gegeven wat ze nodig had om haar van de bank te trekken en naar kantoor te bewegen – munitie tegen mij.

'Lorna,' zeg ik als ik opsta en naar de deur loop. 'Ik weet wel dat wij elkaar niet mogen, maar denk alsjeblieft eerst even na voordat je iets zegt. Dan zul je inzien dat ik jou alleen maar heb willen helpen, omdat ik niet wilde dat je je baan zou kwijtraken.' Ik hoor een geluid en realiseer me dat ze de douche heeft aangezet. Ze luisterde al niet eens meer naar me.

Moedeloos ga ik terug naar kantoor. Ik overweeg zelfs om maar naar huis te gaan en onder te duiken, maar dan zou ik net zo slap zijn als Lorna, dus besluit ik toch maar om mijn lot onder ogen te zien, wat dat lot ook maar mag worden. Kay is bezorgd om mij en blijft maar zeggen hoe erg het haar spijt dat zij voorstelde dat ik naar Lorna moest gaan.

'Het zou toch ooit wel een keer uitkomen,' zeg ik. 'En dan is dat nu maar vast gebeurd.'

Ik overweeg om Lorna de pas af te snijden en zelf Melanie mijn kant van het verhaal te gaan vertellen voor Lorna hier is, maar ik zou eigenlijk niet weten waar ik moest beginnen. Kay vertelt hen het goede nieuws dat Lorna weer terugkomt en ik ruim wat spullen op in haar kantoor en wacht af wat er gaat gebeuren.

'Lorna zal je wel dankbaar zijn als ze ziet hoe jij alles voor haar hebt geregeld toen ze weg was,' zegt Melanie als ze door de receptie loopt, en ik moet bijna lachen, zo belachelijk klinkt dat. 'Het doet me deugd, want ik weet wel dat jullie het niet altijd even goed met elkaar kunnen vinden.'

Rond halfeen komt Lorna binnen zeilen. Ze wordt door Joshua en Melanie verwelkomd als de verloren zoon. Ze zijn een en al: 'We maakten ons toch zo'n zorgen' en 'Weet je wel zeker dat je het al aankunt?'

'Wil je me even de dossiers van al mijn cliënten brengen,' zegt ze tegen Kay, zonder haar zelfs maar te begroeten. 'Ik moet weten wat er allemaal is gebeurd tijdens mijn afwezigheid.' Ze werpt mij een veelbetekenende blik toe als ze dit zegt en ik baal omdat ik daarbij rood aanloop. Ik moet voor ogen houden dat ik niets heb misdaan. Of althans, in technische zin misschien wel, maar ik deed het voor de goede zaak. Dat is een belangrijk verschil. Er zijn dus verzachtende omstandigheden.

'O, maar Rebecca heeft het allemaal lekker laten doorpruttelen, hoor,' zegt Joshua joviaal. 'Volgens mij had ze er best lol in.'

'Ja, dat zal ongetwijfeld,' zegt Lorna. 'Maar ik ben weer terug.'

Ze sluit zich bijna de hele middag op in haar kantoortje. Ze belt twee keer naar Kay, maar dat is alleen om te vragen of die haar een kop thee wil brengen. Haar telefoonlijn brandt steeds heel lang achter elkaar, maar Kay zegt dat Lorna dit keer ook echt met mensen aan het praten is. Met wie, dat weet ze niet. Ik ben misselijk, in afwachting van haar volgende stappen. Op een gegeven moment is Joshua een paar minuten bij haar binnen, maar als hij weer naar buiten komt lijkt hij reuze opgewekt, dus kennelijk heeft ze nog niets gezegd.

Mary belt voor mij en ik zeg tegen Kay dat ze moet zeggen dat Lorna weer terug is, zodat ze die ook kan spreken, maar ze zegt dat ze mij echt even wil spreken. Ze vertelt me over haar auditie bij *Marlborough Murder Mysteries*, en zo te horen ging dat heel goed. Ze klinkt zo opgewonden en ik ben zo blij voor haar, maar ik vind toch dat ik moet zeggen: 'Ik heb hier nu verder niets meer mee te maken; Lorna is immers je agent.'

Als ze ophangt probeer ik me op mijn werk voor Joshua en Melanie te storten, mijn echte werk, maar ik kan me moeilijk concentreren. Eindelijk, rond vier uur, belt Lorna me met de vraag of ik naar haar kantoor wil komen. Ik heb zin om nee te antwoorden, laat me met rust, maar ik weet best dat dat niet kan. Ik loop naar binnen en probeer zo blasé mogelijk te kijken. Wat? Is er iets mis dan?

Lorna zit aan haar bureau en ziet eruit als een schoolmeisje dat op kussentjes achter het bureau van de juf is geklommen. Ik blijf in de deuropening hangen in de hoop dat ze een irritant en simpel verzoek heeft, waar ze eigenlijk Kay voor moet hebben. Ze laat me daar een poosje zo staan zweten en zegt dan:

'Kom binnen en ga zitten.'

Ik doe wat me wordt opgedragen en wacht tot ze iets zegt.

'Dus, even voor mijn goede begrip,' zegt ze. 'Jasmine zit dus voortaan elke donderdagavond in *London at Six*, en dit…' ze houdt een kopietje op van de overeengekomen voorwaarden; ze hebben nog geen tijd gehad om het contract voor ons op te stellen, het was allemaal zulk haastwerk – 'is de deal?'

Ik knik ongelukkig. Ik heb het gevoel alsof ik in de val word gelokt.

'En Samuel zit in *Nottingham General*.'

'Ja.'

Ze houdt een ander vel papier op. 'En de voorwaarden daarvoor zijn allemaal rond?'

Ik knik nogmaals, te bang om iets te zeggen.

'Mary heeft auditie gedaan bij *Marlborough* en Kathryn heeft er morgen eentje bij *Nurses*? En Joy Wright Phillips zegt dat ze weer aan het schrijven is geslagen omdat jij haar hebt gezegd dat ze elke ochtend twee uur iets moet doen nog voor ze aan iets anders begint, en dat werkt kennelijk.'

'Echt waar? O, wat geweldig,' zeg ik voor ik me kan inhouden. Lorna negeert me.

'En dan heeft Heather natuurlijk, zoals we weten, maandag een bespreking met Niall Johnson.'

Ik knik maar weer en wacht op de grote knal.

'En Craig dan? Heeft die nog geen opdracht voor een filmscript en een eigen televisieserie?'

'Hij is nog bezig met het concept voor die ene aflevering,' zeg ik, want ik hap niet. 'Het gaat wel goed volgens mij. Hij schiet aardig op.'

'En dit is dus wat jij verstaat onder mij indekken als ik er niet ben? De boel draaiende houden?'

'Ja, precies.'

'Dit is niet bedoeld om jezelf eens flink op de voorgrond te plaatsen? Lekker een niche creëren voor Rebecca Morrison als ik er even niet ben?'

Aha, dus ze gooit het over die boeg.

'Ik zei toch van niet, want iedereen denkt dat ik steeds met jou heb overlegd over alles en dat jij mij instructies hebt gegeven.'

'Ja, en toen? Toen zeiden Joshua en Melanie dat het zo goed ging met mijn cliënten en toen heb jij natuurlijk gezegd: "Nou, daar heeft Lorna anders weinig mee te maken gehad, want dat heb ik allemaal geregeld"?'

'Waarom zou ik dat doen? Zoals ik al zei, ik had liever dat ze er niks vanaf wisten. Dat is voor ons allebei beter.'

'*Yeah, right.* Dus je hebt uit puur altruïsme zo hard gewerkt, zonder er zelf ook maar enige waardering voor te krijgen.'

'Nee, Lorna, het was uit een soort misplaatst schuldgevoel. Maar ik zie nu wel in dat ik jou gewoon had moeten laten verzuipen. Sterker nog, ik had je eigenlijk nog wat langer onder water moeten laten liggen, zodat ik zeker wist dat je niet meer bovenkwam.'

Ze trekt een grijns naar me. 'Ga even thee voor me halen, ja?'

'Ik werk niet voor jou, vraag het maar aan Kay.'

'Ik zou het heel vervelend vinden als Joshua en Melanie denken dat jij het zo hoog in je bol hebt gekregen dat je niet eens meer een kopje thee voor me wilt zetten.'

'Weet je wat? Zeg jij maar lekker tegen hen wat je wilt zeggen. Het kan mij allemaal niks meer schelen.'

Ik draai me om en wil weglopen. 'O, en Lorna, wat mij betreft stik je er lekker in.'

Tja, dat is niet echt hoogstaand, maar het lucht wel enorm op.

26

IN ZEKERE ZIN IS HET ook waar dat het me niet meer boeit wat Lorna me wil flikken. Dan raak ik mijn baan maar kwijt, jammer dan, het is voor mij niet het einde van de wereld. Behalve dan dat we het geld nodig hebben natuurlijk. Maar ik kan heus wel voor een uitzendbureau gaan werken. Ik kan typen, en ik ben best representatief. Het idee van werken voor een uitzendbureau vervult mij eigenlijk met afschuw, steeds maar weer die nieuwe gezichten en vreemde kantoren, week in, week uit, maar ik zou het heus wel redden. Misschien vind ik het zelfs uiteindelijk wel fijn dat ik niet zoveel tijd hoef door te brengen met iemand van wie ik stapelgek word. En het zal trouwens ook niet meevallen om weer mijn oude werk op te pakken, als ik heel eerlijk moet zijn. Ik denk niet dat ik nu nog gelukkig word van het doorgeven van boodschappen en archiefwerk nu ik weet hoe leuk ik het vind om veel meer te doen. Nu ik weet dat ik er zo goed in ben.

Ik weet dat ik het niet zou mogen doen, maar ik bel Kathryn om de details voor morgen met haar door te nemen, want ik kan me niet voorstellen dat ze op Lorna's prioriteitenlijstje staat. Totdat ik zeker weet dat Lorna echt weer op volle kracht aan de slag is, hou ik haar cliënten in de gaten.

'Je hebt gedaan wat je kon,' zegt Dan als ik hem later vertel wat er allemaal is gebeurd. 'Je hebt geprobeerd om haar te helpen omdat je een aardig mens bent, en omdat je je rot voelde dat je tussen haar en Alex bent gekomen, en zij blijft jou alleen maar om de oren slaan. Dat is haar probleem, niet het jouwe.'

'Het is wel degelijk mijn probleem als ze gaat klikken.'

'Waarom zou ze dat doen? Dankzij jou komt zij prima voor de dag, met al die deals die ze nog vanaf haar ziekbed heeft weten te sluiten, en die zorgzaamheid voor haar cliënten. Al die audities die ze voor hen heeft geregeld terwijl ze eigenlijk aan haar eigen herstel had moeten werken. Ze mag zo op voor Medewerker van het Jaar.'

Hij heeft gelijk, dat weet ik ook wel. Maar daardoor voel ik me nog niet veel beter.

Ik bel Isabel voor de afleiding en om een graantje mee te pikken van andermans romance. Maar ze is een beetje geïrriteerd omdat hun relatie sinds hun tripje nog niet erg vooruit is gegaan. Ze hebben sindsdien nog geen enkele nacht samen doorgebracht en ze is bang dat de nauwe band die tussen hen is ontstaan toen ze weg waren, begint te verslappen.

'We hebben voor het eerst ruziegemaakt. Of nou ja, het was niet echt ruzie, maar er zijn wel woorden gevallen.'

'Misschien is hij gewoon een beetje bang om zich te binden, nadat zijn huwelijk net is stukgelopen,' zeg ik. 'Jemig, als dat het enige is wat er mis is met die man, dat hij graag in zijn eigen bed slaapt, dan denk ik niet dat jij je ergens zorgen over hoeft te maken.'

'Hij vond jullie trouwens geweldig. Jullie allebei.'

'Maar we zijn ook geweldig!' zeg ik om haar aan het lachen te maken.

Dan vertelt ze dat de laatste keer dat ze bij haar thuiskwamen na een avondje uit – voordat Luke weer terugging naar Teddington – Alex buiten had rondgehangen.

Hij deed net of hij de hond uitliet – want hij had de hond meegenomen toen hij wegging, omdat hij de enige was die tijd had om het beest uit te laten; enfin, gelukkig heeft hij de kinderen toen wel thuisgelaten – maar het was wel duidelijk dat het daar niks mee te maken had.

'Wat heb je toen gedaan?' vraag ik vol ongeloof.

'Ik heb hem en Luke kennis laten maken. Wat kon ik anders?'

'Geen wonder dat Luke weer naar huis ging. Die dacht natuurlijk dat Alex aan de ontbijttafel zou staan als hij bleef.'

'Ik denk dat Alex hem gewoon eens wilde zien. Wat natuurlijk best vleiend is.'

'Ik zou eerder zeggen: psychotisch.'

'Veel van de dingen die fout gingen tijdens ons huwelijk waren mijn schuld. Daar heb ik wel spijt van, hoor. Ik dacht altijd dat hij wel een baan zou nemen als hij echt van me hield, dat hij beter zijn best zou doen om ons te onderhouden, maar misschien zat ik er wel helemaal naast…'

Dit klinkt niet goed. Ik moet zorgen dat ze bij Alex uit de buurt blijft en dat ze zich concentreert op de geweldige Luke voor ze iets doet waar ze spijt van krijgt. 'Isabel, ga nu niet naar hem terug omdat je medelijden met hem hebt. Geef je relatie met Luke nou toch een kans.'

'Ja, ja. Dat doe ik ook wel. Het is alleen zo moeilijk. De meisjes vragen ook de hele tijd wanneer papa weer thuiskomt.'

'Natuurlijk vragen ze dat, maar dat is geen reden om door te gaan met een ongelukkig huwelijk. Waar waren zij trouwens toen dit allemaal gebeurde?'

'O. Ergens logeren. In tegenstelling tot hun moeder.'

'Regel dat overnachten nou maar met Luke, dan komt het allemaal prima in orde. Geloof me – volhouden is het beste.'

'O god,' zeg ik tegen Dan als ik heb opgehangen. 'Ik geloof dat Izz erover denkt om terug te gaan naar Alex. Moeten we haar dan niet de waarheid vertellen?'

'Nee,' zegt hij. 'Daar hebben wij niks mee te maken. We moeten ons daar niet mee bemoeien.' Dan denkt hij even na en zegt: 'En Luke dan?'

'Dat zei ik ook al.'

'Ik vind het een leuke vent. Hij lijkt me goed voor haar.'

'Dat zei ik ook, ja, zo ongeveer. Weet je wat me nog het meest dwarszit? Alex wil haar helemaal niet terug. Niet echt. Hij voelt zich alleen en afgewezen en hij denkt dat hij zich zo beter zal voelen.'

'Toch is het niet aan ons om haar dat te vertellen,' zegt Dan, en waarschijnlijk heeft hij gelijk.

Ik sla me de week verder door tot het weekend, en mijd Lorna zo veel mogelijk tot de grote klap komt. Ze lijkt zich aardig te redden. Tenminste, die indruk wekt ze, en dat is voorlopig goed genoeg. Op een gegeven moment hoor ik haar tegen Joshua zeggen dat Mary de rol in *Marlborough Murder Mysteries* heeft en hoe geweldig dat niet is.

Hij feliciteert haar met het feit dat ze Mary haar eerste betaalde klus heeft bezorgd, en nog wel zo'n goeie.

'Dat is pas toewijding,' zegt hij als hij door de receptie loopt, op weg naar de keuken. 'Werk regelen voor je cliënten terwijl je eigenlijk ziek bent.'

'Ach, je kent me, hè. Ik haat het om rond te hangen en niks te doen,' zegt ze.

Ik kijk naar haar om te zien of ze naar me durft te kijken en, eerlijk is eerlijk, dat doet ze, heel even maar, en ze kijkt er een tikje schuldig bij. Dat is ongetwijfeld omdat ze zich betrapt voelt en niet uit werkelijk schuldgevoel. Schuldgevoel behoort niet tot haar repertoire van emoties.

'Hoe heb je ze überhaupt zover gekregen dat ze haar wilden laten komen als je niks had om aan ze te laten zien?' vraagt Joshua, en ik wacht af hoe ze zich daaruit zal kletsen. Ik heb haar nooit verteld dat we Mary op dvd hebben gezet, want die kans heeft ze me niet gegeven.

'Eh…' zegt ze benauwd. 'Nou…'

Ik weet niet wat me overkomt, maar ik kan haar daar niet zo laten aanmodderen. Misschien hoop ik ook wel dat ze zich eindelijk eens schaamt als ik aardig blijf.

'Lorna heeft aan Kay en mij gevraagd om een dvd van haar te maken, toch, Lorna? We hebben haar een scène laten voorlezen, meer was het niet.'

De verbazing staat op haar gezicht te lezen als ze mij aankijkt. Maar ze is ook een beetje nerveus. Is dit een val? Zij denkt natuurlijk zo, want ik kan me niet indenken dat ze ooit iets aardigs voor een ander heeft gedaan zonder dat er een addertje onder het gras zat. Ik til mijn wenkbrauwen op om aan te geven dat het echt zo is gegaan.

'Hm,' zegt ze, en dit keer kijkt ze oprecht beschaamd omdat zij de eer opstrijkt die mij toekomt.

'Nou, je mag trots zijn op jezelf,' zegt Joshua, en Lorna zwijgt.

Later bel ik Mary, die hysterisch is van blijdschap en dankbaarheid. 'Ik weet wel dat ik heel veel aan jou te danken heb,' zegt ze, en daardoor voel ik me alweer een stuk beter over mezelf. Ook al prijkt Lorna met mijn veren, ik ben zo ontzettend blij voor Mary, dat haar reactie me echt goeddoet. Het helpt me door de rest van de middag heen, want het geeft me weer energie. En dat is maar goed ook, want zonder dat gevoel zou de rest van de dag, die bestaat uit het uittypen van contractjes, het regelen van een paar besprekingen en wat archief-werk, ondraaglijk saai zijn. Ik kan bijna niet geloven dat ik nog maar zo kort geleden op die manier mijn dagen doorbracht. En dat ik toen gelukkig was. Tenminste, dat dacht ik altijd.

Zaterdagavond zien we Rose en Simon weer, maar eerst heb ik met Isabel afgesproken om naar Westfield te gaan voor wat kerstinkopen. We sjouwen een uur rond zonder iets te kopen en besluiten dan dat het veel leuker is om in de champagnebar te gaan zitten, ook al is het nog niet eens twaalf uur en kunnen we ons geen van beiden cham-pagne veroorloven.

'Ik heb vanochtend uitgebreid met Alex gesproken,' zegt ze tegen me. 'Hij kwam de meisjes ophalen voor ballet. Ik heb hem verteld dat het serieus is met Luke. En dat meende ik ook. Je hebt gelijk, hij is zo goed voor mij in zoveel opzichten, en als ik bij hem ben voel ik me zo gelukkig. Echt gelukkig. Ik kan me niet herinneren dat ik me met Alex ooit zo heb gevoeld.'

De Here zij geprezen. 'Hoe reageerde hij?'

'Nou ja, hij zei dat het hem verdriet deed, maar ik geloof dat eigenlijk niet zo. Het was bijna alsof hij een vast riedeltje afdraaide. Het lijkt net of hij niet weet wat hij met zijn leven aan moet en dat hij daarom vindt dat hij net zo goed weer bij mij kan intrekken.'

Zo is het ook precies. 'Het zou mij niet verbazen. Ik denk niet dat hij op dit moment stabiel genoeg is om te weten wat hij precies wil.'

'En het is gek, maar juist doordat Alex er is, weet ik dat ik eigenlijk Luke wil. En door jouw onvermoeibare campagne natuurlijk.'

'Ach ja, we zijn u graag van dienst.'

'Ik ga hem binnenkort aan de meisjes voorstellen. En als ze met elkaar kunnen opschieten – en dat zal best lukken – denk ik dat ik hem vraag om de kerst bij ons te vieren. Samen met Charlie. Tenzij Charlie bij zijn moeder is, uiteraard.'

Ik ben dolblij. Voor Isabel en, eerlijk gezegd, ook voor mezelf. Ik leun over tafel en geef haar een knuffel, waarbij ik bijna alles van tafel gooi.

'Dit keer word je gelukkig. Dat weet ik zeker.'

Rebecca en Daniel, Luke en Isabel. Dat klinkt prima.

Ik geloof mijn oren niet. Ze moet zich vergissen, dat kan niet anders. En anders is er vast een onschuldige verklaring voor. Niet dat ik er een kan verzinnen, maar er moet er eentje zijn.

Rose had net haar glas op tafel gezet en zei: 'O, wat ik je nog wilde vertellen. Ik weet alweer waar ik Luke eerder heb gezien.'

'O ja,' zeg ik, in de verwachting dat ze hem een keer via het werk heeft ontmoet, of dat Simon ooit met hem heeft gevoetbald, of zoiets.

'Mijn zusje woont in Highgate en hij woont bij haar in de straat. Ik heb hem daar met zijn vrouw gezien...'

'Ze zijn uit elkaar,' zeg ik meteen.

'Nou, ik dacht dat hij dat had gezegd, dat hij gescheiden was, en hij was natuurlijk helemaal dol op Isabel, maar weet je, Rebecca, het is nog helemaal niet zo lang geleden dat ik hem heb gezien. Iets van een week.'

'Ze hebben een kind. Dus dan was hij waarschijnlijk daar op bezoek.' Nou goed, hij heeft tegen Isabel gezegd dat ze elkaar niet meer kunnen luchten of zien, maar dat heeft hij dan een beetje te dik aangezet. *Big deal.*

Rose kijkt me aan alsof ze me gaat vertellen dat er iemand is overleden. 'Ze liepen hand in hand.'

Ik kijk Dan aan alsof die me misschien kan helpen om te begrijpen wat ze ons wil vertellen. Maar hij kijkt al even wezenloos als ik me voel.

'Misschien was het wel... weet ik veel, zijn zus, of zo.'

'Waarom zou hij hand in hand op straat lopen met zijn zus?' zegt Simon, en daar heeft hij een punt, ook al wil ik dat niet erkennen.

'Het is niet zijn zus,' zegt Rose voorzichtig, want ze ziet nu dat dit me meer aangrijpt dat ze had gedacht. 'Hij woont daar. Met zijn vrouw en zijn kind.'

'En dat weet je heel zeker?' Ik kan het niet geloven. Luke, die hand in hand met zijn vrouw op straat loopt. Hij heeft tegen Isabel gezegd dat hij niet meer met die vrouw in dezelfde ruimte wil zijn. Maar dan begrijp ik het ineens. Natuurlijk. Dat is de reden waarom hij nooit kan blijven slapen. Niet vanwege zijn werk of zijn bindingsangst. Maar omdat zijn vrouw dan wil weten waar hij uithangt. Nu ik er zo over nadenk lijkt het ineens allemaal zo duidelijk. Dan is het ook logisch dat hij nooit in het weekend bij haar kan zijn. Hij gebruikt zijn zoontje als excuus, terwijl hij eigenlijk zou moeten zeggen: 'Mijn vrouw zou het niet zo tof vinden als ik het weekend bij mijn maîtresse zit.'

O god. Dat is het woord. Isabel is een maîtresse.

'Ik neem aan dat Isabel hier geen idee van heeft?' zegt Rose, en ik moet ontzettend mijn best doen om me op haar te concentreren.

'Nee. Mijn god, nee, natuurlijk niet.'

'Die zal hier kapot van zijn,' zegt Dan.

'Nou, maak je maar geen zorgen,' zegt Rose. 'Ik zal er verder niks van zeggen. Jullie moeten zelf maar beslissen wat je hiermee wilt doen.'

Ik kijk Dan aan. We zijn – of eigenlijk: ik ben zo druk bezig geweest om Izz te beschermen tegen het monsterlijke gedrag van Alex en ik heb haar zelf Luke's kant op geduwd zonder me af te vragen of dat wel zo'n goed idee was. Ik wilde dat ze over Alex heen zou komen. Ik wilde alleen maar dat ze weer gelukkig was.

'Ik moet het haar vertellen,' zeg ik. 'Ze zou het me nooit vergeven als ik dat niet deed. Je weet honderd procent zeker dat hij het was?' vraag ik aan Rose, en zij knikt.

'Honderd procent.'

Ze zou er natuurlijk toch wel achter komen. Luke zou haar uitnodiging voor de kerst moeten ontduiken, en hij zou elke avond weer naar huis moeten en blijven beweren dat hij het weekend bij zijn kind moest zijn. Vroeg of laat zou ze zich realiseren dat er iets mis was, en daar zou ze hem mee moeten confronteren. Misschien hoopte hij wel dat hun relatie haar na een poosje zou vervelen omdat er geen schot in zat, en dat ze hem dan zou dumpen, of misschien is hij wel van plan om er zelf een eind aan te maken voordat het allemaal te serieus wordt. Helaas zou het voor Isabel dan wel eens te laat kunnen zijn. Dankzij mijn aansporingen heeft ze zich in Luke vastgebeten met de vurige hoop op een toekomst met hem. Ze is eindelijk over Alex heen en ze heeft zich vol overgave in iets nieuws gestort en ik heb haar helpen geloven dat hij het antwoord op al haar problemen is. Ik heb geen idee hoe ik haar moet gaan vertellen dat haar nieuwe relatie op bedrog gebaseerd is, maar ik weet wel dat ik het meteen moet doen, nog voor ze er verder in verstrikt raakt.

Ik kan niet geloven dat Luke ons zo heeft zitten bedotten. We zijn er allemaal ingetuind, niet alleen Izz. Maar hoe kan hij haar dat nou aandoen terwijl zij zo kwetsbaar is? Hij doet dit waarschijnlijk wel vaker: eenzame vrouwen het hoofd op hol brengen en dan heel mysterieus uit hun leven verdwijnen voordat ze hem doorkrijgen. Ik kan hem wel vermoorden. Met alle soorten van genoegen. Maar dat komt later wel. Eerst moet ik bedenken hoe ik dit aan Isabel ga vertellen.

Dit nieuws haalt de glans uiteraard behoorlijk van de avond. Het is best gezellig zo met elkaar, maar ik ben er niet helemaal meer bij.

'Ik hoop niet dat ze nu weer naar Alex terugholt,' zeg ik tegen Dan als we in bed stappen.

'Wat gebeurt dat gebeurt,' zegt hij alsof hij een wijze Chinese filosoof is. 'Laat haar nu maar doen wat ze zelf het beste vindt, oké?'

'Ja, ja, je hebt gelijk.'

Zondagochtend neem ik William mee naar Isabel, met de strikte opdracht de meisjes bezig te houden omdat hun moeders even willen praten. Gelukkig weet ik in elk geval zeker dat Luke er niet zal zijn. Die ligt lekker met zijn vrouw in bed de krant te lezen, of blij te glimlachen als ze hem gebakken eieren op bed komt brengen. Isabel is verbaasd maar blij me te zien. Ik doe mijn best niet een gezicht te trekken alsof ik met slecht nieuws kom, maar ze kent me te goed en heeft al vrij snel door dat er iets mis is.

'Rebecca?' vraagt ze. 'Gaat het wel?'

'Ja, tuurlijk,' zeg ik. 'Met mij is alles goed.'

Ik wacht totdat William naar de kamer van de meisjes is en Isabel water op heeft gezet, dan zeg ik: 'Dat is eigenlijk niet waar. Niet alles is goed.'

Ze kijkt bezorgd. 'Wat is er dan, Bex? Er is toch niks met Dan?'

Ik val met de deur in huis. Voor ons allebei is het beter als dit zo vlug mogelijk achter de rug is.

'Luke is getrouwd.' Ja, nou, die kun je nu eenmaal niet op een prettige manier brengen.

Isabel kijkt me verward aan. 'Wat?'

'Luke. Die is nog gewoon bij zijn vrouw. Rose zag hen samen in Highgate.' Ik aarzel, maar kom dan met de genadeklap. 'Hand in hand.'

'Wanneer?'

'Verleden week. Daar herkende ze hem ook van. Weet je nog dat ze daar iets over zei…? Hoe dan ook. Hij woont bij haar zus in de straat.'

Isabel gaat zitten. 'Nee, dat heeft ze niet goed gezien. Dat is vast de nieuwe vriend van die vrouw. Luke zei dat ze een nieuwe vriend had.'

'Ik denk het niet, Izz.'

'Maar…' zegt ze, 'hoe kan hij nou nog steeds bij haar zijn? Ik zie hem drie, vier keer in de week…'

'Maar nooit in het weekend en hij blijft nooit slapen.'

Ze kijkt op en laat dit op zich inwerken. Zo is het allemaal wel heel begrijpelijk, dat valt niet te ontkennen.

'O god,' zegt ze. 'Hoe kon ik zo stom zijn?'

'Hij speelt het heel overtuigend,' zeg ik, en ik ga naast haar zitten. 'Hij heeft ons allemaal te pakken gehad. Maar als je er even over na-denkt, dan zie je wel hoe hij het heeft aangepakt. Door zijn baan werkt hij vaak over, dus zijn vrouw stelt geen vragen als hij pas om halfelf thuiskomt. Hij reist veel en hoe moet zij weten dat hij een vrouw in zijn hotel heeft zitten als hij op zakenreis is? Dit had hij nog heel lang zo kunnen volhouden.'

'Maar hij is toch ook bij jou thuis geweest? Waarom zou hij dat riskeren als het zo'n doordachte operatie is?'

Daar heb ik vannacht ook over nagedacht. 'Omdat hij echt heel gek is op jou. En ik denk ook niet dat het ooit zijn bedoeling was.'

'Ik ben zo stom geweest,' zegt ze. 'Zo allejezus stom.'

'Het spijt me echt heel erg.'

'Wat kun jij er nou aan doen?'

'Niks,' zeg ik, 'maar ik heb je wel zitten opjutten. Ik heb gezegd dat je ervoor moest gaan. Ik zei dat hij zo goed voor je was.'

'O god,' zegt ze. 'Ik zie hem morgenavond. Wat moet ik nou doen?'

'Ik weet het ook niet. Ik heb geen goede ideeën meer. Maar ik wil best met je meekomen als je dat wilt, mocht je besluiten om wel met hem te gaan praten. Dan heb je mij achter je staan, en ik zal je aanmoedigen. Hoewel ik je niet kan garanderen dat ik niet af en toe zal willen zeggen wat ik van hem vind.'

'Wat is beter, per telefoon of persoonlijk?' vraagt ze. 'Ik kan hem vandaag natuurlijk niet bellen – hij zei altijd dat hij mij wel belde in het weekend, zodat we konden praten als Charlie er niet bij was. Hij zei dat hij niet wilde dat Charlie zich zou afvragen met wie papa toch aan de lijn hing als we elkaar nog niet hadden ontmoet. Dat klinkt nu wel heel suf, vind je ook niet, maar het leek me wel logisch. Ik vond hem zo'n geweldige vent dat hij zijn zoon zo wilde beschermen.'

'Het probleem is dat hij je misschien ompraat als je hem ziet, want we hebben nu vastgesteld wat een manipulator hij is. Maar als je hem belt loop je het risico dat hij ophangt voor je hebt gezegd wat je te zeggen hebt.'

'Ik moet hem zien. Ik wil zijn gezicht zien als ik hem vertel dat ik het weet. En ik wil dat hij het me uitlegt.'

Ze besluit om de afspraak te laten staan – ze zien elkaar om half-zeven in de kleine bistro verderop in de straat.

Ik bied nog een keer aan om mee te gaan, maar dat wil ze niet. Ze zegt dat het wel goed komt, en dat ze hem niet wil alarmeren tot het moment daar is.

'Misschien zeg ik wel gewoon dat ik met hem meega naar Ted-dington om bij hem te slapen, kijken wat hij dan doet,' zegt ze. We verzinnen steeds ingewikkelder plannen om wraak te nemen op Luke, en dat lijkt haar wel wat op te vrolijken, totdat het ineens allemaal in alle heftigheid tot haar doordringt en haar goede humeur in één klap voorbij is.

'Waarom huil je?' wil Nicola weten als ze binnenkomt om iets te halen.

'Omdat ik haar net heb verteld dat Justin Timberlake homo is,' zeg ik, en Isabel moet glimlachen.

'Maar dat is toch helemaal niet zo?' zegt Nicola verschrikt. Nicola is namelijk gek van Justin Timberlake. Natalie, daarentegen, is meer voor Rhianna.

'Nee,' zegt Isabel lachend. 'Hij is toch niet echt homo, hè, Rebecca?' Ze kijkt me indringend aan.

'Nee joh,' zeg ik. 'Ik zat maar wat te pesten.'

'Niet doen,' zegt Nicola fel. 'Dat is gemeen.'

Ik blijf bijna de hele dag bij Isabel, die afwisselend verschrikkelijk verdrietig en ontzettend kwaad is. Op een gegeven moment zegt ze: 'O nee, en nu heb ik Alex gezegd dat het voorgoed voorbij is tussen ons.' En ik weet niet of ze nu zo verdrietig is omdat ze nog steeds niet over hem heen is, of omdat ze spijt heeft dat ze hem zo definitief heeft afgewezen. Ik begin me nog zorgen te maken dat ze hem nu toch weer terug wil, als reactie op deze teleurstelling, maar ik zeg niks. Ik heb al genoeg gezegd over Isabel en haar relaties, dunkt me.

27

LORNA IS HELEMAAL KLAAR VOOR haar belangrijke lunch. Ik blijf nog altijd uit haar buurt, ook al wil ik dolgraag weten hoe alles gaat. Ze is walgelijk met zichzelf ingenomen en ze loopt de hele tijd lekker belangrijk te doen, en ze laat minstens elke tien minuten iets vallen over 'mijn lunch met Niall en Heather' als ze met Joshua of Melanie praat en in de commando's die ze Kay toeblaft. Tegen mij doet ze nog steeds een beetje raar. Een tikje manisch. Ik hoor haar tegen Melanie zeggen dat ze een 'waanzinnig' weekend heeft gehad, en dat ze is wezen stappen en uit eten is geweest, heeft gewinkeld met vriendinnen en, wat nogal uit de lucht komt vallen, dat ze zijn gaan bowlen. Ik weet dat ze liegt. Ik weet dat ze zich allebei de dagen in haar huis heeft opgesloten in de ijdele hoop dat Alex voorbij zou komen op zijn witte paard en dat hij haar zou schaken. Trouwens, de kleur van het paard zou haar waarschijnlijk niet eens wat hebben uitgemaakt.

Ik hoop dat ze nog weet wat Heather er precies uit hoopt te slepen, namelijk een project van wat meer niveau, iets waarin ze ook haar hersens kan tonen, en niet alleen haar schoonheid. Natuurlijk ook weer niet te hoog gegrepen. Gewoon iets waarin ze ook af en toe iets mag zeggen wat niet door een ander is uitgeschreven. Lorna's rol tijdens de lunch is om ervoor te zorgen dat Heather zich niet aan iets committeert waar ze later spijt van krijgt en om Niall eraan te blijven herinneren hoe fantastisch Heather is, en hoe getalenteerd en slim. En, laten we dat vooral niet vergeten: hoe populair. (Haar huidige programma's, *Celebrity Karaoke* en *High Speed Dating*, trekken elk ruim zeven miljoen kijkers en hebben respectievelijk een marktaandeel van achtentwintig en eenendertig procent. *Heat* verkoopt blijkbaar vijf procent meer exemplaren dan normaal als zij op de cover staat.)

Ik heb alle cijfers en feiten paraat, mocht ze die willen horen, maar ik wil me niet nog eens door haar laten beledigen, dus schrijf ik alles waarvan ik denk dat het relevant is op een papiertje, dat ik aan Kay geef, zodat die het haar kan overhandigen.

'Zeg maar dat jij dat hebt uitgezocht,' zeg ik. 'Misschien dat ze er dan naar kijkt.'

'Dat weet ik allemaal al,' zei ze tegen Kay toen ze er een blik op wierp, maar ze vouwde het briefje wel op en stak het in haar zak.

Ongeveer veertig minuten na Kathryns auditie voor *Nurses*, net terwijl ik mijn jas aantrek, krijg ik een telefoontje dat ze de rol heeft. Het is een jaarcontract, dus een zeldzame stabiele klus in deze onzekere wereld. Ik geeft de details door aan Kay, en baal ongehoord dat ik Kathryn niet zelf mag bellen met dit geweldige nieuws.

Helaas loop ik net naar buiten voor de lunch als Lorna ook de lift wil pakken. Ik overweeg om dan de trap maar te nemen, maar dat zou zo'n overduidelijke belediging zijn dat ik het niet kan maken. We staan daar te zwijgen, en tellen allebei de verdiepingen af van de vijfde tot de begane grond, allebei wensend dat het sneller zou gaan. Als ze de lift uit stapt besluit ik dat ik de wijste moet zijn en ik zeg: 'Ik hoop dat alles goed gaat.'

Er kan nog net een bedankje af, en dat is al heel wat. Ik loop achter haar aan naar buiten met het voornemen om de andere kant op te lopen dan zij, waar ze ook heen gaat, zodat we niet net hoeven doen of de ander lucht is. Ze slaat linksaf en vlak voor ik naar rechts ga hoor ik haar zeggen: 'O, mijn god.' Dus kijk ik om te zien wat zij ziet, en daar staat Alex tegen de etalage van de winkel naast ons pand geleund.

'O, hoi,' zegt hij en dan ziet hij mij staan, en hij kijkt langs Lorna, die als aan de grond genageld staat, en zegt: 'Rebecca.'

'Wat moet je?' vraag ik. Ik zie Lorna's onderlip trillen en de tranen opwellen in haar ooghoeken. Het is zo'n moment als bij een kleuter; je weet dat de bui elk moment kan losbarsten, want hij heeft zijn ijsje laten vallen, en je kunt er niets meer aan doen om het tegen te houden.

'Ik wil met je praten. Over Isabel.'

Lorna blijft daar staan wachten op wat hij me verder te zeggen heeft. Het enige wat ik denk is dat ze door moet lopen als ze nog op tijd in The Ivy wil zijn.

'Ik heb geen tijd. En ik heb je ook niks te zeggen, eerlijk gezegd. Kom, Lorna, dan loop ik met je mee.'

Ze verroert zich niet en Alex lijkt ook nergens heen te gaan. Ik kan nu niet weglopen en die twee hier achterlaten; ik moet zeker weten dat ze vertrekt naar waar ze moet zijn, en dus blijf ik ook staan wachten op wat er verder gaat gebeuren.

'Alex…?' zegt Lorna.

Hij kijkt haar heel even aan, maar richt zich dan weer tot mij: 'Heeft ze je verteld dat ik heb gevraagd of ik weer terug mocht komen?'

Ik knik en Lorna slaakt een kreet als een figurant in een soap.

'Dat meende ik ook echt,' zegt hij zonder acht op haar te slaan. 'Ik realiseer me dat ik de afgelopen maanden… Het is allemaal één grote fout geweest, een groot midlifecrisiscliché, als je het zo wilt noemen. Ik heb altijd wel gevoelens voor jou gehad… altijd gedacht dat ik verliefd op je was…'

Dit is toch niet te geloven? Dit zegt hij allemaal recht voor de neus van de vrouw van wie hij het hart volkomen aan gruzelementen heeft geholpen, en hij lijkt haar aanwezigheid nauwelijks op te merken. En niet alleen ziet hij niet dat ze er is, hij ziet ook niet dat ze er nu echt helemaal aan onderdoor gaat.

'Ik wil dit verder niet aanhoren, oké?'

Ik stap op Lorna af en grijp haar arm, maar ze schudt me van zich af. We hebben inmiddels wat publiek getrokken, in de vorm van mensen die in de winkels verderop in de straat werken, wat de professionele reputatie van Mortimer and Sheedy weinig goed zal doen.

Maar Alex weet van geen ophouden. 'Als ik had geweten… ik dacht… het kon toch nooit wat worden, dus heb ik het verder uit mijn hoofd gezet, en ik was ook gelukkig met haar, echt waar… Totdat… nou ja, tot het me allemaal te veel werd. Maar ik had vol moeten houden – dat weet ik nu ook. Het was goed genoeg, en alles wat er is gebeurd was één grote fout.'

'Nee…' zegt Lorna, of liever, ze snikt het uit.

* Dan kijkt Alex haar eindelijk aan. 'Ach, Lorna, kom op, jij weet toch ook best dat het niks voorstelde.'

Als ze al niet kapot was, dan komt deze opmerking aan als een doodklap, en ze brokkelt helemaal af. Ik moet echt iets doen om de schade te beperken, en om zo snel mogelijk van Alex af te komen.

'Wat wil je nou precies van me?'

'Naar jou luistert ze wel. Ze zegt nu nog nee, maar ik weet dat jij haar wel kunt overhalen, dat jij haar ervan kunt overtuigen dat ik veranderd ben, dat ik gewoon mijn oude leven weer terug wil met haar en de meisjes. Ik mis mijn kinderen, Rebecca. En denk nou na, geef het wat tijd, en we zijn weer gewoon met zijn viertjes. Ik weet dat Dan wel bijtrekt als Izz en ik weer bij elkaar zijn. Dat wil jij toch ook graag?'

Wat ik nu eigenlijk graag wil is hem in zijn gezicht stompen. Helaas is het daar nu niet het geschikte moment voor, dus ik zeg alleen: 'Ik wil me er niet mee bemoeien. Ga nou maar weg. Alsjeblieft. Doe nou eens één keer dat wat je moet doen.'

Hij aarzelt even en zegt dan: 'Oké. Maar denk er in elk geval over na. Iedereen verdient een tweede kans.'

'Ja hoor,' zeg ik. *Whatever*. Ik wil hier weg, of liever gezegd: ik wil dat Lorna hier nu weggaat.

Alex loopt op me af alsof hij me wil omhelzen, maar ik doe een stap naar achter. 'Bedankt,' zegt hij. 'Tot gauw. Hé, Lorna, tot kijk,' zegt hij tegen haar alsof ze niet meer is dan een vage kennis.

Dan gaat hij gelukkig weg en blijf ik over met de puinhoop die voorheen bekendstond als Lorna Whittaker. Haar hele gezicht zit onder de mascara, dus pak ik haar beet alsof ze een klein kind is, en begin haar met een zakdoekje schoon te poetsen.

'Als je heel snel loopt, ben je nog op tijd,' zeg ik. Ik weet niet hoe ik deze situatie anders aan moet pakken, en doe dus net alsof er niets aan de hand is.

'Ik kan er niet heen,' zegt ze. 'Ik moet naar huis.'

'Nee, Lorna,' zeg ik streng. 'Jij moet nu eerst naar deze lunch. Daarna mag je naar huis.'

'Ik kan het niet.'

'Oké. Maar het punt is, je moet. Daarna mag je voor mijn part weer een week thuis gaan zitten.'

'Rebecca, ik kan het niet.' Dit is waarschijnlijk de eerste keer dat ze mijn naam noemt zonder dat er iets gemeens volgt of een rotopmerking over het een of ander. 'Moet je zien hoe ik eraan toe ben?'

Ze ziet er inderdaad niet uit. De mascara stroomt alweer over haar wangen, en haar kapsel zakt al even mismoedig in elkaar. Ik weet dat zij doelt op haar emotionele staat en niet op haar uiterlijk, maar ik vind niet dat ik degene ben die daar nu iets aan kan doen, en dus stort ik me weer met mijn zakdoekje op haar gezicht. Ze grijpt mijn hand en kijkt me recht in mijn ogen, wat op zijn zachtst gezegd alarmerend is. 'Ik weet niet wat ik moet doen,' zegt ze. 'Je moet me helpen.'

'Dat zal ik doen. Als jij nu alleen zorgt dat het goed komt met de lunch.'

'Nee. Dat ga ik nooit redden.'

'Ik loop me je mee. Dan hoef je daar alleen maar te zitten en ander-half uur te glimlachen en Heather een schop onder de tafel verkopen als ze iets stoms zegt.'

'Ik kan het niet,' zegt ze nog eens en ik kijk op mijn horloge. Dit is gekkenwerk.

'Zal ik kijken of Joshua of Melanie anders in jouw plaats kan gaan?'

'Nee! Ik wil niet dat zij denken dat ik het niet aankan. Je had gelijk, toen bij mij thuis. Mijn baan is inderdaad alles wat ik nog heb. Die kan ik niet op het spel zetten.'

'Wat wil je dan? Ik weet het ook even niet meer, hoor.'

'Jij moet maar gaan. Zeg maar dat ik toch weer ziek ben...'

'Kom nou toch, Lorna. Wie stuurt nou zijn assistente naar zo'n bespreking? Dat is toch beledigend voor hen...'

'Oké. Dan moet je met me meekomen. Ik zeg wel dat ik nog niet helemaal precies van alles op de hoogte ben omdat ik er zo lang tus-senuit geweest ben. Alsjeblieft, Rebecca. Ik heb echt wat ondersteuning nodig, dan komt het wel goed.'

Dit is te gek voor woorden. Niall zal denken dat ze een machts-wellusteling is omdat ze haar assistente meesleurt naar een redelijk informele lunch, terwijl hij zoiets zelf niet in zijn hoofd zou halen. Maar ik weet het anders ook niet, dus ik zeg: 'Nou goed, laten we dan nu maar gaan.'

Onderweg begint ze over Alex. 'Ik begrijp niet wat er met hem aan de hand is. We waren zo close.'

Dit lijkt mij geen goed moment om het hierover te hebben, vooral niet omdat ik aan haar brekende stem kan horen dat de tranen weer niet ver weg zijn.

'Laten we ons nu maar op Heather richten,' zeg ik, en ik probeer opgewekt en positief te klinken, wat haaks staat op hoe ik me nu voel. 'Wat denk jij dat zij voor programma's zou moeten doen?'

'We hebben het zelfs gehad over samenwonen.'

Ik weiger om me hierin mee te laten slepen. 'Misschien zoiets als *Countdown*, maar dan prime time? Of *Crimewatch*? Is dat wat ze zelf wil? Ik bedoel, ze gaan haar natuurlijk niet vragen voor *Newsnight*, lijkt me zo.' Ik kijk naar haar. Ze staart in de verte, dus ratel ik door voor ze de kans heeft om nog iets over Alex te zeggen. 'Of heeft ze daar zelf ideeën over? Want daar zit natuurlijk wel het grote geld, of niet? Bij die grote formats.'

Ze haalt haar schouders op. Het is gelukkig niet zo ver lopen en vlak voor we West Street in slaan vanaf St.-Martin's Lane, hou ik haar staande, bekijk haar nog eens goed, en dep nog wat loslopende mascara weg met een ander zakdoekje dat ik in mijn zak vind – een gebruikt, dit keer.

'En nu gewoon even glimlachen,' zeg ik. 'En af en toe knikken. Over anderhalf uur is het allemaal voorbij.'

Heather is er al, dus gaan we met haar in de bar zitten. Ik wacht af tot Lorna uitlegt wat ik hier doe, maar dat doet ze niet, en dus zeg ik: 'Lorna heeft me gevraagd om er vandaag bij te zijn, omdat ze de afgelopen week niet lekker was, en ik voor haar ben ingevallen...' Dat is niet echt een verklaring, maar meer heb ik niet in de aanbieding. Gelukkig is Heather niet echt geïnteresseerd in andere mensen, maar alleen in zichzelf en de opgewonden geluidjes die klinken van een tafeltje waaraan dames van middelbare leeftijd zitten, dus reageert ze niet. Ik ben haar dankbaar voor haar gebrek aan goede manieren, want als ze wel zou reageren, dan zou Lorna haar waarschijnlijk alles precies vertellen, en dat zou de zaak geen goed doen.

'Dus,' zeg ik tegen Heather, 'misschien kunnen we nog even snel wat dingen doornemen voordat Niall er is, zodat we precies weten wat jij in gedachten hebt...'

'Dat heb ik al honderd keer tegen Lorna gezegd,' zegt ze kregelig. Lorna kijkt me wezenloos aan.

'Ja,' zeg ik. 'Ze heeft me verteld dat je meer de volwassen hoek in wilt, en dat het iets serieuzer mag. Ik vraag me alleen af of je daar ook specifieke dingen bij in gedachten hebt. Want wij hebben zelf wel wat ideeën,' voeg ik er uit de losse pols aan toe.

'Nou, ik begrijp gewoon niet waarom Terri Sanderson altijd alle goede programma's krijgt,' zegt ze. Terri is een andere jonge presentatrice, en haar programma's zijn nu niet bepaald Nobelprijsmateriaal.

'Aha…' zeg ik, en ik heb geen flauw benul wat ik verder zou moeten opmerken. Gelukkig komt Niall precies op dat moment binnen en dus wordt er driftig in de lucht gezoend. Ik kan me nog net aan hem voorstellen en hoewel hij wat verwonderd kijkt, doet hij verder heel beleefd. Hij en Heather hebben in feite alleen maar oog voor elkaar, en dat komt mij prima uit. Ik leun wat achterover en ontspan een beetje, maar wel met een schuin oog op Lorna.

Aan tafel praten Heather en Niall over wederzijdse kennissen en wie hot is en wie niet. Dat gaat zo door tot het voorgerecht wordt geserveerd. Ik heb geen idee wat het juiste moment is om het gesprek op het werk aan te sturen en wie het initiatief dan moet nemen. Op een gegeven moment vraagt Niall aan Lorna hoe het met haar gaat, en ze staart naar haar bord en mompelt iets van prima.

Het is allemaal nogal ongemakkelijk, maar zodra het hoofdgerecht op tafel staat, zegt Niall: 'Zeg, dus jij zou wel weg willen bij ITV?' en ik maan mezelf om me in elk geval te concentreren zodat ik kan ingrijpen als het gesprek de verkeerde kant op dreigt te gaan.

Heather kijkt Lorna aan alsof ze verwacht dat die zich nu in het gesprek gaat mengen, wat natuurlijk niet gebeurt. Ik haal diep adem. Wat is het ergste dat me nu nog kan gebeuren?

'Nou, Niall,' zeg ik en hij schrikt op. Ik zie hem denken: Wie was zij ook weer, in godsnaam? Maar ik praat niettemin door. 'Heather heeft het gevoel dat ze haar bij ITV in een hokje stoppen, toch, Heather?' Heather knikt gelukkig, dus ik praat door. 'Ze levert hen geweldige kijkcijfers op, zoals je weet, dus komt het hen veel beter uit om haar altijd maar weer van die mainstream zaterdagavondshows te laten doen. Familieprogramma's waarbij het echt alleen maar om die kijkcijfers gaat.' Ik spui wat van de cijfers die ik voor Lorna had opgezocht en hij knikt wat ongeduldig alsof hij wil zeggen: Ja, dat weet ik allemaal ook wel. 'Maar het zit zo,' zeg ik in een poging om er een punt aan te breien, 'Heather heeft geen zin meer om alleen maar dingen op te lezen van de autocue. Ze heeft zo ontzettend veel meer in haar mars en ze is er klaar voor om het eens wat breder te trekken.' Ik leun achterover. Meer heb ik niet in huis. Echt niet.

'Zoals wat?' vraagt Niall. Hij kijkt Heather aan, en Heather kijkt naar mij.

'Nou… zoals…' Ik kijk Heather aan met opgetrokken wenkbrauwen, die moeten uitdrukken: Dit was allemaal jouw idee, dus wat wil je nou eigenlijk zo graag?

Ze haalt haar schouders op.

'…zoals documentaires.'

Niall schiet bijna in de lach en doet alsof hij zich in zijn water verslikt. 'Jij wilt documentaires doen?'

'Nee,' zegt Heather boos. 'Geen documentaires.'

'Ik bedoel ook niet echt documentaires,' zeg ik in een poging me hier uit te kletsen, 'maar… nou ja, je weet wel, van die programma's die je een kijkje achter de schermen bieden, zodat ze ook eens mensen kan interviewen en wat meer van haar personality kan laten zien. Bijvoorbeeld backstage bij *Britain's Brightest Star*…' zeg ik, en ik klamp me vast aan strohalmen.

Niall kijkt weer alleen naar Heather en niet naar mij. 'Wil je back-upshows doen. Met iemand anders als hoofdpresentator en jij de kleine stukjes tussendoor? Dat lijkt me niet echt een enorme stap voorwaarts in je carrière.'

Heather kijkt me woedend aan. Godallemachtig. Als ze nou zelf eens haar mond opendeed. Ze heeft toch zeker wel een idee wat ze wel en niet kan?

'Nee, ik bedoel ook niet back-upshows. Ik bedoel meer… waar Heather zelf aan zat te denken was iets als… Kijk, er komt natuurlijk echt wel een keer een nieuw programma in de plaats van *Britain's Brightest Star*, want dat kan natuurlijk niet eeuwig succesvol blijven…' Ik realiseer me dat ik daarmee het paradepaardje van de BBC kreupel sla, en dat dat misschien geen goed idee is, dus zeg ik: 'Of een programma dat in de zomer wordt uitgezonden, als de *Brightest Star* niet op de buis is, hoe dan ook, Heather zou zo'n nieuw programma kunnen presenteren, zelfs als het door de week werd uitgezonden. Dus dan laten jullie zien wat de kandidaten door de week doen tijdens de repetities en zo. Zoiets als bij *Big Brother*, maar dan met een talentenshow op zaterdag. Heather zou het geweldig doen in zo'n kandidatenhuis. Dan zou ze de achtergrondverhalen kunnen brengen, en er achter komen wie een hekel heeft aan wie, en zorgen dat de mensen aan het roddelen slaan over hun grootste rivaal of over wie hen maar op de zenuwen werkt.'

Ik ga lekker zo, en iedereen lijkt te luisteren, dus ik praat door. 'Je zou zoiets twee keer per week kunnen uitzenden, op dinsdag en op donderdag. Dan wordt het een echte happening. Om acht uur 's avonds, op bbc1. Misschien kun je zelfs denken aan een afvalrace halverwege de week, zodat een van de mensen zelfs de show van zaterdag niet haalt. Dan kan het publiek hen wegstemmen op basis van hun gedrag in het huis. Als ze vervelend zijn, mogen ze niet eens meer meedoen met de competitie. Dus dan doet Heather nog steeds dat wat het publiek haar graag ziet doen, maar je krijgt toch een andere kant van haar te zien. Dat is waar je heen wilt, toch, Heather?'

'Precies,' zegt ze, en eindelijk glimlacht ze. 'Dat is nou precies wat ik in gedachten had.'

'Het is eigenlijk helemaal geen slecht idee,' zegt Niall, die mij nu voor het eerst rechtstreeks aanspreekt. '*Britain's Brightest Star meets Big Brother.* Echt helemaal niet slecht. Heb jij dit bedacht?'

Ik ben sterk in de verleiding om ja te zeggen. Ik ben zo trots op mezelf en ik wil me graag ook eens koesteren in mijn glorie, maar ik mag het doel van deze bijeenkomst niet uit het oog verliezen. 'Nou,' zeg ik dus, 'dit hebben we met zijn allen zo verzonnen.'

'Dus je zou bereid zijn om je contract met itv te verbreken als wij dit eventueel al deze zomer zouden willen brengen?' zegt Niall tegen Heather, die bepaald is opgeleefd.

'O ja,' zegt ze, maar dan val ik haar snel in de rede. 'Nou, daar moeten wij dan eerst eens even over doorpraten. Er moet wel een interessant contract aan hangen, ik bedoel, Heather heeft een heel lucratieve deal met itv en...'

'Uiteraard,' zegt Niall. 'We gaan een aanbod voor je opstellen en dan komen we over een paar weken nog eens bij elkaar om dat door te nemen.'

Hij kijkt mij weer aan, dus ik zeg: 'Geweldig. Lorna, tegen die tijd ben jij weer helemaal bij, dus dan zal ik een afspraak voor je regelen met Niall...'

Lorna knikt maar zo'n beetje.

'O, maar jij moet er ook bij zijn, vind ik,' zegt Niall. 'Jij lijkt me een duidelijke visie te hebben op waar het allemaal naartoe moet.'

'O ja,' zegt Heather, die ineens mijn beste vriendin is. 'Rebecca moet er ook bij zijn.'

Ik kijk naar Lorna, en verwacht een kwaaie blik – hoe durf jij mijn werk van me over te nemen, vuil kreng – maar ze glimlacht me toe op een manier die je volgens mij bemoedigend zou kunnen noemen. Ik val bijna van mijn stoel.

'Natuurlijk,' zeg ik. 'Heel graag.'

28

I K BEN ZO VOL VAN mijn eigen genialiteit dat ik Isabel en Luke helemaal vergeten ben, en nu is het te laat om haar nog te bellen om haar sterkte te wensen. De lunch ging goed, dat lijkt me duidelijk. Niall is bijna net zo in zijn nopjes met het idee van *Big Britain's Brightest Brother*, zoals ik het nu bij mezelf noem, als met het vooruitzicht dat Heather dat gaat presenteren. Heather is helemaal dol van opwinding en dankbaarheid, en ze lijkt Lorna's onbetrouwbaarheid en het feit dat ik zo verschrikkelijk onbelangrijk ben helemaal te zijn vergeten, want bij het afscheid zegt ze: 'Laten we binnenkort met z'n drieën een borrel drinken om dit te vieren', en ik glimlach en zeg: 'Hartstikke leuk', ook al kan ik zo niet iets bedenken waar ik nog minder zin in zou hebben.

Lorna heeft het niet meer over naar huis gaan, en dus slenteren we samen terug naar kantoor. We zeggen niks tegen elkaar, maar dat vind ik niet erg, want ik ben toch niet tot een gesprek in staat. Niall Johnson, Controller of Entertainment bij de BBC vond mijn idee goed. *Mijn* idee, dat ik ter plekke uit mijn duim zoog, komt waarschijnlijk op televisie. Niemand zal natuurlijk ooit weten dat het mijn idee was, want ik ben niet van plan een gevecht aan te gaan over formatrechten en honoraria, want het punt is dat ik helemaal niets te zoeken had bij die lunch, en het punt is dat het onze taak is bij Mortimer and Sheedy om te zorgen dat onze cliënten goed werk krijgen ook al betekent dat dat we zelf ideeën uit onze duim moeten zuigen. Het punt is ook dat als het programma ooit wordt uitgezonden ikzelf weet wie het heeft bedacht, en dat is voldoende.

Ik weet niet zeker hoe we op kantoor gaan uitleggen dat ik mee was, want Joshua en Melanie willen natuurlijk weten hoe het is gegaan, en moeten we hen dan vertellen wat mijn rol was, of niet? Ik neem aan van niet. Dat zou alleen maar vragen oproepen. Ik besluit om het aan Lorna over te laten.

Ik typ wat brieven uit, maar het valt niet mee om mijn aandacht erbij te houden. Lorna sluit zich op in haar kantoor en een paar minuten later hoor ik Joshua op haar deur kloppen en naar binnen gaan. Ik wacht met ingehouden adem tot hij weer naar buiten komt maar dan loopt Melanie langs de receptie en vraagt aan Kay: 'Weet jij hoe de vergadering met Niall Johnson ging?'

Kay weet dat. Enfin, ze kent niet alle details, maar toen ik net terug was heb ik haar wel ingefluisterd dat ik mee moest naar de lunch. Ze kijkt naar mij en ik schud mijn hoofd, want ik wil niet dat ze vertelt dat ik erbij was.

Uiteindelijk kiest ze voor volmaakte onwetendheid en zegt: 'Nee, daar heeft Lorna nog niets over verteld.'

Ik hou mijn hoofd gebogen, in de hoop dat Melanie weggaat, maar ze blijft rondhangen om te kletsen totdat Joshua terugkomt en zegt: 'Het is kennelijk goed gegaan. Johnson komt blijkbaar binnenkort door met een voorstel voor Heather op basis van een of ander idee voor een programma dat hij wel ziet zitten.'

'Wow,' zegt Melanie, 'dat is geweldig. We moeten het nog wel een paar maanden onder de pet houden natuurlijk…'

'Uiteraard,' zegt Joshua. 'Lorna hoopt dat ze er een contract voor drie jaar uit kan slepen. En dan gaat Heather ook nog zelf een deel van de formatrechten opstrijken. Hier kan ze schatrijk van worden.'

'En wij ook, hopelijk,' zegt Melanie, die onder woorden brengt waar Joshua eigenlijk aan dacht.

'Gefeliciteerd, Lorna,' zegt ze, als ze ziet dat die naar het keukentje loopt. 'Het lijkt erop dat je dit goed hebt aangepakt.'

'Dank je,' zegt Lorna met een glimlach, en zonder mij aan te kijken.

De rest van de dag gaat als in een waas aan me voorbij, en pas als ik in de metro zit op weg naar huis denk ik eraan dat ik Isabel had moeten bellen. Tegen de tijd dat ik uitstap en weer bereik heb is het al te laat. Ze heeft om halfzeven afgesproken met Luke en ik wil niet bellen als ze al in gesprek zijn. Dus stuur ik een sms'je: 'veel sterkte, bel me als je klaar bent,' en ga naar huis waar ik gespannen wacht op haar bericht.

Dan zit even erg over haar in de rats als ik, dus proberen we afleiding te zoeken door de kinderen aan te bieden hen met hun huiswerk te helpen. Dat werkt niet echt, want Zoe's idee van hulp krijgen is dat zij de kamer uit loopt en hoopt dat wij alles voor haar doen, wat tegen al mijn principes indruist, en William denkt dat kinderen met ouders die toezien op hun huiswerk 'dom' zijn en dus slaat hij ons aanbod pertinent af.

Dan helpt me met het avondeten en we proberen over andere dingen te praten, om er niet aan te hoeven denken. Om eerlijk te zijn; hij wil heel graag weten hoe mijn dag is verlopen, vooral als ik vertel dat ik mee moest naar de lunch. Hij steekt zijn trots niet onder stoelen of banken, want hij vindt dat ik de boel heb gered. En hij beweert ook dat hij mijn idee goedvindt, maar dat zegt hij alleen maar om lief te doen. Dan haat reality-tv.

Tegen halfacht begin ik me echt zorgen te maken. Hoelang duurt het om tegen iemand te zeggen: 'Ik weet dat je nog bij je vrouw bent. Het is over tussen ons.'?

'Je denkt toch niet dat hij haar heeft omgepraat, hè?' vraag ik aan Dan.

'Dat wie wie heeft omgepraat?' vraagt William terwijl hij met veel lawaai het laatste beetje ijs van zijn bordje schraapt.

'Niemand,' zegt Dan en William rolt met zijn ogen.

'Ja hoor, tuurlijk.'

'Nee,' zegt Dan als hij mij aankijkt. 'Dat denk ik niet. Misschien wil ze er niet meteen over beginnen. Misschien gunt ze hem wel de kans om er zelf als eerste mee te komen.'

'Dus er is wel iets aan de hand,' zegt William. 'Wie is zij?'

'Duh,' zegt Zoe. 'Wat ben jij dom, zeg.'

'Dit is iets voor grote mensen,' zeg ik. 'Dus dat betekent dat het jou geen bal aangaat.'

'Waarom praten jullie er dan over waar wij bij zijn?'

Daar heeft hij een punt, maar gelukkig gaat op dat moment mijn telefoon en het is Isabel, dus ik loop naar de keuken en neem daar op.

'En?' vraag ik nog voor ze gedag kan zeggen. 'Gaat het?'

Isabel vertelt dat ze met Luke had afgesproken in de bar van het restaurantje waar ze zouden eten. Ze had gewacht tot ze een glas wijn had, want ze had de behoefte zich wat moed indrinken. Ondertussen kletste Luke over zijn dag alsof er niets aan de hand was. Hij was zo relaxed, zegt ze, en hij zat er totaal niet mee om met haar in een openbare gelegenheid te zitten, dat ze nog even geloofde dat wij het allemaal verkeerd zagen.

'Ik bedoel,' zegt ze. 'Ik dacht, waarom zou hij anders mee zijn gegaan naar mijn vrienden?'

'Omdat hij zich onoverwinnelijk waant?' opper ik. Het zit me dwars dat Luke er geen probleem in zag om zo indiscreet te zijn. Dat kon ik alleen maar rationaliseren door te geloven dat hij zich oppermachtig voelde – met andere woorden, dat het een arrogante zak is – en dus dacht dat hij toch nooit betrapt zou worden. Zijn gezin woont niet meer in de buurt en Charlie gaat in de zomer toch van school; hij dacht zeker dat hij er wel mee weg zou komen. Of misschien is zijn vrouw wel zo iemand die haar mond houdt als ze erachter komt omdat ze alles liever doet dan weer helemaal opnieuw beginnen. Misschien doet hij dit wel heel vaak en zit zij in hun huis in Highgate te wachten tot hij weer bij zijn positieven komt.

Hoe dan ook, Isabel zegt dat ze wist dat ze nu niet mocht terugkrabbelen, dus wachtte ze tot ze een paar slokken ophad en toen vroeg ze hem hoe zijn weekend was geweest.

'Geweldig,' had Luke gezegd. 'Ik ben zaterdag met Charlie naar Richmond gegaan voor wat kerstinkopen en gisteren zijn we naar het bioscoopje verderop in de straat gegaan. Ze draaiden *Willie Wonka*. Hij is gek op die film.'

'En toen? Jij brengt hem op maandagochtend naar school en je vrouw haalt hem 's middags op? Werkt het zo?' vroeg Isabel, die probeerde om nonchalant te klinken zodat het niet leek op een verhoor. Luke was in elk geval zo beschaafd om een beetje nerveus te worden van al die vragen, zegt ze.

'Ja,' zei hij en hij probeerde een lachje. 'Dan hoeven we elkaar niet vaker te zien dan strikt noodzakelijk.'

Isabel vertelt dat ze op dat moment, geconfronteerd met zo'n spijkerharde leugen, bijna haar woede had laten blijken, maar ze wilde zien hoever ze hem kon krijgen en met hoeveel gemak hij haar recht in de ogen keek en haar bedroog. Als ze had gezien hoe hij zich misdroeg dan zou haar dat misschien helpen sneller over hem heen te komen, dacht ze.

'Het is vast zwaar,' had ze tegen Luke gezegd, 'als je zo'n hekel aan elkaar hebt maar elkaar toch nog moet zien vanwege Charlie.'

'Zwaar is nog zacht uitgedrukt,' zei Luke toen. 'Want zoals ik je al eerder heb verteld, we trekken het nauwelijks om in dezelfde ruimte te zijn, laat staan dat we ook nog met elkaar moeten praten.'

'Je hebt me nooit verteld waarom jullie uit elkaar zijn…'

Ik onderbreek haar verhaal: 'Da's een goeie, Izz.'

Ze vertelt verder.

'Je hebt me nooit verteld waarom jullie zijn gescheiden. Was het gewoon op met de liefde of heb je iets misdaan? Ik gok op het laatste, omdat jullie elkaar zo haten.'

Luke had duidelijk een antwoord paraat voor het geval deze vraag ooit voorbij zou komen. En het was een antwoord dat hem duidelijk in een gunstig daglicht zette. Of dat in elk geval zijn vrouw in een minder gunstig daglicht plaatste. Maar het is een lachertje.

'Zij ging vreemd,' had hij gezegd, en hij keek erbij als een martelaar.

'O god, en hoe ben je daarachter gekomen?' had Isabel toen bezorgd gevraagd.

'Ik had berichtjes gevonden… sms'jes, van hem, en daar heb ik haar toen mee geconfronteerd. Ze wilde het eerst nog ontkennen, maar ze wist dat ik gelijk had, dus toen moest ze uiteindelijk toegeven dat het zo was. En uiteindelijk heeft ze voor hem gekozen.'

'Arme schat. Wat moet dat verschrikkelijk zijn geweest. Dan denk je dat je iemand kent, dat je van hem houdt, en dan kom je er ineens achter dat die iemand je de hele tijd heeft bedrogen.' Ze vertelt dat ze hem op dat moment recht in de ogen keek, maar dat hij niet eens het fatsoen had om daarvan te schrikken.

'Dat was het ook,' had hij gezegd. 'Maar ja, als het niet was gebeurd, dan had ik jou nooit leren kennen…'

Maar Isabel was nog niet klaar: 'Je zult er wel helemaal kapot van zijn geweest. Het zou net zoiets zijn als… wat zal ik eens zeggen… als dat ik erachter zou komen dat jij helemaal niet echt gescheiden bent, of zoiets. Dat jij mij de hele tijd wijsmaakte dat je huwelijk voorbij was, terwijl dat helemaal niet zo was…'

Ze vertelt dat ze toen bijna moest lachten, niet omdat ze het zo lollig vond, verre van dat, maar omdat de hele situatie zo belachelijk was. Luke's zelfverzekerde masker begon op dat moment wel wat barsten te vertonen, en hij had geprobeerd om ergens anders over te beginnen en zei iets banaals over zijn werk. Isabel was alleen absoluut niet van plan om nu nog los te laten.

'Ik bedoel, ik zou me echt niets ergers kunnen voorstellen, jij wel? Dat je zo door iemand wordt bedrogen. Dat je iets doet waar je als je alles wist nooit mee akkoord was gegaan. Dat je iemands maîtresse wordt bijvoorbeeld. Want dat zou ik nooit willen zijn – in nog geen miljoen jaar – iemands maîtresse.'

Ze had even gezwegen, nu ze haar kaarten allemaal op tafel had gegooid, en hij nog één laatste kans had om alles op te biechten, maar hij greep die kans niet, en vroeg in plaats daarvan of zij nog iets wilde drinken, stond op van de tafel en pakte hun glazen. Toen werd ze echt kwaad. Hij dacht zeker dat als hij haar even kon afleiden ze alles wat ze net had gezegd weer zou vergeten. Luke had duidelijk geen enkele intentie om nu de waarheid te zeggen. Ze vermoedde zelfs dat hij niet naar de bar zou gaan, maar door zou lopen. Dat hij liever wegrende dan dat hij de feiten onder ogen zag. Ze besloot om nu hard toe te slaan.

'Want dat is wat ik nu ben, of niet? Ik ben je scharreltje.'

Luke ging snel weer zitten. Hij probeerde haar wijs te maken dat dit nooit zijn bedoeling was geweest. Dat hij zich zo ongelukkig voelde, en dat zijn huwelijk niet lekker liep, en dat het voor het eerst was dat hij zoiets deed (*yeah, right*, zegt ze). Hij zei dat hij er eigenlijk meteen een eind aan had willen maken, maar dat hij toen merkte dat hij echt iets voor haar begon te voelen. Sterker nog, hij was verliefd op haar geworden, dus toen kon hij er niet meer mee stoppen. Alsof dat het beter maakte. Allebei waren ze in tranen. Toen zei hij dat hij echt heeft overwogen om bij zijn vrouw weg te gaan nu hij zo verliefd was op Isabel, en toen wist ze dat ze snel weg moest, voor ze zich weer liet overhalen door zijn vrij overtuigende bullshit.

'Het was vreselijk,' zegt ze. 'Het is doodeng hoe gemakkelijk het zou zijn om gewoon maar door te gaan, en om hem te vragen echt bij zijn vrouw weg te gaan.'

'Je hebt het goed gedaan,' zeg ik.

'Dat weet ik, maar dat wil nog niet zeggen dat ik er blij mee ben hoe het is gegaan. Nu ben ik weer alleen. Ik ben flink in de boot genomen door iemand om wie ik echt gaf. Ik bedoel, ik dacht dat ik met hem een nieuw leven kon beginnen. Mijn god, wat ben ik toch stom geweest…'

'Kom anders hier. We hebben verder geen plannen, zitten alleen een beetje televisie te kijken…'

'Ik denk dat ik inderdaad even kom,' zegt ze. 'Ik heb geen zin om nu in mijn eentje te zijn.'

Dus hangen Isabel, Dan en ik de rest van de avond op de banken in onze zitkamer. Af en toe moet ze een beetje huilen, en dan geeft een van ons haar wat peptalk, en we geven haar tissues om de tranen mee af te vegen. Ik heb haar nog niet verteld van Alex' smeekbede van vandaag en ik weet ook niet goed wat ik daarmee aan moet. Het laatste wat ik wil is dat zij Alex weer terugneemt. Niet alleen om mijn eigen egocentrische redenen, al heb ik de schijn tegen. Ik geloof gewoon niet dat hij echt weer terug wil en zelfs al zou hij dat willen dan denk ik niet dat hun huwelijk dit keer veel beter zal worden.

Aan de andere kant heb ik mijn lesje wel geleerd. Ik heb hier niets mee te maken. Isabel moet zelf beslissen wat ze wil en om dat te kunnen doen heeft ze alle feiten nodig. En dan bedoel ik ook echt alle feiten. Dus als ik haar vertel dat Alex wil dat zij weet dat hij echt vindt dat hij een grote fout heeft gemaakt, en dat hij hun relatie dolgraag nog een kans zou willen geven, dan moet ik ook de hele waarheid vertellen over zijn liefdesverklaring aan mij en zelfs over al die andere vrouwen. Ze moet alle kanten van het verhaal weten en ik moet haar absoluut geen advies geven, en niet proberen haar welke kant dan ook op te sturen. En ik weet niet of ik daar wel toe in staat ben, zelfs al besluit ik dat ik dit inderdaad moet doen.

Ik besluit te wachten, en het later met Dan te bespreken. Er is geen haast bij. Isabel is nu toch niet in staat om zo'n belangrijke beslissing te nemen en ik kan me niet voorstellen dat Alex niet kan wachten.

Rebecca en Daniel. En Isabel. Dat is helemaal niet zo erg.

Lorna ziet er goed uit. Het is net alsof ze midden in de nacht een make-over heeft gehad. Haar kleren zijn keurig gestreken, haar nagels gelakt, en haar kapsel zit weliswaar nog steeds niet in model maar haar haar is in elk geval gewassen. Als ik om twintig over negen langs haar kantoor loop, op weg naar de receptie, is ze bezig met opruimen. Ze gooit stapels oud papier op een hoop in de kamer. Ik weet niet of dat een goed teken is of dat ze nu toch echt manisch is geworden, dus sluip ik langs haar zonder haar te groeten.

Er staat een enorme bos bloemen op mijn bureau, en op het kaartje staat mijn naam. Als ik het opendoe bloos ik van trots, want er staat: 'Ontzettend bedankt, liefs, Kathryn.' Ik zet de bloemen in een oude vaas en ga zitten om ze te bewonderen. Ik heb nog nooit bloemen gekregen op mijn werk. Althans, niet *vanwege* mijn werk.

Even later belt Lorna me met de vraag of ik even bij haar wil komen. Hoewel het de tweede keer is dat dit gebeurt in de afgelopen twee dagen is dit niet de normale gang van zaken. Lorna weet dat ik van mening ben dat ik niet voor haar werk en ze wil me neem ik aan ook niet zien om gezellig te kletsen. Ik mompel dat ik net ergens mee bezig ben en dat ik zo wel kom. Ik neem de tijd, zet een kop thee voor mezelf, en zeg dan tegen Kay: 'Als ik over tien minuten nog niet terugben moet je de hulptroepen maar naar binnen sturen.' Ze lacht en wenst me sterkte.

Lorna's kantoor ziet er inmiddels even strak uit als zijzelf. Ze zit achter haar bureau en gebaart me om tegenover haar te gaan zitten.

'Rebecca,' zegt ze. 'Ik geloof dat ik je moet bedanken voor de manier waarop je mij hebt vervangen.'

Mijn mond valt open. Heeft ze me nou net bedankt?

'Dat is al goed,' weet ik uit te brengen.

'Je hebt het goed gedaan,' zegt ze.

Ik doe alsof ik op wil staan. 'Nou ja, je bent er weer dus…'

Ze is nog niet klaar. 'En ook voor gisteren. Als jij er niet bij was geweest, dan was die lunch een ramp geworden. Ik wil graag dat je weet dat ik het enorm waardeer.'

'Aha… dankjewel.'

'*Anyway*,' zegt ze, 'zoals je al zei, ik ben er weer en ik voel me veel beter.'

'Goed zo,' zeg ik. 'Dat doet me deugd.' Ze ziet er echt veel beter uit, hoewel we natuurlijk allebei weten dat ze gisteren flink doordraaide, maar daar zeggen we niets over. Ik wil alweer omhoogkomen. Lorna hoest, en daar schrik ik van. Dit gesprek geeft me de kriebels.

'Ik heb gisteravond met Alex gesproken,' zegt ze, en ik ga toch maar weer zitten, want ik wil wel graag horen wat ze daarover te zeggen heeft.

'En…?'

'Ik ben naar zijn appartement gegaan en daar heb ik voor de deur gewacht tot hij thuis kwam, zodat hij wel moest praten. En je had gelijk. Hij is nooit verliefd op me geweest. Hij was verliefd op jou, wat je al zei.'

'Het spijt me, Lorna.' Ik meen het, ik vind het echt rot voor haar.

'Weet je, nu hij dat eindelijk heeft toegegeven is het goed. Nu kan ik verder. Ik moet alleen nog over het gevoel heen zien te komen dat ik zo ontzettend stom ben geweest…' Haar stem breekt. Kennelijk ben ik voorbestemd om door wenende vrouwen te worden omringd. Ik weet niet wat ik moet doen. Haar troosten lijkt me een inbreuk op haar privacy, dus blijf ik maar zitten.

'Ik ga me nu helemaal op mijn werk storten,' zegt ze als ze zichzelf weer in de hand heeft. 'En ik ben ontzettend dankbaar dat ik nog werk heb om me op te storten. Dat is waarom ik wilde dat je even binnenkwam. Om je dat te zeggen.'

'Nou, ik heb het met heel veel plezier gedaan, echt waar.'

'Je bent er ook goed in, dat blijkt wel,' zegt ze, en ze glimlacht. Tenminste, dat denk ik. Je weet het niet precies bij Lorna, want ze lacht zo weinig, misschien zit haar ook wel een boer dwars.

29

IK HEB EEN OPENBARING GEHAD.
Ik kon vannacht niet slapen omdat ik lag te piekeren over Isabel
en Luke en Lorna en Alex en de enorme puinhoop die ons leven
is geworden. Ik had medelijden met mezelf. Mijn werk is geestdodend
nu ik weer mijn oude klusjes moet doen. Begrijp me niet verkeerd: ik
vind het nog altijd geweldig bij Mortimer and Sheedy, maar ik heb
het gevoel alsof ik iets verloren heb. Omdat ik zoveel meer in me heb.
Ik dacht over de kick die ik van het werk kreeg toen Lorna weg was,
en ik probeerde niet verontwaardigd te zijn dat ik geen erkenning
kreeg voor wat ik allemaal heb bereikt – dat is mijn eigen beslissing
geweest, dat weet ik ook wel, maar toch zit het me hoog – als ik me
ineens realiseer dat ik helemaal niet de rest van mijn leven telefoontjes
hoef te beantwoorden en brieven hoef uit te typen.

Dat wat me al die tijd heeft tegengehouden was het beeld dat ik van
mezelf had. Ik geloofde nooit dat ik genoeg in huis had om meer aan
te kunnen. Ik verschool me achter protesten dat ik een gemakkelijk
leventje wilde zonder verantwoordelijkheden, terwijl het eigenlijk
de angst was die me tegenhield. Maar dat is nu allemaal anders. Nu
weet ik dat ik het kan. Ik hoef alleen maar te bedenken wie me de
kans zou willen geven. Op papier heb ik geen ervaring, behalve zes
jaar administratief werk.

Ik kan me niet meer inhouden – ik moet dit met Dan bespreken.

Ik maak hem wakker en hij gromt en probeert bij me weg te rollen.

'Dan,' lispel ik. 'Ben je wakker?' Dat zorgt er namelijk gegarandeerd
voor dat hij inderdaad wakker wordt en met me gaat praten, weet ik
uit ervaring.

Hij rolt weer terug. 'Ja, nu wel dus,' zegt hij chagrijnig.

'Ik denk dat ik een carrière wil. Niet maar gewoon een baantje.

Niet alleen maar archiefwerk en typen en mensen bellen om te zeggen dat andere mensen hen willen spreken.'

'Mooi zo,' zegt hij. 'Slaap lekker.'

'Hoe moet ik dat aanpakken? Als ik bij andere impresariaten ga solliciteren, zien ze mij natuurlijk als iemand die de eeuwige assistente is. Waarom zouden die mij in 's hemelsnaam hun cliënten toevertrouwen?'

'Lieve schat,' zegt hij, 'ik heb geen flauw idee. Praat er eens over met Melanie. Die kan je wel advies geven.'

'Denk je dat ik me maar wat in mijn hoofd haal?' vraag ik. 'Moet ik gewoon mijn mond maar houden en doorgaan met wat ik doe?'

'Absoluut niet,' zegt Dan, die ineens klaarwakker is. 'Je zou er geweldig goed in zijn, en als het is wat je wilt, dan moet je ervoor gaan. We moeten zien hoe dat praktisch te regelen valt. Misschien is er wel een school waar je een impresariaatsopleiding kunt volgen, of zo.'

Ik lach. 'Met modules "het zwaar aanzetten van cv's" en "onwijs slijmen".'

'Volgens mij ben je een natuurtalent,' zegt hij. 'Je bent bazig en je deelt graag de lakens uit. Ik zou je zo aannemen.'

We praten er nog even over door, en dan moet ik hem toch echt weer laten doorslapen. Zelf doe ik voorlopig geen oog dicht. Ik ben er zo vol van. Zenuwachtig en opgewonden tegelijk. Ik heb geen idee of ik er goed aan doe om met mezelf de boer op te gaan en mijn knusse werkkring achter me te laten, maar dan doe ik tenminste iets.

Ik neem de tijd om moed te verzamelen voor ik Melanie de volgende ochtend aanspreek. Ik ben bang dat het klinkt alsof ik ontslag neem, wat natuurlijk in zekere zin ook zo is, maar toch nog niet helemaal. Ik wil eerst eens voorzichtig om me heen kijken en zien wat mijn mogelijkheden zijn. Ik wil niet de huid verkopen voor ik de beer heb geschoten, want ik mag dan moed hebben gevat, maar *zo* dapper ben ik nou ook weer niet. Ik neem Kay in vertrouwen en ze omhelst me en zegt dat het een geweldig plan is, en ook al weet verder niemand het, zij weet dat ik een heel goeie agent zou zijn, want zij heeft me in actie gezien.

'Lorna raakt dan bijna al haar cliënten kwijt, want die willen met jou mee, als ze dit horen,' zegt ze.

'Maar zo wil ik het niet doen,' zeg ik.

Lorna zit te buffelen in haar kantoortje, en is weer helemaal de oude. Ze belt Kay om de zoveel minuten met nog meer werk, en uit wat ik van Kay hoor, maak ik op dat ze zich ongelofelijk uitslooft om te bewijzen dat ze weer helemaal terug is. Ik ben blij voor haar. Hoewel iets in mij ook denkt dat het leven gemakkelijker zou zijn als zij weer met Alex was, zodat die bij Isabel uit de buurt bleef. Dat wens ik haar alleen niet toe. Ze is ook het werk aan het controleren dat ik heb gedaan toen zij er niet was, en dat is wel een beetje eng. Ze laat Kay bellen met Phil Masterson, en dan met Marilyn Carson en dan met Jasmine, Mary, Samuel, Craig, Joy en Kathryn, en dat alles direct achter elkaar. Zou ze dan toch nog bezig zijn om mijn ondergang te plannen, ook al lijkt ze haar best te doen om zich iets fatsoenlijker te gedragen? Ik zie haar er zo voor aan en ik voel een sterke drang om de telefoontjes af te luisteren, maar ik vind dat ik dat gezien mijn nieuwe, professionele hoedanigheid niet kan maken. Ach nou ja, laat ze het maar proberen. Ik ben hier toch binnenkort weg. Me druk maken over wat Lorna allemaal uitvreet, helpt me om me te concentreren op wat ik echt wil, en dan vat ik eindelijk moed en klop aan bij Melanie.

'Heb je even?' vraag ik als ze opkijkt. Ik weet dat ze ja gaat zeggen, want dat doet ze altijd, ook al komt ze om in het werk.

'Tuurlijk, kom binnen.'

Ik loop naar binnen en doe de deur achter me dicht, wat hier bij Mortimer and Sheedy altijd wil zeggen dat er iets ernstigs aan de hand is.

'Vertel het eens?'

Ik ga zitten. 'Ik... je weet dat ik het heerlijk vind om hier te werken...'

'Dat klinkt niet goed,' zegt Melanie. Ze legt haar pen neer alsof ze wil bewijzen dat ze haar aandacht bij mij heeft en nergens anders bij.

'Ik heb nooit ergens anders willen werken dan hier. Jij en Joshua voelen als familie.'

'Ga je me nu vertellen dat je bij ons weg wilt?' Ze kijkt zorgelijk.

'Nee... Nou ja, ik weet niet. Uiteindelijk wel, ja.' Kom op, Rebecca. Gooi het eruit. 'Het punt is dat ik zelf graag agent zou willen worden. Met mijn eigen cliënten en zo.' Ik kijk op om te zien of ze me uitlacht om dit belachelijke plan, maar dat doet ze niet. 'Alleen, ik heb natuurlijk niet echt ervaring en ik hoopte dat jij me advies zou kunnen geven over welke stappen ik zou kunnen nemen.' Ineens lijkt dit helemaal niet zo'n goed idee meer. Het is waarschijnlijk niet mijn slimste zet ooit, om aan mijn huidige werkgever te vragen hoe ik aan een betere baan kan komen.

'Ik dacht altijd dat jij die verantwoordelijkheid niet wilde. Dat zei je altijd…'

'Dat weet ik. Maar nu wil ik het wel. Of misschien wilde ik het altijd al, maar durfde ik dat gewoon niet onder ogen te zien.'

'Nou ja, je zult begrijpen dat het er hier niet meer in zit,' zegt ze. 'We hebben Lorna net promotie gegeven en we zijn maar een klein bureau.'

'Dat snap ik.' Zodra ze heeft gezegd dat er geen kans is op promotie binnen Mortimer and Sheedy voel ik dat dat nu juist precies was waar ik op hoopte. Ik doe het in mijn broek bij het idee dat ik ergens anders naartoe moet en helemaal opnieuw moet beginnen. Ineens zakt alle moed me in de schoenen en dat ziet zij aan mijn gezicht.

'Hadden we maar eerder geweten dat jij deze ambitie had…'

'Ik wist het zelf niet eens. Sorry…'

'Je weet dat we het vreselijk zouden vinden als je ging, maar ik zal doen wat ik kan om je te helpen. Ik heb altijd al gevonden dat je veel meer in je mars had.'

Ze zegt dat ze eens zal nadenken over wat goede bureaus voor mij zouden zijn. Ze kent wel wat mensen met wie ze eens kan praten. Zij en Joshua zullen me een klinkende referentie geven, dat spreekt voor zich. Ik bedank haar en zeg haar nog maar eens dat ik echt niet weg wil bij Mortimer and Sheedy, dat het niet is omdat ik hier ongelukkig ben, maar dat ik dit moet doen, voor mezelf. En dat ik, als er niets anders komt, met alle plezier de rest van mijn leven hier blijf werken. Melanie lacht en zegt dat ze me volkomen begrijpt.

'Ik zal het er met Joshua over hebben,' zegt ze. 'Dan kan hij zich op het ergste voorbereiden.' En ik word helemaal misselijk, alsof ik iets in beweging heb gezet en ik de rem er nu niet meer op kan gooien, zelfs al zou ik dat willen.

Nog maar een paar dagen tot onze kerstsluiting. Twee hele weken lekker niksen. Vroeger kwamen Alex en Isabel en de meisjes altijd op de eenentwintigste bij ons voor een uitgebreid diner om dat te vieren, en dan nodigden we nog wat andere lui uit. En kerstavond waren we steevast met ons vieren en de kids.

Dit jaar heb ik niets georganiseerd, maar nu de dag steeds dichterbij komt, begint William te vragen wie er komt en wanneer we het huis gaan versieren, en dringt het tot me door dat de kinderen dit soort houvast juist heel hard nodig hebben. Ik zeg het tegen Dan en die zegt dat het natuurlijk gewoon moet doorgaan en dat Alex' wangedrag ons er niet van moet weerhouden een leuke avond te hebben. Hij lijkt zelf niet helemaal overtuigd van wat hij zegt, maar omdat ik denk dat het ons allemaal goed zal doen, zeg ik tegen Isabel dat het gewoon doorgaat, zoals altijd.

We besluiten om Rose en Simon uit te nodigen en ik zeg tegen Dan dat ik Kay er ook graag bij wil hebben. Ik heb de indruk dat ze opziet tegen de kerstdagen, al zal ze dat niet toegeven. Haar oudste viert kerst bij de ouders van zijn nieuwe vriendin en haar jongste komt pas op eerste kerstdag thuis, dus dan zijn ze maar met z'n tweetjes. Het is traditie dat we worstjes met aardappelpuree serveren, en als toetje hebben we altijd iets eenvoudigs, trifle – ik kan me niet herinneren wanneer of waarom dit ons officiële 21-decembermenu werd maar het zou niet goed zijn om dat nu nog te veranderen – en dan hebben we ook nog zelfgemaakte *christmas crackers*. Maar gezien de drukte van de afgelopen tijd heb ik daar nog niets aan gedaan.

Ik reserveer mijn lunchtijd van morgen om naar Fortnum & Mason te gaan voor de kleine cadeautjes die ik altijd in de christmas crackers stop, en ik vertel Zoe en William dat ze dinsdag- en woensdagavond moeten meedraaien in de productielijn. Als ze naar bed zijn, maken Dan en ik er ook stiekem eentje voor hen. Ik maak een lijst van alle ingrediënten die Dan morgen na zijn werk bij Waitrose moet halen en klim de piepkleine bergruimte op die wij 'de zolder' noemen, ook al wonen we op de derde verdieping van een gebouw met zes woonlagen, en is het in feite niet meer dan een kleine kruipruimte boven het plafond in de gang. Daar bewaren we de kerstversiering. We zijn een uurtje bezig om de boom op te tuigen terwijl William mij ervan probeert te overtuigen dat een scheikundedoos een uitstekende investering is in zijn toekomst als wetenschapper, en dat het echt geen onverantwoord en levensgevaarlijk cadeau zou zijn.

Rose klinkt heel blij als ik haar bel. Volgens mij zat ze in de rats omdat ze ons over Luke heeft verteld terwijl ze zich misschien niet met die zaken had moeten bemoeien. Isabel zegt dat ze er al vanuit was gegaan dat het doorging. Het was toch ook 21 december, dat is traditie, wat had ik dan gedacht?

'Weet je al wat je met kerst gaat doen?' vraag ik niet voor het eerst. Eerlijk gezegd ben ik bang dat Alex de feestdagen aangrijpt om weer een poot tussen de deur te krijgen bij haar. Aan de andere kant willen de meisjes hem natuurlijk zien; hij is nog altijd hun vader. Ik heb overwogen om tegen Isabel te zeggen dat ze hem voor of na de kerstlunch moet laten komen, maar niet tijdens de lunch zelf. Het liefst ervoor, want dan heeft hij nog niet te veel drank op, hoewel je dan weer het risico loopt dat hij weigert te vertrekken en Isabel geen scène wil maken omwille van de tweeling. Maar goed, ik heb deze suggestie voor me gehouden, want ik heb een nieuwe leefregel, namelijk: bemoei je niet met zaken die jou niet aangaan.

'Nee. Het is momenteel heel lastig om rationeel met Alex te praten,' zegt ze. 'Ik zie wel hoe het loopt.'

Dat kan nooit goed komen, denk ik, maar dat zeg ik niet. In plaats daarvan zeg ik: 'Je weet toch wel dat de meisjes en jij van harte welkom zijn bij ons, hè?'

'Dank je. Daar hou ik je misschien wel aan. Ik weet alleen niet...'

'Het geeft niet,' zeg ik, en ik denk aan de kalkoen die ik heb besteld en die nooit genoeg is voor zeven mensen. 'Je hoeft het niet van tevoren aan te kondigen.' Ik schrijf 'diepvrieskalkoen' op Dans boodschappenlijst, hoewel ik weinig hoop heb dat die nog te krijgen zijn.

Ik krijg bijna geen lucht. Joshua heeft me in zijn armen genomen voor een knuffel. Ik ben in shock, en dan druk ik me nog zacht uit. Kay staat te lachen, terwijl Lorna, die naar iets op zoek is in de stapel met scripts, vol afgrijzen toekijkt.

'Ik kan niet geloven dat je ons gaat verlaten,' roept hij uit, zogenaamd ontdaan. 'Wat moeten we nou toch zonder jou?'

'Ga jij weg?' zegt Lorna, en ze klinkt oprecht verbaasd.

'Misschien,' zeg ik ergens vanuit Joshua's oksel. Hij laat me gaan, zodat ik nog net niet gestrekt ga vanwege mijn ademnood.

'Rebecca heeft ontdekt dat ze ambitie heeft,' zegt hij tegen Lorna.

'Ze is het zat om altijd maar mijn brieven te moeten typen en koffie voor me te moeten zetten.'

'Nee,' zeg ik, 'zo ligt het helemaal niet.'

'Nou, het werd tijd dat ze eens opduvelt,' gaat Joshua verder, en hij lacht er hard bij om aan te geven dat het een grapje was.

'Je had haar gezicht moeten zien,' zegt Kay als iedereen weer terug is naar zijn eigen kantoor. 'Onbetaalbaar.'

Nu ik mijn aankondiging heb gedaan, heb ik ook het gevoel dat ik er iets aan zou moeten doen. Ik begin een lijst op te stellen van andere impresariaten. Ik kan me niet voorstellen dat ik voor een van de grote, succesvolle bureaus aan de slag kan. Ze zijn veel te zakelijk, te flitsend. En god mag weten waarom ze mij zelfs maar in overweging zouden nemen als ze stikken van de jonge assistentes die staan te dringen om promotie te maken. Dus dan blijven de kleinere – lees: minder succesvolle – bureaus over. Bureaus zoals Mortimer and Sheedy.

Ik weet niet waar ik moet beginnen, want het zijn er zo ontzettend veel. En wat is de kans dat een van die bureaus net toevallig wil uitbreiden als ik hen benader? Laat staan dat ik weet hoe ik hen zou weten te overtuigen om mij in dienst te nemen. De wanhoop begint toe te slaan. Waarom heb ik dan ook niet mijn mond gehouden, en mijn onzinnige ambities voor mezelf gehouden? Nu moet ik straks de schande van mijn falen onder ogen zien – of de schande van het niet eens durven proberen – nog los van al het andere.

Nu ik de lijst heb opgesteld, vind ik dat ik toch iets moet doen, dus ik ga nadenken over wat ik in de christmas crackers zou kunnen stoppen. Ik stop er altijd een persoonlijk kleinigheidje in, en meestal denk ik daar al lang van tevoren over na. Voor Kay is het makkelijk. Zij verliest altijd overal haar sleutels, omdat de sleutelring steeds losschiet als ze hem uit haar zak haalt. Ik noteer: 'Kay: sleutelring' en ga dan een paar minuten naar het papier zitten staren. Kay is trouwens meer dan blij dat ik haar heb uitgenodigd voor ons bescheiden kerstfeestje. Ze heeft al zo veel gehoord over Dan en Isabel dat ze niet kan wachten eindelijk ook hun gezichten te zien. En ik denk eerlijk gezegd dat ze ook blij is om even niet thuis te hoeven zitten. Ik laat haar een poosje over haar jongens kletsen. Maar eigenlijk vind ik het hartverscheurend hoe ze het goedpraat dat ze haar jongens nauwelijks te zien krijgt met de feestdagen.

Ik zeg dat ik graag vroeg wil gaan lunchen, en ik ben net bezig mijn jas aan te trekken om bij Fortnum & Mason te gaan neuzen voor kleine cadeautjes, als Melanie haar hoofd om de deur steekt en zegt: 'Rebecca, ik heb een paar mensen gesproken. Carolyn Edwards van Marchmont, Edwards and Wright zei dat ze overwegen om over een jaar te gaan uitbreiden. Ze zijn op zoek naar een nieuwe assistente, dus ze zei dat je maar eens langs moest komen om te kijken of je interesse had in die baan. Als ze dan inderdaad gaan uitbreiden heb jij dikke kans om door te kunnen groeien... Het is lastig, want weet je, wij weten wel dat je geweldig bent, maar voor andere mensen die jou helemaal niet kennen...'

Ze valt stil en kijkt me verontschuldigend aan. Geweldig. Dus ik kan alleen maar een stap opzij doen. En ergens anders hetzelfde werk doen, en proberen om me daar op te werken. Ik kan mezelf wel wat aandoen vanwege alle jaren die ik heb verspild. Ik voel me veel te oud om nog aan iets nieuws te beginnen, en dan maar te hopen dat iemand uiteindelijk ziet wat voor potentieel ik heb en me meer verantwoordelijkheid geeft. 'Oké, dank je,' zeg ik, en ik probeer om dankbaar te klinken.

'Hoe gaat het met de banenjacht?' zegt Dan als ik thuiskom met armenvol lekkere dingen voor donderdagavond.

'Ach, gewoon...' zeg ik, en ik begin snel ergens anders over.

30

JOSHUA, MELANIE EN LORNA ZITTEN al ruim een uur in Joshua's gezellige kantoor, met de deur dicht. Op een gegeven moment belt Melanie naar Kay om te vragen of ze hen een verse pot koffie komt brengen en dan zegt Kay dat ze er allemaal zwijgend bij zaten terwijl zij de vieze kopjes van tafel haalde. Het is me gelukt om Kay al even paranoïde te maken als ikzelf al was, en ze is ervan overtuigd dat ze het hebben over haar inefficiënte manier van werken en hoe ze haar het best kunnen lozen.

'Ik denk niet dat ze daar een uur over zouden doen,' zeg ik lachend. 'Lorna zou alleen zeggen: "Ze moet weg", en dat zouden zij dan best vinden.'

'O, dank je, ik voel me meteen een stuk beter.'

'Ze hebben het vast over strategische zaken,' zeg ik. 'Ze zijn aan het bedenken hoe ze nog meer cliënten kunnen binnenhalen en hoe ze de entertainmentwereld kunnen veroveren.'

Toch hou ik zelf ook mijn hart vast, want waar kunnen ze het in 's hemelsnaam zo lang over hebben daarbinnen? Misschien willen ze nu ik heb gezegd dat ik weg zou willen zo snel mogelijk van me af en zoeken ze al per direct vervanging voor mij. Want ze zijn me natuurlijk geen enkele loyaliteit meer verschuldigd, nu ik zo'n ondankbaar nest blijk te zijn.

Als Melanie haar hoofd om de deur steekt en zegt: 'Rebecca, heb je even? We willen je graag spreken?' krijg ik bijna een hartverzakking.

'Kom erin, kom erin,' zegt Joshua hartelijk als ik schoorvoetend het kantoor in loop. 'Ga zitten.' Hij lacht naar me, dus ik probeer terug te lachen, maar er kan alleen een grimas af. Lorna durf ik al helemaal niet aan te kijken, want die zal zich wel zitten te verkneukelen over wat mij nu ook maar te wachten staat. Ik ben sterk in de verleiding

273

om me aan Joshua's voeten te werpen en te schreeuwen: 'Maar ik wil helemaal niet weg, zoek alsjeblieft geen vervanger voor me!' en als ik meende dat ik niet voor een voldongen feit stond, had ik dat waarschijnlijk ook gewoon gedaan.

'We hebben het over je gehad,' zegt Joshua alsof ik dat niet allang had begrepen. 'Lorna heeft ons een paar heel interessante dingen verteld.'

Hij wacht alsof hij verwacht dat ik nu iets ga zeggen, maar ik ben met stomheid geslagen. Als ik vroeger op school bij de directeur moest komen, voelde ik me precies zoals nu. Ik wil het liefst dat dit zo snel mogelijk voorbij is.

'Dus ik hoor dat het idee voor die show van Heather van jou kwam?' zegt hij, en ik knik omdat dat nu van mij wordt verwacht. 'Die show wordt overigens inderdaad in productie genomen, toch, Lorna?'

'Komende zomer,' zegt Lorna. 'Als we haar contract met ITV hebben verbroken.'

Ik snap nu niet meer zo goed wat ik hier eigenlijk kom doen. Willen ze graag opscheppen over hoeveel succes ze zullen krijgen als Heathers grote nieuwe BBC-contract volgend jaar ingaat?

'En ze heeft ons ook verteld dat jij bij die lunch aanwezig was met Niall Johnson,' zegt Melanie. Ik kijk Lorna aan. Ze doet weer zo eng met die glimlach. Ik wend mijn blik af. Nooit lachen naar een krokodil. 'En dat jij de situatie in feite hebt gered, omdat zij een beetje… slecht in haar vel zat.'

Ik grom en kijk naar mijn voeten als een veertienjarige die is betrapt bij het roken in het berghok.

'En we hebben ook gehoord wat jij allemaal voor haar cliënten hebt gedaan toen zij ziek thuis zat. Ze schijnen allemaal behoorlijk onder de indruk te zijn.' Als Melanie dit zegt, durf ik op te kijken en zie ik dat ze alle drie naar me zitten te glimmen als trotse ouders.

'Dus,' zegt Joshua om over te gaan tot serieuzere zaken. 'We keuren het natuurlijk niet goed dat jij ons niets van die dingen hebt laten weten en dat je net hebt gedaan of je handelde in opdracht van Lorna, terwijl we er nu achter moeten komen dat dat niet het geval was. Maar… het is duidelijk dat jij vond dat je daar een goede reden voor had, niet alleen voor Mortimer and Sheedy, maar ook voor Lorna…'

'…En dat is heel fijn, want zoals je weet hebben Joshua en ik ons altijd erg veel zorgen gemaakt over het feit dat jullie niet zo goed met elkaar konden opschieten,' valt Melanie hem in de rede.

'En hebben wij, althans Lorna kwam ermee, maar Melanie en ik vonden het een geweldig idee, een voorstel voor je, en we hopen dat jij het wat vindt.'

Er valt weer een lange, betekenisvolle stilte, en dit keer weet ik dat er nu iets goeds gaat komen, dus gun ik mezelf de glimlach die op zijn gezicht verschijnt.

'Wat?' zeg ik. 'Wat is het voorstel?'

Joshua haalt diep adem, alsof hij een hele vergadering moet toespreken, en hij zegt: 'Welnu, Heather gaat Lorna vanaf nu heel veel tijd kosten. En ze gaat ook heel veel geld voor ons in het laatje brengen. Maar ze heeft natuurlijk ook Mary en Craig nog, in wie Lorna vurig gelooft. Zoals je weet heeft Mary een heel mooie rol gekregen…'

'Dankzij jou,' zegt Lorna, en ik lach onwillekeurig naar haar. Het is een wonderlijk gevoel.

'…en we moeten zorgen dat we dat momentum gaande houden. Craig zal heel veel aandacht nodig hebben om te zorgen dat hij hogerop komt, en Lorna wil ook graag haar portefeuille uitbreiden, zulke dingen, snap je wel?'

Ik knik ongeduldig. Ik durf er niets van te zeggen, want ik wil niet dat hij afdwaalt. Ik wil dat hij opschiet. Wat is nou precies het voorstel?

'En Melanie en ik vinden uiteraard dat we haar gezien die prachtige coup met Heather alle vrijheid moeten gunnen. Dus… wat dat betekent, is dat Lorna geen tijd meer heeft om zich bezig te houden met de voice-overmensen en ze kan ook niet echt meer energie steken in Jasmine of Samuel of Kathryn, en ook niet meer in Joy. We willen niet dat ze het gevoel hebben dat ze steeds van de een naar de ander worden geschoven, maar Lorna heeft met hen gesproken en aangezien zij weten wat er hier de afgelopen weken is gebeurd, hebben ze allemaal gezegd dat ze het geweldig zouden vonden – Kathryn was zelfs "dolgelukkig" – als ze door Rebecca Morrison vertegenwoordigd worden.'

Hij leunt achterover en kijkt naar mijn reactie. Ik weet dat mijn mond wijd open hangt, maar ik weet niet meer hoe ik hem dicht krijg.

'Het is natuurlijk duidelijk,' gaat Joshua verder, 'dat je met vier cliënten en voice-overacteurs geen volwaardige agent bent, maar we dachten dat je het niet erg vond om voor hetzelfde salaris te blijven werken totdat we je kunnen helpen om je portfolio wat meer uit te breiden. Of totdat een van jouw cliënten een goedbetaalde klus krijgt, en dat is niet onmogelijk, gelet op wat je allemaal voor elkaar hebt gekregen de afgelopen weken.' Hij glimlacht warm naar me, en ik kan hem wel omhelzen. Gelukkig weet ik me te beheersen.

'Ja. Ik bedoel nee. Natuurlijk vind ik dat niet erg. Menen jullie dit nou?'

'Jazeker,' zegt Melanie. 'We moeten dan wel meteen iemand zoeken om jou te vervangen natuurlijk. We dachten dat Lorna en jij Kay wel kunnen delen, als jij het daar ook mee eens bent.'

Ik kan het bijna niet geloven. 'Absoluut. Tenminste... Lorna, als jij dat ook goedvindt?'

'Het was Lorna's voorstel,' zegt Joshua. 'We hopen alleen dat Heathers contract inderdaad zo lucratief is als we vermoeden, anders zijn we mooi de sigaar,' lacht hij.

Ik ben misselijk van opwinding. Ineens snap ik precies hoe Lorna zich toen voelde. Waarom ze zo met zichzelf ingenomen was. Ik heb zin om uit het raam te schreeuwen: 'Kijk mij nou, ik ben AGENT!'

'Ik... ik weet niet wat ik moet zeggen. Dankjewel. Ontzettend bedankt. En het kan me niet schelen als ik voor eeuwig op hetzelfde salaris blijf zitten, ik wil dit werk zo graag doen, en ik wil het ook zo graag goed doen en...'

'Rustig aan,' zegt Melanie. 'Straks houdt Joshua je er nog aan.'

Nu dit achter de rug is, stort Joshua zich op iets op zijn bureau, en dat is voor ons het teken om weg te gaan.

'Aan het eind van de dag drinken we samen een glas champagne om het te vieren,' zegt hij tegen onze ruggen.

Lorna loopt weer terug naar haar kantoor.

'Lorna,' zeg ik, en ze blijft staan. 'Ik weet niet wat ik moet zeggen. Ontzettend bedankt.'

'Je hoeft mij niet te bedanken. Ik betwijfel of ik mijn baan nog wel zou hebben als jij er niet was geweest...'

'Nee. Ik moet je wel bedanken. Je had dit niet hoeven doen en ik ben je zo dankbaar, zo ongelofelijk, verschrikkelijk en eeuwig dankbaar.'

Ze glimlacht verlegen en ik denk, wat kan mij het ook schelen, en voor ik weet wat ik doe heb ik mijn armen al om haar heen geslagen. Het voelt een beetje als knuffelen met een skelet, en ik maak me ook heel even zorgen dat ik haar in tweeën breek, maar ik doe het toch. Als ik terugstap is zij rood aangelopen, maar ze kijkt toch ook blij. Ze lijkt een compleet ander mens.

'Dankjewel,' zegt ze.

'Hé,' zeg ik voor ik me kan bedenken, 'we hebben morgen een klein kerstetentje, Dan en ik. Er komen maar een paar vrienden en hun kinderen, maar heb je misschien ook zin om te komen? Kay komt ook…' Wat doe ik nou? Vijf minuten geleden haatten we elkaar nog, dus waarom zou zij in godsnaam bij mij thuis op bezoek willen komen?

'Meen je dat?' vraagt ze, en ik zeg: 'Absoluut.'

'Nou, heel graag.'

De volgende anderhalve dag voltrekt zich in een waas van champagne – eerst die van Joshua, en dan staan Dan en Isabel er ook nog eens op om op mijn succes te klinken – en opgewonden plannen smeden. Ik bruis van de ideeën over hoe ik mijn zootje ongeregeld aan cliënten kan opstoten in de vaart der volkeren. Ik heb me in geen jaren meer zo gevoeld, al niet meer sinds… sterker nog, volgens mij heb ik me helemaal nog nooit zo gevoeld. Lorna blijft vriendelijk maar gereserveerd en zoals altijd als mensen aardig tegen jou doen is het onmogelijk om onaardig terug te doen. Ik geloof dat Dan, Isabel en Kay enigszins zijn geschrokken dat ik haar ook heb uitgenodigd voor ons gezellige etentje, maar ze begrijpen wel dat ik iets aardig voor haar wilde terugdoen, en dat ik haar wilde tonen dat ik haar echt heel dankbaar ben.

Kay gaat meteen aan de slag om vervanging voor mij te regelen. Gelukkig heeft die Amita al ergens anders een baan gevonden, maar Kay belt de twee die net afgestudeerd waren, Nadeem en Carla, en vraagt hen of ze nog eens op gesprek willen komen voor een andere maar toch verbazend soortgelijke baan, en ze zouden allebei haar voeten willen kussen voor deze kans.

Op donderdagmiddag werkt Kay me om halfvijf de deur uit met de boodschap dat niemand zin heeft om pas om halftien vanavond te eten omdat ik niet op tijd van mijn werk ben weggegaan om te koken.

De kinderen zijn klaar met het versieren van het huis, en zijn vrolijk bezig met tafeldekken. Hun waan dat ze te cool zijn voor dit soort dingen is gesneuveld in de opwinding over de aanstaande kerstdagen.

'Waarom is Lorna zo'n verschrikkelijk mens?' vraagt William als hij de traditionele engelen voor alle bordjes zet.

'Dat is ze niet,' zeg ik, en ik hoop dat hij het daar voor de verandering bij laat.

'Maar jij zegt altijd dat ze zo afschuwelijk is. Je hebt tegen papa gezegd dat het een verschrikkelijke bitch is.'

Zoe snuift.

'Je moet helemaal niet luisteren als wij iets bespreken,' zeg ik. 'En dat ging niet over haar, maar over een heel andere Lorna.'

Zodra dit eruit rolt weet ik dat ik een fout bega. William is in staat om doodleuk tegen Lorna te zeggen: 'Mama kent een andere Lorna en die vindt ze een verschrikkelijke bitch.'

'Weet je, dat vond ik vroeger ook, maar ik heb me vergist, oké? En ze zou heel, heel erg verdrietig zijn als zij wist dat ik dat heb gezegd, dus wil je er alsjeblieft niets over zeggen?' Ik ben zelf zo verward over Lorna dat ik momenteel niet goed weet wat ik van haar moet vinden, maar dat hoef ik hem niet aan zijn neus te hangen.

'Ik ben niet dom,' zegt hij hooghartig, en Zoe zegt: 'Nee, hoor, tuurlijk niet', op een manier waaruit blijkt dat hij dat dus wel is.

'Maham…' jammert hij.

Ik laat ze het lekker zelf uitzoeken, want vanavond maken ze toch niet echt ruzie aangezien Dan ze een paar jaar geleden heeft gedreigd dat ze de avond op hun kamer mogen doorbrengen als ze ook maar één misstap begaan. Daar heeft hij hen ook aan gehouden, zodat ze na het voorgerecht konden vertrekken en er niet bij waren toen iedereen zijn christmas cracker mocht stuktrekken en de cadeautjes werden bekeken.

Tegen zevenen heb ik het eten onder controle en ziet het huis er fantastisch uit – en het ruikt ook heerlijk. Het doet me denken aan een kermis, met al die kleine lichtjes en al die uitbundige zilveren en rode versierselen. In alle kamers staan geurkaarsen. De glühwein staat te trekken, of hoe je dat ook maar noemt, en de camembert voor het voorgerecht kan zo de oven in. De trifle is klaar en de boomstamtaart die William op school heeft gemaakt staat zachtjes weg te smelten in de warme keuken. Ik storm de slaapkamer in, kleed me om in recordtijd en Dan trekt ondertussen de flessen wijn open en schenkt ons allebei een flinke bel in. Om tien voor halfacht arriveert Kay als eerste.

'Snel, de kerstmuziek,' zeg ik tegen Zoe voor ik opendoe, en Zoe loopt snel naar de iPod in het docking station. We zorgen altijd dat er kerstliederen klinken als de gasten binnenkomen.

'Is Cruella er al?' vraagt Kay hardop fluisterend als ik haar meeneem naar de zitkamer en haar voorstel aan Dan en de kinderen.

'Hou op.'

Kay blijkt net zo'n nerd te zijn als William – wat misschien niet zo gek is, met haar twee zoons – dus die weten elkaar te vinden en praten over de ontdekking van een of andere obscure ster die op het nieuws was, om een reden die volledig aan mij voorbijgaat.

Isabel en de meisjes zijn de volgenden, en meteen daarna komen Rose en Simon binnen met hun zesjarige dochter, Fabia. De andere twee kinderen zijn allebei uit logeren.

De grote mensen drinken sterke, warme wijn, en eten hapjes die ik op tafel heb gezet, en kletsen over koetjes en kalfjes. Rose lijkt wat nerveus om Isabel onder ogen te moeten komen, aangezien het slechte nieuws over Luke van haar kwam, maar gelukkig heeft Isabel een neus voor dit soort dingen en bedankt ze haar uitbundig voor het feit dat ze haar heeft gered voordat ze zichzelf nog veel erger voor schut had gezet. Het is allemaal heel relaxed en gemoedelijk en kerstachtig, en dan wordt er weer aangebeld en staat Lorna daar met een fles wijn in haar handen. Ze overhandigt hem aan mij terwijl ik haar binnen laat.

'Kom toch binnen.' Ik praat tegen haar als tegen een oude tante die ik pas één keer heb ontmoet. Het punt is, ik weet niet zo goed hoe ik me moet gedragen. Los van defensief, vijandig en achterdochtig, bedoel ik.

'Je huis ziet er schitterend uit,' zegt ze, en ze kijkt om zich heen naar de versieringen terwijl ik haar jas aanneem.

'Dank je, kom verder. Jongens, dit is Lorna.' Zelden zie je een kamer vol mensen met zo veel interesse opkijken. Lorna is een legende bij ons thuis. Zelfs Rose en Simon weten van haar grillen, want die zijn tijdens die paar etentjes met hen al aan de orde geweest. Ik stel haar aan iedereen voor die ze nog niet kent, en ze wil graag een glaasje glühwein. Dus dat ga ik voor haar halen en ik werp meteen een blik op de worstjes. Isabel komt achter me aan.

'Ze is nog magerder dan de laatste keer dat ik haar zag,' fluistert ze.

'Erg hè? Ik vraag je, was dit een heel stom plan, om haar ook uit te nodigen?'

'Nee, natuurlijk niet. Dit is jouw goede daad van dit jaar. Als je maar geen boontjes serveert bij de worst, want dan hou ik het niet droog.'

'Sssj,' zeg ik lachend, 'we moeten aardig zijn.'

En eigenlijk is het eten heel leuk. Iedereen zit te kirren over het cadeautje uit de christmas cracker. Ik heb me suf gepiekerd wat ik in die van Lorna moest stoppen en uiteindelijk heb ik een roze glitterpen gekocht, omdat ze altijd andermans pen moet lenen.

'Geweldig,' zegt ze lachend. Ja echt, ze lacht. Ik begin er al aan te wennen en het jaagt me niet meer zoveel schrik aan als toen ik dat voor het eerst meemaakte.

'Je kunt hem aan Heather Barclay uitlenen, voor een handtekening voor mij,' zegt Zoe. 'Mama durfde dat niet aan haar te vragen.'

'Dat komt wel goed.'

'Ook eentje voor mij,' zegt William, en dan zeggen Nicola en Natalie dat zij er ook een willen en Fabia wil ook, al weet die niet eens wie Heather Barclay is. Lorna vindt de aandacht helemaal niet erg en de kinderen zijn lief en grappig en vooral beleefd, dus dat helpt ook erg.

Het kostte even voor ik wist naast wie ik Lorna moest neerzetten. God verhoede ik nog een avond naar haar verhalen moet luisteren; dat heb ik nu wel genoeg gedaan. Net als Kay, ook al werkt ze nog maar pas bij Mortimer and Sheedy. Isabel kon ook niet, vanwege de Alex-connectie. Dus heb ik mijn schattige echtgenoot maar opgeofferd, want ik weet dat die vriendelijk tegen haar zal doen en dat hij zal proberen om haar bij het gesprek te betrekken. Aan de andere kant heb ik Rose neergezet, want die is lief en aardig en die kan met iedereen overweg. Toch zie je zo dat Lorna zich niet op haar gemak voelt. Ze prikt wat in haar eten, met haar hoofd naar beneden, en ze praat alleen als iemand haar iets vraagt. Het is net alsof je nog een mokkende puber aan tafel hebt, hoewel, als ik naar Zoe kijk die zit te klieren met de andere kinderen, aan de kleine tafel in de hoek, dan ben ik daarmee niet fair tegenover pubers. Ik heb er alles aan gedaan, ik heb haar uitgenodigd, dus ik ben niet ook nog eens verantwoordelijk voor haar verdere vermaak.

Na het eten vertrekken de kinderen naar Zoe's kamer, terwijl de grote mensen blijven zitten met een glas wijn. De tweeling valt meestal uiteindelijk op de grond in slaap, en ik neem aan dat het Fabia dit keer ook zo zal vergaan. Ik heb een zwik slaapzakken en dekens in de kamer achtergelaten, dan kunnen ze daar om vechten. We laten ze altijd spelen tot ze te bekaf zijn, zolang ze maar niet te veel kabaal maken. Als wij lol hebben, dan mogen zij dat ook, dunkt me. Dan schenkt de glazen nog eens vol en we kletsen over iets onbelangrijks, ik weet niet meer wat, als Lorna ineens hard begint te kuchen. Zo hard dat ik ervan opschrik en we ons allemaal omdraaien en haar aankijken.

'Ik zou graag iets zeggen,' zegt ze. Ik overweeg om haar met een rugbytackle tegen de grond te gooien. Ze heeft vast te veel gedronken en nu begint het hele gedoe weer opnieuw. Ik kijk Dan aan, maar die kijkt even wezenloos als ik me voel. En het ging allemaal net zo goed.

'Dit zal jullie niet veel zeggen, Rose en Simon, dus sorry, alvast. Jullie hebben waarschijnlijk wel eens wat over mij gehoord. Ik neem aan dat Rebecca het wel heeft gehad over hoe ik me de afgelopen tijd heb gedragen. Enfin, niet alleen de afgelopen tijd, maar goed...'

Gelukkig kijken Rose en Simon alsof ze willen zeggen: 'Nee, joh, we hadden nog nooit van jou gehoord, waar *heb* je het over?'

Ik heb geen idee waar ze heen wil, en ik weet ook niet hoe ik haar nu nog moet stoppen.

'Het zit zo, Rebecca en ik konden nooit zo goed met elkaar overweg. Toch?'

Lorna is de koningin van het understatement. Wat moet ik nu zeggen? 'Eh... nee, dat geloof ik ook.'

'En de laatste tijd ben ik gaan inzien dat dat voor het grootste deel aan mij lag.' Oké, ik kan weer uitademen, dit wordt misschien toch niet zo erg.

'Ik was moeilijk om mee te werken, dat weet ik wel. Ik vond het altijd heel belangrijk dat ik er het langste werkte, en hoe er over me werd gedacht, en nou, Rebecca, je mag wel weten dat jij gelijk had:

ik wachtte inderdaad altijd met het opnemen van de telefoon in de hoop dat jij het zou doen. Ik wilde zo nodig de belangrijkste van ons tweeën zijn. Het punt is… ik ben altijd jaloers op jou geweest. Zo, nu heb ik het gezegd…'

Ze kijkt me aan voor een reactie, en ik glimlach flauwtjes. Ik weet niet wat ik moet zeggen.

'Jij hebt alles wat ik altijd zo graag had willen hebben. Een man die van je houdt, kinderen, je bent slim en geestig en mooi en je hebt zelfvertrouwen en mensen mogen je altijd. En daar voelde ik me, denk ik, door bedreigd…'

Nu voel ik me toch echt heel ongemakkelijk. Een deel van mij wil haar vragen hoe ze er in godsnaam bij kwam dat ik zelfvertrouwen had, en een ander deel wil gewoon dat ze nu meteen haar klep houdt. Dit had een leuke avond moeten worden.

'Lorna, dit hoef je echt niet te doen…'

'Het moet wel. Ik ben zo klaar. Ik wil jullie avond niet verpesten,' zegt ze alsof ze mijn gedachten kan lezen. 'Ik moet dit gewoon zeggen nu ik de moed heb, want anders komt het er nooit meer van. Wat ik probeer te zeggen is dat ik jou meer dan genoeg redenen heb gegeven om mij te haten. En in ruil daarvoor heb jij alles gedaan om mijn baan te redden en mijn fouten recht te zetten en ik kan je met de hand op mijn hart verklaren dat ik dat nooit voor jou zou hebben gedaan. En nu nodig je me zelfs uit voor deze avond. Dat heeft me echt aan het denken gezet. Wat ik probeer te zeggen, en de reden waarom ik mezelf hier zo voor schut zet en jouw feestje verpest, is dat ik veranderd ben. Tenminste, ik ga veranderen. En ik wil heel graag dat jij dat gelooft, want ik zou het heel fijn vinden als we vrienden konden zijn. En ik hoop dat je mijn excuses wilt aannemen voor de manier waarop ik jou altijd heb behandeld.'

Ze zwijgt abrupt. Er valt een verpletterende stilte. Rose en Simon zien allebei iets fascinerends in hun glazen. Kay zit met open mond te kijken. Ik weet dat ik nu iets moet zeggen, maar ik weet gewoon niet wat. Het moet een gigantische hoeveelheid moed hebben gekost om te zeggen wat Lorna net heeft gezegd. Goddank heft Dan zijn glas en zegt: 'Goed gedaan, Lorna. Daar zal iedereen het mee eens zijn.'

'Zeker,' zegt Isabel. 'Wat jij, Rebecca?' Ze kijkt me aan alsof ze wil zeggen: 'Zeg eens wat', en ik weet dat dat ook moet.

'Wow, Lorna, ik weet niet wat ik nu moet zeggen. Of nee, dat weet ik wel. Uiteraard neem ik je excuses aan, maar jij moet die van mij ook aanvaarden. Als jij niet altijd even aardig bent geweest tegen mij, dan ben ik ook niet altijd even aardig geweest tegen jou. Je weet wel, met die e-mail, en zo.' Ik zwijg. Misschien moet ik er niet over beginnen. 'Maar, nou ja, ik heb dan misschien jouw werk gedaan toen jij weg was, maar daar heb jij me al voor bedankt door mij mijn droombaan te bezorgen. Dus, ik zou het heerlijk vinden als we alles achter ons konden laten en opnieuw konden beginnen. Dan zien we wel waar het schip strandt. Afgesproken?'

Ze glimlacht, en zo'n oprechte glimlach heb ik van mijn leven nog niet gezien. 'Afgesproken.'

'Godzijdank,' zeg ik. 'Mag ik dan nu nog wat wijn?'

Ze lacht met de anderen mee. Dan schenkt de glazen nog maar weer eens vol en we doen allemaal ontzettend ons best om andere onderwerpen aan te snijden. Ik zie dat Lorna nu veel geanimeerder is en veel meer ontspannen. Ze kwam hier duidelijk met een missie, en die heeft ze nu volbracht. De permanente hatelijke uitdrukking op haar gezicht is vervangen door iets veel aantrekkelijkers. Nou, dat gun ik haar van harte. Ik weet niet of ik dit zou hebben gedurfd. Hoe het verder loopt en of het ons echt lukt om zes jaar animositeit te begraven, dat weten we niet, maar ik wil het zeker proberen.

De spanning is nu weg en het wordt echt heel gezellig. Iedereen doet mee, niemand staat er meer buiten. Lorna komt zelfs met een paar grappige verhalen – verhalen die nu eens niet gaan over hoe briljant zij zelf is. Simon blijkt ontzettend goed te kunnen imiteren, een talent dat hij nog niet eerder heeft getoond, en hij doet hilarische maar warme imitaties van ons allemaal. (Die van mij: 'Is het allemaal goed zo? Hebben jullie het naar je zin? Iemand nog iets nodig? O god, dit is echt bagger, hè?') Lorna vraagt me of ik mijn imitatie van haar ten beste wil geven – die van toen ik Niall Johnson aan de lijn had – en ik waag het erop. Ik gooi mezelf er helemaal in, de grote ogen, het ademloze enthousiasme, en ze lacht zo hard dat de tranen in haar ogen springen.

Op een gegeven moment waag ik het erop en zeg: 'Lorna, toen we nog samen in één ruimte zaten at je altijd van dat luidruchtige eten. Deed je dat expres, om mij op de zenuwen te werken?'

'Nee!' zegt ze verontwaardigd. Dan lacht ze: 'Tenminste, eerst niet.'

Al zeg ik het zelf, we hebben allemaal een geweldige avond.

Dan wordt er aangebeld.

Dan en ik kijken allebei op de klok aan de muur. Het is ver na tienen, dus dit kan nooit meer zomaar iemand zijn.

'Wie kan dat zijn?' vraag ik, ook al heeft Dan natuurlijk ook geen idee.

'Ik ga wel even,' zegt Dan, en hij staat op.

'Het zal de benedenbuurvrouw wel zijn om te zeggen dat we veel te veel lawaai maken,' zeg ik tegen de anderen. 'Ze moet altijd vroeg op.'

Toch spitsen we allemaal de oren om te verstaan wat ze te zeggen heeft. En ook al is het maar een klein huis, je kunt nauwelijks iets horen, behalve dat degene met wie Dan nu praat de benedenbuurvouw niet kan zijn, tenzij ze zich tot man heeft laten ombouwen.

Er volgt een korte woordenwisseling en dan hoor ik voetstappen in de gang en de voordeur wordt dichtgeslagen. Dan komt als eerste weer binnen en kijkt verontschuldigend.

'Sorry,' begint hij, maar dan komt er iemand anders binnen, die hem de mond snoert.

Alex.

Hij houdt een fles champagne voor zich uit.

'Ik wilde de traditionele feestelijkheden bij de Morrisons niet missen, deze eenentwintigste december,' zegt hij. Hij klinkt dronken. Niet dat hij met een dubbele tong praat, maar hij klinkt zo overmoedig, net als toen die keer dat hij naar kantoor kwam. 'Ik wist wel dat jullie hier allemaal zouden zijn.'

Hij kijkt de tafel rond. Glimlacht naar Isabel. 'O, de rottweiler is er ook,' zegt hij als hij Kay ziet.

Hij stelt zich voor aan Rose en Simon. 'Alex...' zegt hij, en hij steekt zijn hand uit alsof het de normaalste zaak van de wereld is.

Ze drukken die hand allebei voorzichtig. Ze hebben genoeg over hem gehoord om te weten wie Alex is, maar ze weten natuurlijk niet hoe complex de zaak rond hem is.

Dan ziet hij Lorna naast Rose zitten. Ze is wit weggetrokken, en haar ontspannen houding is helemaal weg.

'Oké,' zegt hij en hij kijkt me aan. 'Nu snap ik het niet zo goed. Ik weet wel dat je nieuwe vrienden nodig had, maar dit is dus belachelijk. Jij haat Lorna. Dat heb je me wel honderd keer gezegd.'

Dan grijpt in. 'Alex, zo is het genoeg. Jij bent niet uitgenodigd. Je hebt hier niets te zoeken…'

'Natuurlijk ben ik wel uitgenodigd. Dit doen we toch altijd op de eenentwintigste december. En de vierentwintigste komen jullie bij ons. En met oudjaar gaan we eerst vroeg uit eten en dan naar huis, afwisselend bij ons en bij jullie. En elke donderdagavond zitten we hier, elke maandagavond bij ons, en op vrijdag gaan we naar de kroeg en elke zaterdag naar een restaurant. En één keer per jaar, in de herfstvakantie, gaan we met z'n allen weg. Verder mag er nooit iemand anders bij al die rituelen aanwezig zijn, behalve deze avond. Ja, Rebecca heeft ons hele leven voor ons uitgestippeld, dat van ons vieren en onze kinderen. Zo is het toch, Rebecca?'

Ik haat hem. 'Ik denk dat je nu moet gaan.'

'Maar ik ben er net,' zegt hij en hij gaat naast Dan op een stoel zitten, zodat hij toevallig naast Lorna terechtkomt. Ze ziet eruit alsof ze zo kan overgeven.

'Jullie hebben zeker worstjes met aardappelpuree gegeten, en dan trifle toe. En toen iedereen binnenkwam stonden er kerstliedjes op en er was voor iedereen een persoonlijke christmas cracker. Rebecca houdt namelijk niet van verandering.'

We zitten als verlamd, omdat we te stijf Brits zijn om nu een scène te schoppen. Uiteindelijk moet ik toch iets zeggen, vind ik. 'Alex, ik weet wel dat je nog steeds kwaad op me bent…'

Hij lacht. 'Haal je nu maar niks in je hoofd. Ik ben hier niet voor jou. Ik kom voor Isabel.'

Alle ogen richten zich op Izz. Rose en Simon kijken verbijsterd en nieuwsgierig, Lorna is bleek en beverig, Dan is woest maar weet niet wat hij moet doen. Isabel kijkt Alex aan, en wacht op wat komen gaat. Persoonlijk voel ik geen enkele behoefte om te horen wat Alex te zeggen heeft. Ik wil alleen maar dat hij ons allemaal met rust laat.

Hij leunt naar haar toe. 'Isabel, ik wil je terug. Ik heb een fout gemaakt. Een verschrikkelijke, stomme fout, en het spijt me zo ontzettend, dat geloof je niet. Ik weet dat ik nooit bij jullie weg had moeten gaan, bij jou en de meisjes. En ik weet ook dat mijn gedrag naar Rebecca onvergeeflijk is.'

Ik voel dat Rose en Simon hun hoofden nu naar mij draaien, alsof ze naar een tenniswedstrijd kijken. Ik staar naar de tafel.

'Maar ik zat er helemaal naast wat Rebecca betreft. God, wat heb ik me daarin vergist. En je weet dat ik nooit echt iets voor Lorna heb gevoeld…'

Flats. Twee hoofden richting Lorna. Ik kijk ook naar haar. Ze ziet er geschokt uit, maar dit is geen nieuws meer voor haar, dus houdt ze zich kranig.

'…en nu zie ik wel in dat ik eigenlijk van jou hou. Ik heb alleen een poosje raar gedaan, meer was het niet. Noem het voor mijn part midlifecrisis. *Whatever.* Maar dat is nu voorbij. Dus ik wil graag terugkomen, als jij mij weer terug wilt. We kunnen dit achter ons laten, Isabel, alsjeblieft…'

Dan houdt hij eindelijk zijn kop en we kijken allemaal naar Isabel. Ik zie dat ze geraakt is en dat ze erover nadenkt. Haar ervaring met Luke heeft haar kwetsbaar gemaakt en de schijnveiligheid van haar huwelijk lijkt haar op dit moment waarschijnlijk heel aantrekkelijk.

'Alex…' zegt ze zachtjes, 'ik weet niet wat ik hiervan moet denken.'

Ik weet dat dit me niet aangaat. Ik weet dat ik me er niet mee moet bemoeien. Maar wat voor vriendin zou ik zijn als ik haar weer naar hem terug laat gaan zonder dat zij eerst het hele verhaal kent. Als ze eenmaal de volle omvang van Alex' bedrog onder ogen heeft gezien en hem dan nog steeds terug wil, dan moet ze het zelf weten. Ze is een volwassen vrouw. Ze moet het zelf maar uitzoeken. Maar nu zijn de verhoudingen scheefgetrokken.

Voor ik iets kan zeggen, komt Natalie binnen die er heel schattig uitziet in haar SpongeBob-pyjamaatje. Ze wrijft de slaap uit haar ogen. We zitten er allemaal in stilte bij, en sommigen – onder wie ikzelf – toveren een glimlach op ons gezicht alsof we willen zeggen: 'Kijk eens hoe gezellig we het hebben, Nat?' Ze is te moe en gedesoriënteerd om de spanning op te merken en ze kruipt als een poesje bij Isabel op schoot.

'Ik kan niet slapen.'

'Zal ik je dan weer instoppen?' vraagt Alex, en dan is Natalie ineens klaarwakker, en kijkt naar waar deze stem vandaan kwam.

'Papa!' Ze stort zich boven op hem alsof hij na vijf jaar drenkelingschap op zee is gevonden. 'Je hebt helemaal niet verteld dat papa ook kwam!' zegt ze op beschuldigende toon tegen Isabel.

Isabel probeert er luchtig over te doen. 'Ik wist zelf ook pas heel laat dat hij er zou zijn. Ik was bang dat jullie anders niet naar bed zouden gaan, omdat jullie hem eerst nog wilden zien.'

'Ik ga Nicola halen,' zegt Natalie, die instinctief altijd alles met haar tweelingzusje wil delen.

'Nee,' zegt Isabel en ze pakt voorzichtig haar arm om te zorgen dat ze niet de kamer uit holt. 'Papa moet zo alweer weg en jullie zien hem snel.'

Natalie slaakt een harde, theatrale zucht. 'Wanneer kom je weer thuis?'

'Misschien wel sneller dan jij denkt,' zegt Alex, waarop Isabel zegt: 'Alex…' en hem een waarschuwende blik toewerpt.

Natalies gezicht klaart op. 'Echt waar?'

'Nou, dat ligt aan mama,' zegt Alex, en de rest van ons kijkt elkaar met open mond aan. Het is onvoorstelbaar dat hij Natalie hoop geeft en Isabel in de vuurlinie plaatst, mocht het toch niet gunstig uitpakken.

Isabel tilt Natalie van zijn schoot. 'Dat ligt aan ons allebei,' zegt ze. 'Aan mama en aan papa. We hebben heel veel te bepraten, maar dat maakt niet uit, want jullie zien hem hoe dan ook binnenkort. En wat er ook gebeurt, hij komt nog steeds gewoon op bezoek. En wie weet, misschien op een dag…' Haar stem sterft weg en ze neemt haar dochter mee de kamer uit voor Alex nog iets kan zeggen.

We zitten even in de ijzige stilte en dan zegt Dan: 'Goddomme, Alex, dat kon echt niet.'

Alex negeert hem en schenkt wat wijn in iemands lege glas en glimlacht naar de ontstelde gezichten om hem heen. Ik wil dat hij vertrekt, uiteraard, maar ik zou niet weten hoe ik dat voor elkaar moet krijgen. Vragen gaat niet werken. Ik wil geen toestand, geen lawaai, ik wil de buren niet storen en vooral ook de kinderen niet. Daarbij wil ik ergens ook graag dat hier nu voorgoed een eind aan komt. Het is goed dat Isabel eraan wordt herinnerd wat een manipulator hij is, en hoe gemeen en gestoord en hoe onoprecht.

Ze komt weer binnen en kijkt Alex indringend aan. 'Dat flik je me nooit meer, de meisjes erbij betrekken, en hen valse hoop geven.'

'Maar het is toch geen valse hoop? Dat hoeft het toch niet te zijn. Want jij zit er immers ook aan te denken, Izz, of niet?'

Isabel kijkt naar ons. 'Ik heb geen zin om dit gesprek hier te voeren. Dat... dat kan gewoon niet.'

'We moeten er maar weer eens vandoor,' zegt Rose, en ze kijkt Simon vragend aan.

'Nee,' zeg ik. Ik wil niet dat de avond zo eindigt en dat onze gasten ons huis uit worden gepest.

Dan zegt: 'Ik denk dat Alex degene is die nu moet vertrekken.'

Alex negeert hem en kijkt naar Isabel. Rose gaat met tegenzin zitten.

'Je wilt ook al niet praten als ik de kinderen kom halen. Je wilt niet aan de telefoon praten. Misschien kan het wel niet, zo, maar ik zou niet weten hoe ik je anders zover krijg dat je naar me luistert en ziet dat ik het meen. Ik wil terugkomen.'

'Alex, ik ben nog steeds bezig om na te gaan waar het precies mis is gelopen in ons huwelijk. Jij bent zomaar weggegaan terwijl ik geen idee had dat je zo ongelukkig was. Wat zegt dat over ons? Je hebt godbetert geprobeerd om Rebecca te versieren. Mijn beste vriendin.'

'Ik zei toch dat dat een fout was. Een misser die verder niks te betekenen heeft. Ik wist niet wat ik deed. Ik was zo in de war, en ik had er meteen spijt van.'

Oké, hier moet ik ingrijpen. Ik kan niet zitten toekijken hoe hij haar verhaaltjes op de mouw speldt. Ik haal diep adem, hoest, en daar gaat-ie. Maar Dan is me voor.

'Een misser die niks te betekenen heeft? Tegen Rebecca heb je anders gezegd dat je al jaren verliefd op haar was. En dat heb je de dag erna nog eens onderstreept. Je hebt haar gesmeekt om bij me weg te gaan.' Hij kijkt Isabel verontschuldigend aan. 'Dat is de werkelijke reden waarom wij ruzie hebben.'

Isabel kijkt verward.

'Ik wilde niet dat jij dat ooit te weten zou komen,' zeg ik. 'Maar Dan heeft gelijk. Als je hem weer terug wilt, dan moet je precies weten hoe hij in elkaar zit, en waartoe hij allemaal in staat is.'

'Oké,' zegt Alex. 'Zoals ik al zei, ik was erg in de war. Ik heb van alles en nog wat gezegd.'

'En je hebt mij verteld dat jouw huwelijk al jaren op zijn dooie gat lag.' We kijken allemaal naar Lorna, die ineens vanaf de andere kant van de tafel haar mond opendoet. 'Je hebt me verteld dat je Isabel nooit trouw bent geweest. Sorry, Isabel…'

Alex onderbreekt haar. 'Wacht effe, hoor, jij moet je mond houden. Bijna iedereen hier aan tafel haat jou, weet je nog wel. Ze lachen je al jaren uit, achter je rug.'

'Jij gebruikt mensen, Alex,' zegt ze. 'Het duurde lang voor ik dat in de gaten had, maar het is zo.'

'Isabel,' zegt hij. 'Luister toch niet naar hen.'

Ze kijkt hem aan met een lichte frons op haar gezicht. 'Is dat waar, wat Lorna net zei?'

'Natuurlijk niet. Ze zijn allemaal of jaloers, of ze hebben iets tegen me. Ze nemen mij liever te grazen dan dat ze jou gelukkig zien…'

'Dus, het klopt niet wat ze zegt?'

Dan mengt zich ertussen. 'Alex, als jij Isabel echt terug wilt, dan is dit het moment om alles op te biechten…'

Alex zegt niets.

'Dus het klopt wel,' zegt Isabel.

Dan kijkt naar de tafel, want hij wil er verder niets over zeggen.

'Het spijt me zo, Isabel,' zegt Lorna nog eens.

'Jij hoeft je nergens voor te verontschuldigen,' zegt Isabel. 'Ik zou jullie trouwens moeten bedanken, want jullie hebben helpen voorkomen dat ik dezelfde fout nog een keer bega. Jij denkt nu dat je me terug wilt, Alex, en misschien is dat waar, of misschien komt het je wel gewoon goed uit – maar het zou al snel weer precies zo gaan als voorheen. Hoe moet ik jou ooit nog vertrouwen? Jij hebt net de kans gehad. Je had kunnen zeggen: "Ja, dit is allemaal waar, maar ik ben nu een ander mens." En die kans heb je niet gegrepen. Je hebt ons hele huwelijk tegen me gelogen en je liegt nu nog steeds.'

'Kom op,' zegt hij. 'Doe me dit niet aan.'

'Sorry, Alex. Ik aarzelde omdat ik je miste en omdat het doodeng is in je eentje. Maar je hebt me nu zelf geholpen om de knoop door te hakken. Je mag de meisjes nog gewoon zien, daar zal ik nooit moeilijk over doen, maar we gaan weer over op onze vaste regeling, en je mag niet meer zomaar onaangekondigd binnenvallen. Tussen ons komt het namelijk nooit meer goed. Nooit meer.'

Ik geef Isabel een knuffel. Ze trilt helemaal.

'O, en Alex,' zegt ze, 'ik zou maar een baan gaan zoeken.'

'Het is nu echt tijd om op te stappen, vriend,' zegt Dan.

Alex gaat staan. 'Zal ik jullie eens wat zeggen, jullie verdienen niet beter dan dat je met elkaar opgescheept zit,' spuwt hij uit terwijl hij wegloopt.

We blijven even verbluft zitten.

'Jemig,' zegt Simon dan. 'Dit is echt beter dan een avondje voor de buis hangen,' en we beginnen allemaal te giechelen, ondanks alles.

'Gaat het met je?' zeg ik tegen Isabel, en ze zegt: 'Zal ik je eens wat zeggen? Ik voel me prima. Ik hoef nu niet meer naar hem te verlangen, want ik weet nu dat ik hem nooit echt heb gekend.'

'En jij?' vraag ik aan Lorna, en ze glimlacht en zegt: 'Idem dito.'

Kay loopt naar de keuken en komt terug met nog een fles wijn. 'Ik zeg, *fuck it*, laten we ons maar eens flink bezatten.' En dat is precies wat er gebeurt, en we lachen iets te hard om dingen alsof we willen bewijzen dat er niks aan de hand is, en we zingen kerstliederen en ik zet de speakers van de iPod veel te hard, en dit keer komt de buurvrouw echt naar boven om ons toe te spreken.

31

D E VOLGENDE MORGEN WORD IK wakker, nog helemaal aangekleed, dwars over het bed. Ik herinner me vaag
dat ik om vier uur wat taxi's heb besteld en dat ik mijn
onsterfelijke liefde heb betuigd aan al mijn gasten toen de avond op
zijn eind liep. De wekker zegt dat het halftien is, dus ik ben al te laat
voor mijn werk. Ik wil Dan roepen, maar mijn tong plakt tegen mijn
verhemelte en dus kruip ik van het bed en waggel naar de deur. Dan
bedenk ik met een schok dat het hele huis vol ligt met andermans
kinderen, en dat het mijn verantwoordelijkheid is om die op tijd een
ontbijt voor te zetten en naar school te sturen (te laat). Dit is dan wel
de laatste schooldag voor de vakantie, maar dat wil nog niet zeggen
dat ze op een willekeurig tijdstip mogen binnenwandelen, als dat
hen (of hun ouders) zo uitkomt. Het lijkt heel stil in huis. Ik kom
heelhuids in de keuken aan. Daar is het verbazingwekkend schoon,
gezien het slagveld van gisteren. Midden op de tafel ligt een briefje.
Dan is vroeg opgestaan en met hulp van Zoe heeft hij alle kinderen
gewassen, aangekleed, ontbijt gegeven en op tijd de deur uit gewerkt.
Hij (Dan) heeft Melanie gebeld op haar mobieltje om te zeggen dat
ze erop moet rekenen dat Kay, Lorna en ik pas laat op kantoor zullen
zijn, omdat we tot in de kleine uurtjes aan de borrel zijn geweest en
volgens het briefje moest zij daarom lachen en vond ze het prima.

'Vergeet niet even in de zitkamer te kijken voor je weggaat,' staat
er raadselachtig. Ook al heb ik niet het idee dat ik snel in staat zal
zijn om het huis te verlaten, aan een mysterie kan ik geen weerstand
bieden, en dus loop ik naar de zitkamer en duw de deur open. Het
eerste wat me tegemoetkomt is de stank van alcohol. Het ruikt hier
als in een kroeg. Het is donker in de kamer, maar ik zie nog wel twee
comateuze figuren liggen, op elke bank eentje. O ja! Kay en Lorna

wilden liever hier blijven slapen, in hun kleren, in plaats van naar huis te gaan. Nou weet ik alles weer. Isabel heeft in het stapelbed op Williams kamer geslapen (want alle meisjes sliepen uiteraard bij Zoe. 'Bij een jongen op de kamer? Ja doei!'). Dus Rose en Simon waren de enigen die hier ook daadwerkelijk zijn vertrokken.

Ik sluip op mijn tenen naar Williams kamer. De bedden zijn opgemaakt en ik zie geen spoor van Isabel. Ze was er altijd al goed in om vroeg op te staan na een nacht doorhalen, terwijl ik dan nog uren lag te klagen op bed. Dus zet ik koffie, trek de gordijnen in de zitkamer open en gooi de ramen open, ook al is het buiten vier graden. Er klinkt gemompel vanonder de dekens.

Kay komt het eerst boven water. Ze gromt, kijkt op haar horloge en raakt in paniek.

'Het is oké,' zeg ik. 'Ze weten dat we later komen.'

Ze kruipt onder de dekens vandaan. Haar gezicht zit onder de make-upvegen en haar haar staat rechtovereind.

'O god,' zegt ze. 'O god. Wat heb ik gedaan? Nee, niks zeggen.'

Het heeft wel wat om iemand nog erger te zien lijden dan jij zelf, dat maakt je eigen kater een stuk draaglijker. Misschien dat het de donkere psychologische wolk boven je hoofd doorprikt. 'Ik was dus niet de enige', of misschien zelfs 'Ik was niet het verst heen van iedereen'. Hoe dan ook, ik word er behoorlijk vrolijk van om Kay zo te zien.

'Niks aan de hand, joh,' zeg ik, alsof ik me er nog iets van herinner. 'We waren allemaal even erg.'

Lorna ligt nog out, met haar hoofd achterover, haar mond open en een reutelende ademhaling.

'Lorna,' zeg ik. Niks.

'Lorna.'

'Lorna.'

Kay lacht. 'Lorna.'

'Lorna,' zeg ik ietsjes harder.

'Lorna,' zegt Kay.

Ik begin te giebelen. Ik kan er niet meer mee ophouden, en krijg hysterisch de slappe lach, zoals je dat kunt hebben met een kater. 'Lorna.'

Dit gaat een paar minuten zo door en we huilen allebei van het lachen. We klampen ons aan elkaar vast als een stel pubers van dertien. Om de paar seconden zegt een van ons: 'Lorna', maar ze reageert niet en dan barsten wij weer los. Ik kan de hele dag zo doorgaan, maar dan dringt het tot me door dat het werk op ons wacht en dus loop ik met tegenzin op Lorna af en schud haar voorzichtig wakker.

'Lorna,' zeg ik en ze doet haar ogen open en zegt: 'Wat?', wat Kay en ik weer hilarisch vinden, waarom weet ik ook niet. Lorna kijkt beduusd om zich heen en probeert te bepalen waar ze ook weer is.

'Wat is er zo lollig?' vraagt ze met een grogstem.

Ik zet een bescheiden productielijn op. Douche, koffie, toast, make-up. We zijn allemaal niet zo snel, en zelfs dit soort routinewerk voelt als bergbeklimmen. Het kost tien minuten extra om wat kleren voor hen uit te zoeken die ze kunnen lenen, en als we Lorna met haar maatje 38 in mijn bloesjes in maat 46 zien, komen we bijna niet meer bij. Maar om tien over halfelf zijn we klaar voor vertrek, ook al zien we er alle drie uit alsof we in geen week hebben geslapen en alsof we zijn aangekleed door het Leger des Heils. Als we naar de metro strompelen bel ik Isabel om te checken of die leeft. Ze zit al op haar werk, hoewel ze toen ze daar aankwam constateerde dat ze twee verschillende sokken aan had onder haar spijkerbroek. Ze vermoedt dat een van die sokken van William is.

'Ik doe gewoon net of ik lekker gek wilde doen,' zegt ze. 'Maar niemand trapt erin.'

'Het was leuk, hè?' zegt ze dan. 'Los van Alex.'

'Ja, het was leuk,' zeg ik. 'Echt heel leuk, zelfs.'

En dat meen ik. Ik kan me niet herinneren wanneer ik voor het laatst zo heb gelachen.

'Vraag eens aan Kay en Lorna of ze op kerstavond bij mij willen komen,' zegt ze ineens.

'Geweldig,' zeg ik. En dat meen ik ook.

Dit is de laatste werkdag voor de kerstsluiting, en dan hebben we 's middags altijd een feestje op kantoor. Ik heb zelden ergens zo weinig zin in gehad. Alle cliënten zijn uitgenodigd en meestal is de opkomst vrij aardig, vanwege de gratis drank. Melanie en Joshua kijken wat verbaasd als ze ons gedrieën zien binnen waggelen. De antipathie tussen Lorna en mij is altijd een goed bewaard geheim geweest en ondanks onze haveloze en onprofessionele verschijning, bijna twee uur te laat, kun je aan hun lachende gezichten aflezen hoe blij ze zijn dat hun kindertjes zoet met elkaar hebben gespeeld.

Er gebeurt deze dagen trouwens toch nooit wat. De halve business is al weg uit Londen voor de vakantie. De telefoon rinkelt bijna niet. Ik zit de rest van de ochtend te soezen op mijn stoel en dan nemen Joshua en Melanie ons mee naar Rowleys, aan de overkant, voor de traditionele kerstlunch.

We zijn vreselijk gezelschap, en grommen enkele lettergrepen en slaan de ene fles water na de andere achterover. Uiteindelijk staat Joshua erop dat er champagne wordt gedronken. Het idee alleen al geeft me maagzuur, maar na een paar slokjes knap ik toch aardig op. Leuk, dus nu word ik nog alcoholist ook. Iedereen proost op mijn promotie en dan op Lorna's succes met Heather en dan nog op Kay omdat ze zo wonderwel bij ons past. Met zijn drietjes proosten wij op hen omdat ze de beste bazen in de hele wereld zijn. Dat is lichtelijk overdreven, maar wat maakt het uit? Joshua houdt dezelfde speech die hij elk jaar tijdens de kerstlunch houdt, en zegt dat we allemaal geweldig zijn en dat Mortimer and Sheedy volgend jaar de wereld eens een poepje zal laten ruiken en dan steken we de straat weer over in een warme wolk van wederzijdse affectie en respect.

De kerstborrel is van vier uur tot halfzeven. Het is heel informeel, met goedkope champagne en bier die in koelers op mijn bureau staan en met overal grote schalen pringles. Niemand komt opgetut. Cliënten en wat vrienden zoals Marilyn Carson komen even langs na het werk of tussen hun kerstinkopen door, of op weg naar het theater, drinken even wat, wensen iedereen prettige kerstdagen en dan gaan ze weer. Er is er altijd eentje – meestal een cliënt die al een poos geen werk meer heeft gehad – die stipt om vier uur verschijnt en die we om halfzeven lichtjes beschonken in een taxi moeten hijsen.

Dit jaar is Kathryn er als eerste, dus ik vraag me af of zij dit jaar diegene is. Ze knuffelt me zo stevig dat ik ervan moet hoesten, en Kay geeft haar een glas champagne terwijl ze staat te vertellen hoe leuk het is om *Nurses* te doen, ook al is ze alleen nog maar op de doorpas van de kostuums geweest, en dat ze de tijd van haar leven heeft.

'En dat heb ik allemaal aan Rebecca te danken,' blijft ze maar zeggen. Ik kijk even naar Lorna om te zien of die geïrriteerd is, maar ze lacht vrolijk met ons mee, dus ontspan ik en neem ik het compliment in ontvangst. Kathryn ziet er inderdaad fantastisch uit, levendig en stralend, energieker dan ik haar ooit heb gezien, dus ik vind dat ik wel een beetje trots mag zijn op deze transformatie.

Rond kwart over vijf is het volle bak. Gary McPherson is geweest en alweer weg, met een van de deelnemers van de X-factor van vorig jaar aan zijn arm. Hij verkondigde dat ze gingen trouwen, en hij werd van alle kanten gefeliciteerd. Kay, die graag roddelbladen leest, fluistert dat ze geen idee had dat Gary en Anastasia een stel waren en ik leg uit dat ze elkaar waarschijnlijk pas net hebben ontmoet, en dat ze geld nodig hebben van de tijdschriften, en aandacht. Ik vertel haar ook dat Gary ongetwijfeld al zijn voormalige collega's van *Reddington Road* zal uitnodigen voor de bruiloft, zelfs degenen die hij zogenaamd haat, en dat Anastasia als de bliksem haar contacten met alle andere X-factorkandidaten zal aanhalen, die ze meteen na de show had gedumpt. Want ze krijgen een dikke bonus voor elk beroemd gezicht dat tijdens de ceremonie kan worden gekiekt. Misschien komen ze zelfs op de cover te staan, als ze de winnaar kan overtuigen om ook te komen. Gary zegt dat wij natuurlijk ook allemaal van harte zijn uitgenodigd, en ik zeg tegen Kay dat ze zich maar niet moet verheugen. Hij zal het zich toch niet meer herinneren, behalve als een van ons de krant haalt, en hij dus munt uit ons kan slaan.

'Jemig,' zegt ze, 'je leert nog eens wat als je hier werkt.'

Mijn andere nieuwe beschermelingen komen ook binnen om ons een fijne kerst te wensen – Jasmine, met een nieuw vriendje aan haar arm, en Samuel die zijn tweede klus bij *Nottingham General* net heeft afgerond en me zegt dat hij dus weer werk nodig heeft.

'Heb jij Marilyn Carson al eens ontmoet,' vraag ik en hij zegt van niet, dus sleep ik hem mee om hem aan haar voor te stellen. Ik heb alweer een hoofd vol plannetjes hoe ik hem aan de slag kan houden.

Mary en Craig komen ook langs en zij zegt op een gegeven moment zachtjes dat ze hoopt dat Lorna haar ook aan mij overdoet, want ze weet dat ze *Marlborough Murder Mysteries* aan mij te danken heeft. Ik zeg dat we even moeten afwachten, want Lorna is nu in bloedvorm en ze is onstuitbaar. Maar het compliment maakt me wel trots. Craig vindt zichzelf helemaal belangrijk nu hij zijn eerste opdracht binnen heeft. Het filmen begint twee weken na de kerstvakantie – in soapland werken ze altijd maar door – en ze hebben al laten doorschemeren dat ze graag willen dat hij nog een aflevering schrijft. Ik gun hem zijn opschepmomentje. Daar hebben we allemaal wel eens recht op, vind ik.

Dan komt er iemand binnen die zelfs ik niet herken.

'Mijn hemel, is dat Joy Wright Phillips?' vraagt Lorna, en ze loopt op haar af om haar te begroeten. Joy is nog nooit op onze kerstborrel geweest. Tenminste, niet sinds ik hier werk. Ik heb haar nog maar één keer ontmoet, dat was jaren geleden, en in mijn herinnering liep dat behoorlijk stroef. Lorna neemt haar mee om haar voor te stellen en Joy schenkt me een brede glimlach, schudt mijn hand en vertelt dat ze nu echt weer aan het schrijven is. Ze schrijft elke ochtend in bed – en ze mag er alleen uit voor een kopje thee – twee uur, vaste prik, en zonder zich te laten afleiden. Ze schiet lekker op, zegt ze. Ze heeft een idee en ze denkt dat het goed werkt. Ze denkt aan de Bush of de New End, een klein theatertje in elk geval. Ze zou graag eens langskomen in januari om het erover te hebben. Ik zeg dat ik het fantastisch vind dat ze over haar writer's block heen is. Ik heb eigenlijk geen idee of ze echt kan schrijven, want het is inmiddels al zo lang geleden. Maar ik ben dolblij dat ze eindelijk weer eens haar pen op papier zet – of haar vingers op de toetsen, neem ik aan – en dat ik daar een rol bij heb kunnen spelen.

'Ik zal je laten zien wat ik tot nu toe heb,' zegt ze, 'en zeg het gerust als het rotzooi is.'

We hebben Nadeem uitgekozen als onze nieuwe assistent. Hij is al even verliefd op onze wereld als wij en zo gretig om te leren en het goed te doen dat we nu al weten dat hij helemaal bij ons past. En het is goed om er een jongen bij te hebben, als tegenwicht voor al die vrouwenhormonen. Hij komt met een brede glimlach op de borrel, want hij wil iedereen leren kennen, en Kay neemt hem meteen onder haar hoede. Hij is even oud als haar oudste zoon.

Heather komt natuurlijk niet. Zij is veel te belangrijk om lauwwarme nepchampagne te drinken op een zolderetage in de buurt van Piccadilly. Ze stuurt Lorna wel een gigantische bos bloemen, dus ik neem aan dat ze haar de valse start heeft vergeven. Ik krijg een kleiner bosje, en dat vind ik heel aardig van haar. Ik verheug me erop dat ik de kinderen kan vertellen dat hun moeder bloemen heeft gekregen van Heather Barclay. Ik moet eraan denken dat ik het kaartje mee naar huis neem voor Zoe.

En dan is het in een flits voorbij. Er zijn geen dronkenlappen om weg te werken. We sluiten af en laten de rotzooi voor wat het is, in de wetenschap dat de schoonmaker morgen komt. Buiten omhelzen we elkaar en wensen elkaar allerlei mooie dingen. Kay en Lorna roepen allebei: 'Tot zondag!' als ze weglopen. Ja, mensen, wat zijn we lief voor elkaar.

Op de terugweg naar huis koop ik allerlei lekkere dingen voor Dan: biefstuk en citroentaart en chocoladetruffels. Ik weet dat ik de neiging heb om het allemaal maar heel gewoon te vinden wat hij voor me doet. Ik zou natuurlijk nooit uitslapen, zoals vanochtend, als ik niet diep in mijn onderbewuste wist dat hij zou opstaan, hoe beroerd hij zich zelf ook voelde, om voor de kinderen te zorgen. Dan is altijd de stabiele factor geweest in ons groepje. Hij is een combinatie van onze beste eigenschappen, een rots in de branding en betrouwbaar als Isabel, geestig als Alex, loyaal als ik, maar verder heeft hij geen verkeerde trekjes. Je ziet hem gemakkelijk over het hoofd en je kunt je afvragen of er niet ergens een opwindender man bestaat, maar als je hem eenmaal echt ziet, dan kun je je niet meer voorstellen dat je ooit iets anders wilt.

Oké, dus we zijn niet meer woest verliefd, en we hebben misschien zo onze vaste gewoontes en gezellige ritueeltjes, maar ik vind dat dat helemaal niet slecht is. Los van dat ene moment vier jaar geleden heeft hij me nooit in de steek gelaten. Ik weet dat zoiets niet heel opwindend klinkt, maar iets belangrijkers dan dat kan ik niet bedenken. Hij slikt mijn onzekerheden en hij stelt me nooit teleur. Hij is de vaste grond onder mijn voeten en dat heb ik nodig. Al het andere verandert, maar zolang ik Dan heb, die prachtige, betrouwbare, lieve, attente, grappige Dan, is dat niet erg, dan kan ik dat wel aan. Ik kan daardoor zelfs leren genieten van die veranderende omgeving.

Als hij de keuken uit komt om me te begroeten smoor ik hem bijna in mijn omhelzing.

'Waar heb ik dat aan verdiend?' vraagt hij.

'Ik had er gewoon zin in,' zeg ik. 'Ik hou van jou.'

'Dat mag ik hopen. Ik ben je man,' zegt hij lachend. En dan kus

ik hem. Echt, niet als een papa en een mama die elkaar beleefd goe-
denacht wensen, maar innig en hartstochtelijk, zoals vroeger. Hij is
een beetje traag van begrip, maar dan doet hij mee en kust me terug,
en het voelt bijna net zoals toen we elkaar pas hadden leren kennen.
Maar dan beter. We gaan door tot ik me vaag bewust word van het
geluid van een deur die opengaat en ik de stem van een walgende dertienjarige hoor zeggen: 'Getver, nu heb ik echt zo ontzettend therapie
nodig.'

32

H ET IS KERSTAVOND, EN TRADITIEGETROUW zijn we bij Isabel en Alex, behalve dan dat dit jaar Alex er natuurlijk niet bij is. Isabel heeft hem gezegd dat hij de meisjes morgenochtend kan zien, als hij maar met zijn ouders meekomt, die eerste kerstdag altijd op bezoek gaan bij hun kleindochters, en hij ook weer weggaat als zij vertrekken. Alex, die zich kennelijk gewonnen heeft gegeven, stemde hiermee in zonder verder ruzie te maken. Ze weet dat hij niet moeilijk gaat doen als zijn vader en moeder erbij zijn. Zelfs Alex heeft grenzen, schijnbaar.

Deze avond zal hoe dan ook zwaar worden voor Izz, hoe dapper ze ook probeert om door te gaan, dus heb ik me als vrijwilliger opgeworpen om haar vanmiddag te helpen alles klaar te maken, en we lachen, worden boos en we huilen zelfs gedurende de middag, en we praten over alles wat er de afgelopen maanden is gebeurd.

Op een gegeven moment zegt Isabel tegen me: 'Ik weet niet hoe ik dat allemaal had moeten redden als jij er niet was,' en dan hebben we een fijn, klef moment, mijn beste vriendin en ik, dat goddank wordt onderbroken door de tweeling die binnenrent en zegt dat William weigert om zich als kerstengel te laten aankleden en dat wij daar iets aan moeten doen. Sommige dingen zullen ook nooit veranderen.

En nu zitten we met z'n allen rond de tafel. Isabel en Dan, Kay en Lorna en de vier kinderen. Ik kijk om me heen. We lijken de Waltons wel, maar dan net iets minder degelijk. Lorna en Kay lijken wel een komisch duo, met Kay die de hele tijd zegt: 'Ach, hou nu toch eindelijk je klep', als Lorna weer eens doorratelt zonder een ander de kans te geven om iets te zeggen, en: 'Neem nou toch een hap, in godsnaam', als ze te lang met haar eten zit te schuiven. Dan lacht Lorna maar zo'n beetje en zegt ze: 'O, sorry,' en dan stopt ze met praten of neemt ze een grote hap, en dan zie ik wel in dat ik haar misschien ook zo had moeten aanpakken. Op haar beurt zegt zij dingen als: 'Joh, Kay, ik had geen idee dat jij ook kinderen had?' als Kay weer eens een lang en oeverloos verhaal over een van haar jongens afsteekt.

Of Lorna ooit mijn beste vriendin wordt? Nee, natuurlijk niet. Niemand kan Isabel van die plek verdringen of zelfs maar bij haar in de buurt komen. Ik weet zeker dat Lorna nog altijd af en toe op mijn zenuwen zal werken en ik op de hare. Maar ik weet nu hoe ik met haar moet omgaan, en wat vooral zo verrassend is: ik mag haar. Echt.

Ik kan niet wachten om in januari weer aan de slag te gaan met mijn glanzende carrière. Ik kan niet wachten om morgen door te brengen met mijn lieve man, mijn niet helemaal perfecte maar heerlijke kinderen en om samen met hen kerst te vieren, met ons viertjes. Ik kan zelfs niet wachten op oudejaarsavond, de meest overschatte avond van het jaar, als we weer hebben afgesproken met deze vijf volwassenen om gezellig samen te gaan zitten mokken over hoe stom dat feest eigenlijk is. Misschien nodigen we Rose en Simon uit, misschien niet. Ik ben tegenwoordig heel gemakkelijk.

Rebecca en Dan en Isabel. Soms met Kay en Lorna. Soms met Rose en Simon. Dat zou best eens kunnen werken.

Dankwoord

Zoals altijd heel veel dank aan iedereen bij Penguin, in het bijzonder Louise Moore, Clare Pollock en Kate Burke; Jonny Geller, Betsy Robbins, Alice Lutyens en Melissa Pimentel van Curtis Brown; Charlotte Willow Edwards voor haar waardevolle research en Rae Wilson, Jake Beckett en Ella Smith Fallon voor het beantwoorden van alle vragen.

Lees ook van Jane Fallon:

Helen is flink in de dertig en heeft al lang – véél te lang – een affaire met Matthew. Hij is het prototype machtige zakenman en sexy huisvader, en was (uiteraard) ooit haar baas. Maar dan besluit Helen dat het genoeg is geweest, ze moet ook verder met haar leven: de tijd is nu écht aangebroken om Matthew te dumpen. Tijd voor actie! Op dat moment verschijnt hij aan haar deur. 'Ik heb het verteld!' juicht hij. 'Ik ben bij haar weg! Ik ben nu helemaal van jou!' en hij trekt meteen bij haar in.

Wat te doen? Helen kan hem er nu niet zomaar uitgooien, ze heeft Matthew immers jaren gesmeekt om alles op te geven voor haar.

Er rest haar maar één ding: Matthew en zijn vrouw Sophie weer bij elkaar krijgen...

'Herkenbaar, af en toe schaamteloos en vaak dus erg lollig.' —*Flair*

'Heel onderhoudend en vlot geschreven. Een aangename verrassing!' —chicklit.nl

'Spetterend en onvoorspelbaar.' —*Elle*

Paperback, 360 blz., ISBN 978 90 325 1156 2